10.00

D1205588

EN LISANT
EN ÉCRIVANT

JULIEN GRACQ

en lisant
en écrivant

Douzième Réimpression
37e mille

JOSÉ CORTI
1991

ACHEVÉ D'IMPRIMER
EN FÉVRIER 1991
PAR L'IMPRIMERIE
DE LA MANUTENTION
A MAYENNE

*Le programme des parutions et le catalogue
général sont envoyés sur simple demande adressée à :*
LIBRAIRIE JOSÉ CORTI, 11 RUE DE MÉDICIS, 75006 PARIS

© Librairie José Corti, 1980

Tous droits de traduction réservés pour tous pays. Tous droits
de reproduction, même partielle, sous quelque forme que ce soit,
y compris la photographie, photocopie, microfilm, bande magnétique,
disque ou autre, réservés pour tous pays. Toute reproduction, même
fragmentaire, non expressément autorisée, constitue une contrefaçon
passible des sanctions prévues par la loi sur les droits d'auteurs.
(11 mars 1957).

N° d'édition : 1113
ISBN 2-7143-0303-X

Littérature et peinture

On ne connaît pratiquement pas de peintres qui naissent à leur art déjà armés de pied en cap de leur technique personnelle, maîtres de leur palette, de leur touche, de leurs empâtements, de leurs glacis. Tous semblent avoir acquis progressivement, lentement, à la vue même du public, leur métier, et ce qui constitue leur signature. La littérature, parce que l'écriture et la rédaction sont les fondements de l'institution scolaire, révèle un tout autre tableau : nombre d'écrivains, dès leur premier livre, écrivent déjà comme ils écriront toute leur vie. C'est dans leurs travaux et leurs essais d'écoliers, de lycéens, puis d'étudiants qu'il faudrait chercher la maturation progressive, restée privée, qui les a mis dès leurs débuts publics en possession d'un instrument achevé. Mais il existe aussi toute une catégorie d'écrivains, non forcément inférieurs, qui voient le jour du public encore immatures, et dont la formation, parfois assez longuement, se parachève sous les yeux mêmes des lecteurs, comme se termine à l'air libre et dans la poche ventrale la gestation des marsupiaux. Exemples éminents d'écrivains du premier genre : Claudel, Valéry, Stendhal, Montherlant — du second : Chateaubriand, Rimbaud, (qui représente un cas limite de *prématuré* littéraire) Proust, Mauriac.

Il y a un prix à payer pour ce retard dans le développement, qui est de laisser une partie de ses œuvres publiées à l'état de brouillons et d'exercices, de traîner même avec soi longtemps des débris du cocon incubateur. Il y a aussi à gagner un privilège, qui est de conserver dans son écriture la vibration inséparable de l'effort vers la forme distincte, vibration que ne connaissent pas les écrivains qui ont reçu le don d'un *prêt à porter* impeccable.

*

C'est la *lenteur* de l'art d'écrire, dans son exécution mécanique, qui depuis des années déjà me rebute parfois et me décourage : le temps perdu pour un écrivain à jeter les mots sur la page, comme pour le musicien les notes sur la portée. Un travail de transcripteur et de copiste, par intervalles dégrisants comme un jet d'eau froide, s'interpose entre l'agitation chaleureuse de l'esprit et la fixation matérielle de l'œuvre. Ce que j'envie aux peintres et aux sculpteurs, ce qui rend (du moins je l'imagine tel) leur travail si sensuellement jubilant et régulier, c'est l'absence complète de ces temps morts — si minimes soient-ils — c'est le miracle d'économie, le *feed back* de la touche ou du coup de ciseau qui dans un seul mouvement à la fois crée, fixe et corrige ; c'est le circuit de bout en bout animé et sensible unissant chez eux le cerveau qui conçoit et enjoint à la main qui non seulement réalise et fixe, mais en retour et indivisiblement rectifie, nuance et suggère — circulation sans temps mort aucun, tantôt artérielle, tantôt veineuse, qui semble véhiculer à chaque instant comme un esprit de la matière vers le cerveau et une matérialité de la pensée vers la main.

*

L'envie me démange quelquefois d'écrire contre l'adulation contemporaine des arts plastiques, et tout particulièrement de la peinture. Sur le marché, la prééminence de celle-ci sur tous les autres arts s'étale, écrasante. Sans le dire expressément, et sans l'écrire, Breton en fait la reconnaissait à demi. Malraux, dans *L'homme précaire et la littérature*, traite celle-ci comme une *fata morgana* sans consistance, qui vient chatoyer tardivement, fugitivement, sur le fond archimillénaire de la sculpture et de la gravure rupestre.

Il ne serait pas sans conséquence de se demander pourquoi, dans ce procès depuis si longtemps ouvert entre la parole et l'image, les grandes religions monothéistes, Israël comme l'Islam, ont jeté les Images au feu et n'ont gardé que le Livre. La parole est éveil, appel au dépassement ; la figure figement, fascination. Le livre ouvre un lointain à la vie, que l'image envoûte et immobilise. L'une, de façon plus ou moins nette, renvoie invariablement à l'immanence, l'autre à la transcendance (ceci particulièrement vrai de la littérature post-médiévale, et singulièrement du roman, qui en est l'aspect «faustien» par excellence. La tragédie grecque qui est, elle, l'emblème littéraire de l'antiquité, opère rigoureusement en circuit fermé, ne tend qu'à un silence final qui la pétrifie, et dont le symbole est indifféremment l'Œdipe aux yeux crevés ou le

Prométhée au vautour — dans l'un et l'autre cas, une parfaite statue).

Ce qui m'intrigue quand je visite un musée, tout particulièrement quand les toiles y sont classées en fonction des
écoles et dans l'ordre chronologique, c'est l'aspect, la signification essentiellement terminale des chefs d'œuvre qu'il
assemble, et qui, en les exaltant, frappent un à un de caducité (au sens le plus noble) les moments de l'histoire qui les
ont produits, les laissant après eux inexprimablement
périmés. Ce qu'un siècle dépose et lègue dans sa peinture,
ce sont ses archives imaginaires les plus éblouissantes,
mais archives toujours, classées et closes, et marquées
d'abord par l'aptitude à la pérégrination immobile au travers des siècles (c'est au tableau, à la statue, et non à l'écrit,
qu'il appartient en réalité de dire « Tel qu'en lui-même
enfin l'éternité le change »). Une mémorisation exaltée et
arrêtée, contre laquelle le Temps lui-même ne prévaudra
pas, c'est le sentiment immédiat que nous communique
tout grand tableau, avec cet air hautain et envoûtant qu'il
a, comme le Don Juan de Baudelaire, d'entrer indéfiniment dans l'avenir à reculons : toute peinture, dans son
essence, est rétrospective. De là sa relative insignifiance
comme élément de civilisation actif : tous les ferments
agissants que véhicule l'art d'une époque, c'est la littérature qui les véhicule ; un tableau a pu enchanter, au pur
sens magique, des moments d'une vie, il n'en a jamais
changé aucune (sinon celle des futurs peintres) : ce qu'ont
fait, ce que font pourtant d'année en année bien des livres
qui ne sont pas des chefs d'œuvre. Parce que la littérature,
et dans la littérature la fiction très particulièrement, est par
essence proposition d'un possible, d'un possible qui ne
demande qu'à se changer éventuellement en désir ou en

volonté, et que le tableau ne propose rien : avec une majesté immobile, bloquée, à laquelle la littérature n'atteint pas, il figure invariablement un terminus.

*

Dans la vie courante, les hommes se font spontanément d'eux-mêmes l'image de libertés en marche, circulant au milieu d'un monde matériel inerte, et le traitant pour leur commodité à la manière d'un simple ustensile. Il est difficile de leur enlever l'idée que dans la fiction il en va autrement, parce qu'ils ont le sentiment rassurant de s'y retrouver en terrain de connaissance. Les personnages, en effet, dans un roman tout comme dans la vie, vont et viennent, parlent, agissent, tandis que le monde garde son rôle apparent et passif de support et de décor. Pourtant quelque chose les rapproche puissamment, qui ne tient aucune place dans la vie réelle : hommes et choses, toute distinction de substance abolie, sont devenus les uns et les autres à égalité *matière romanesque* — à la fois agis et agissants, actifs et passifs, et traversés en une chaîne ininterrompue par les pulsions, les tractions, les torsions de cette mécanique singulière qui anime les romans, qui amalgame sans gêne dans ses combinaisons cinétiques la matière vivante et pensante à la matière inerte, et qui transforme indifféremment sujets et objets — au scandale compréhensible de tout esprit philosophique — en simples matériaux conducteurs d'un fluide.

Vous croyez retrouver dans un roman, comme dans la vie, l'homme en possession de toutes ses prérogatives d'autonomie, face à un monde matériel dont il dispose à son gré? Venez donc voir le romancier travailler dans son *capharnaüm*, comme disait Homais, et procéder à ses transmutations alchimiques désinvoltes : repoussant l'exigeante conscience morale de son héros d'un coup de pied dans une encoignure, comme un guéridon, parce que maintenant son premier plan exige toute la place pour une nature morte, ou incorporant son personnage, l'amalgamant sans façons — grossi, rapetissé, tantôt lilliputien, tantôt énorme — à une allée de potager, à un foyer d'opéra, à un coucher de soleil. Pour lui, dix lignes de débats de conscience ou de mobilier Louis XV, d'une certaine manière profonde, essentielle, *c'est tout un.*

C'est en ce sens seulement que la fiction véritable a des relations avec la peinture : *ut pictura poesis.* L'animation dont le roman est plein, et où le mouvement imité de la vie se double du mouvement propre à l'opération de la lecture, animation qui l'écarte à première vue violemment des images figées de la toile peinte, est un trompe l'œil qui ne peut abuser fondamentalement. Tout comme un tableau est fait d'un certain nombre de décimètres carrés de toile empreinte de couleurs, dont aucun ne possède une valeur différente des autres, un roman est fait d'un certain nombre de milliers de signes imprimés dont l'équivalence, en tant que matière-du-roman, est absolue, quelles que soient les significations auxquelles ils renvoient, parce que l'*être-ensemble-le roman* est la seule valeur, égale pour toutes, et pour tout le temps de la lecture, des représentations que ces signes font surgir. La «vie» d'un roman — puisque, paraît-il plus d'une fois vie il y a — n'est attribuée après coup à la seule animation apparente de ses personnages que par une assimilation instinctive, et abusive, au monde réel, où ce sont en effet les vivants seuls qui se meuvent et qui font mouvoir : elle n'est pas en soi différente de la « vie » d'un tableau, dans laquelle seuls interviennent des rapports de tons et de surfaces entre des éléments inertes. Que la perception dans un cas, dans l'autre l'intellection, qui laisse à l'imagination un jeu plus libre, restent prépondérantes en face de l'œuvre, n'introduit pas, entre peinture et fiction, de différence fondamentale quant à l'homogénéisation sournoise qui s'y opère entre le vivant et l'inerte. Un roman de Balzac — par exemple — qu'on s'amuserait à alléger de ses descriptions dans la seule intention obligeante de le *dégraisser* (l'entreprise a été souhaitée au siècle dernier par des critiques sérieux) n'évoquerait aucunement une maison où on a fait des rangements et ménagé de la place, mais plutôt une nef gothique dont on démolirait par économie les arc-boutants.

*

Je suis frappé de la naïveté perspicace, de la justesse drue et directe, de la verdeur jaillissante des peintres, des sculpteurs, des musiciens, de la plupart des artistes de la main, de l'œil et de l'ouïe lorsqu'ils sont capables de parler de leur art ; à côté d'eux, chez l'écrivain qui parle de l'écriture, tout est trop souvent outrance ou rétraction, poudre aux yeux, alibi. Les causes en sont dans la profonde ambiguïté de la littérature dont mille diastases travaillent et font fermenter la matière à mesure qu'elle s'élabore. Le commentaire sur l'art d'écrire est mêlé de naissance, inextricablement, à l'écriture. L'artiste plastique qui prend du recul et cherche à comprendre ce qu'il fait est devant sa toile comme devant une verte et intacte prairie : pour l'écrivain, la matière littéraire qu'il voudrait ressaisir dans sa fraîcheur est déjà pareille à ce qui passe du deuxième au troisième estomac d'un ruminant.

*

Bleus et ors de *Fra Angelico* : la radiance, l'effulgence des vêtements d'autel. Bleus et jaunes de Vermeer : matité gorgée, imprégnation de part en part de la couleur par une matière terreuse, comme si la laïcisation de l'art avait impliqué aussi une déspiritualisation de sa matière : ces couleurs du Hollandais, ce sont les sucs de la terre, non plus les phosphorescences de la Visitation. Depuis Byzance et l'Angelico, la peinture n'a jamais plus osé — le pouvant — revêtir l'*habit de lumières*, pas plus que le pouvoir ne se permet encore aujourd'hui les haies d'oriflammes et les fanfares de trompettes.

Tout se passe d'ailleurs comme si tout art, en mûrissant, avait tendance à se cantonner dans le registre médian de ses moyens d'expression : à mesure que les exigences de sa matière y grandissent, à mesure que l'initiative, chez l'artiste, passe progressivement de la pensée ou de la vision aux mots et à la couleur, on dirait qu'une loi non écrite commande aux mots et à la couleur la discrétion et la réserve, leur enjoint de voiler un éclat trop provocant qui claironnerait tout leur pouvoir. Dans l'art classique, c'est déjà évident : chez Racine, entre tous.

*

La seule peinture, ou sculpture, de premier rang fixe sur la toile ou dans le marbre des images de la beauté féminine qui échappent au temps. Ni la photographie, ni le film ne le peuvent : après trente années, et même moins, tous les visages de femme sans exception y paraissent surannés, parce qu'il y a une mode des visages vivants — et non pas seulement du maquillage et de la coiffure — constamment (quoique plus lentement) changeante, comme l'est la coupe du vêtement. Et on devine que même la plus haute littérature, si, par suite de quelque sort funeste, elle parvenait réellement à *faire voir*, n'échapperait pas à ce genre de vieillissement, et que par exemple chez Proust *Odette de Crécy*, avec ses prunelles « qui semblaient sur le bord de la paupière inférieure fléchissante prêtes à se détacher comme deux larmes » ne figurerait en fait qu'une sœur jumelle plus huppée de ce que sont, au plus bas de l'échelle, les *pin-up* des cartes postales populaires de 1914 ou encore, à un rang intermédiaire — la courbe inférieure de l'œil lourdement infléchie comme la coque de la moule — les stars de l'écran muet encore adolescent, comme Mary Pickford. C'est que la séduction de la femme ne s'exerce, sur l'artiste comme sur le calicot, que selon les canons de la beauté-du-jour, mais que le peintre, quand il peint sa maîtresse, n'est plus amoureux que de sa toile, et de ses exigences — tandis que la main à plume, elle, parce qu'elle évoque et ne peut jamais montrer, fait aisément de l'or avec du plomb sans avoir vraiment à *transmuer*. Ou, plutôt que de l'or, un étrange papier-monnaie de valeur entiè-

rement fiduciaire qui circule avec toutes les vertus du
métal précieux, sans que personne ait jamais droit de
regard sur l'encaisse.

*

A quoi tiennent les malheurs répétés de l'*arc-en-ciel*
dans la peinture figurative ? Il se peut, bien sûr, qu'un
excès de *joli* ostentatoire, par son tout-fait provocant,
détourne ici de lui le vrai peintre. Mais plus probablement
y a-t-il une autre cause : ce qui empêche l'intégration d'un
arc-en-ciel à un tableau, ce n'est pas une difficulté technique insurmontable, c'est l'aveu qu'elle constitue d'un
échec du peintre à soumettre à l'arbitraire organisé de sa
vision personnelle *tous* les éléments naturels sans exception. L'arc-en-ciel est l'introduction, au milieu d'une symphonie colorée entièrement écrite dans une clé subjective,
d'une formule de dioptrique rebelle à toute substitution.
Et de tels interdits signifiés par la peinture valent aussi
pour la littérature.

*

La duplication en art. Giorgio de Chirico expose dans
une galerie belge. A la première page du catalogue, la photographie en pied de l'artiste : en grand uniforme d'académicien, lourd, épais, le visage évacué par la pensée,
moutonnier et obtus, sous la chevelure de laine blanche,

les mains croisées sur la panse qui vient en avant, il fait songer à la fois à un terrassier déguisé par l'habit vert et au Bertin de M. Ingres. La même pesanteur de carrure dans la prospérité bourgeoise, le même rictus de satisfaction sournoise et repue. Il a quatre-vingt-huit ans. Après une plongée de cinquante ans dans l'académisme, il refait maintenant sans modifications — recombinant seulement leurs éléments comme on remonte un *meccano* — les tableaux qu'il peignait à trente ans : rues à arcades, tours roses, places vides, statues équestres à ombres portées, cheminées d'usines, locomotives des solitudes — « muses inquiétantes » à têtes d'ampoule, mannequins, bobines, équerres, artichauts. Et ces tableaux qui sont autant d'impostures, ces tableaux truqués et sans âme, dont on ne peut douter qu'ils se résignent d'infiniment mauvaise grâce, après une longue bouderie, à répondre à la seule demande du marché, ne se distinguent pas aisément de ceux qu'il peignait il y a un demi-siècle. Le même liseré de ciel jaune au ras de l'horizon, au-dessous du lourd firmament vert, le même aimant dressé des arcades, les mêmes murs bas masquant la procession des wagons à contre-jour. Tout ce qui a presque effacé pour moi d'avance, et dès le début, ce que la peinture surréaliste devait donner par la suite de meilleur.

Un des premiers artistes à qui une combinaison assez rare d'indifférence précoce, de cynisme, et de longévité ait permis d'être à lui-même, ostensiblement et consciencieusement, son propre faussaire. Le gros matou blanc et roublard qui a tant attrapé de souris, l'épais manouvrier de la peinture qui lorgne si sournoisement, du seuil de son catalogue, le public des galeries, lui pose ici une assez irritante énigme.

Rien de tel en effet n'est concevable en littérature : il est d'ailleurs significatif que ce soient les titres des tableaux récents de Chirico, plus encore que les toiles, qui accusent un fléchissement perceptible. « Le métaphysicien en été » — « La joie des jouets » — « Rencontre imprévue » ne valent pas les titres de jadis qui instantanément venaient se ficher dans le noir de la cible : « L'énigme de l'oracle » — « La Tour rose » — « Mélancolie et mystère d'une rue ». Il y a dans tout ce qui touche les productions de l'écriture poétique l'exigence d'une générosité quasi-sexuelle, qui n'a aucune chance de pouvoir s'imiter à cinquante ans de distance. Mais en peinture — lorsqu'on songe à Titien quasi-centenaire, au pinceau orthopédique de Renoir paralysé, à ce Chirico *redivivus* — on dirait que les œuvres ne sont pas payées toutes également par l'artiste en substance intime. Quand une porte, laborieusement, a été forcée, quand un accès a été trouvé vers le trésor, il existe pour le peintre comme un privilège de monnayer sa trouvaille, un droit régalien de réduplication sans perte réelle d'authenticité. Les toiles « roses » de Picasso, les danseuses, les repasseuses de Degas, les fleurs de Redon, les « lumières » de La Tour entretiennent entre elles des relations à la fois plus serrées et plus mécaniques que ne le font entre eux (par exemple) les poèmes des *Illuminations* ou ceux de la *Légende des Siècles* : sans que rien en nous vienne y faire objection, nous sentons qu'elles partìcipent à la fois de la griffe impérieuse de l'unique et de l'exploitation économe de la série. D'une œuvre de cette série picturale à une autre, notre exigence d'une modulation est plus simple et plus sommaire que celle que nous ferions spontanément valoir vis-à-vis de deux poèmes d'un même recueil (le seul qui, à ma connaissance, présente presque cette homogénéité sérielle de matière et de manière propre aux produc-

tions de la peinture est le recueil des *Fêtes Galantes* de Verlaine, lequel d'ailleurs, non sans signification, semble animer un défilé de toiles de Watteau.)

Il faut voir là sans doute, pour une part, la persistance
d'un résidu historique non tout à fait résorbé : le fait que le
peintre a conservé longtemps un statut d'artisan, serf de sa
clientèle, statut auquel la littérature a échappé bien plus
vite à cause de l'aptitude du texte à se reproduire à volonté
hors de la main et de la voix de son auteur. Le peintre a été,
presque jusqu'à notre siècle, un producteur d'images à la
commande, chez qui les commandes affluaient et se répé-
taient pour ce qu'il savait précisément le mieux faire ou
qu'il savait faire seul : les lumières pour La Tour, les têtes
composées pour Arcimboldo, et même encore la quincail-
lerie militaire pour Meissonier (l'existence de secrets et
même de *trucs* professionnels qu'ils se cachent et qu'il se
volent, comme pourraient le faire des émailleurs, des céra-
mistes, et même des cuisinières, est caractéristique aujour-
d'hui encore des seuls peintres). Le peintre, quand il se
copie lui-même, bénéficie par là encore aujourd'hui des
effets d'une tolérance périmée qui se survit : on se souvient
qu'il a été astreint aux servitudes du fournisseur. Mais
cette tolérance en voie d'extinction n'explique pas pourquoi — fondamentalement — le pastiche littéraire reste un
amusement sans portée alors que le faux en peinture est
une industrie, et une industrie qui s'enracine pour une part
dans la pratique courante des artistes authentiques.

Il y aurait intérêt à réfléchir ici à tout ce qui sépare le
« motif », sur lequel le peintre travaille, du « sujet » qu'un
romancier ou un poète s'est mis en devoir de traiter.
Impossible d'épuiser les virtualités d'un motif sans multi-
plier les angles de vue, sans, plus ou moins, tourner

autour : les séries paysagistes de Claude Monet comme les
visages à multiprofils de Picasso sont deux moyens oppo-
sés et convergents d'avouer à la fois et de surmonter la
contradiction d'un art plastique emmuré dans l'espace à
deux dimensions. La série, tout naturellement, est là en
germe. Tout au contraire, ce qui en littérature se rapproche le plus d'un tableau, la description, ne ressemble en
rien à une série de prises de vues qui constamment se res-
sourcent à leur foyer. En littérature, toute description est
chemin (qui peut ne mener nulle part) chemin qu'on des-
cend, mais qu'on ne remonte jamais ; toute description
vraie est une dérive qui ne renvoie à son point initial qu'à la
manière dont un ruisseau renvoie à sa source : en lui tournant le dos et en se fiant — les yeux presque fermés — à sa
seule vérité intime qui est l'éveil d'une dynamique naturellement excentrée. La totale impossibilité de l'instantané —
due à l'étalement dans le temps de l'opération de lecture,
laquelle à chaque instant élimine en même temps qu'elle
ajoute — fonde l'antinomie propre à la littérature descriptive. Celle-ci tente de la résoudre en changeant la vision en
mouvement. Mais ce chemin, qui est sa solution intime,
ce chemin de la plus grande vitesse du flux imaginatif
exclut, on le conçoit de reste, toute tentation de réitération.

Décrire, c'est substituer à l'appréhension instantanée de
la rétine une séquence associative d'images déroulée dans
le temps. Ayant toujours partie liée en profondeur avec les
préliminaires d'une dramaturgie, la description tend non
pas vers un dévoilement quiétiste de l'objet, mais vers le
battement de cœur préparé d'un lever de rideau. Nulle part
ce caractère de prélude théâtral n'est plus clairement apparent que dans la célèbre description du Meschacebé, au

début d'*Atala*, qui pose une tonalité, se divise en mouvements contrastés, s'anime et finalement explose dans le *tutti* terminal d'une ouverture d'opéra.

La peinture reste pour moi le monde qui ramène l'attention sur son cœur clos, sous la forme parfois d'extases qui ont droit de se répéter sans se ressembler. La description, c'est le monde qui ouvre ses chemins, qui devient chemin, où déjà quelqu'un marche ou va marcher.

*

Je lis les écrits de Matisse sur la peinture : fragments de lettres, interviews, notes techniques, parfois quelques pages plus amples, et paisiblement catégoriques, qu'on pourrait appeler des professions de foi. Il y a là une honnêteté sans éclat, une fraîcheur sédative, une proximité scrupuleuse et artisanale de la matière de son art qui me plaisent infiniment. S'il correspond avec Bonnard, on dirait de deux bénédictins qui se renseignent l'un l'autre avec urbanité sur l'avancement de leurs travaux jumeaux, et s'entr'aident sans égoïsme et sans petitesse à serrer de plus près la vérité.

Ainsi seulement encore deux savants en quête de la solution de quelque difficile problème d'immunologie ou de génétique pourraient, on l'imagine, correspondre sans rien se cacher de leurs expériences et de leurs conjectures, comptant pour peu le ménagement de leur amour-propre en face de la toute-importance objective de l'acquisition. Non deux littérateurs, hélas ! sinon peut-être dans le cas improbable de deux Mallarmé contemporains.

Il existe des correspondances d'écrivains qui, sans doute, ont enrichi l'un et l'autre ; laissant de côté les lettres échangées entre Flaubert et Maxime du Camp, ou entre Mallarmé et tel poète symboliste, où le déséquilibre de l'apport mutuel est trop flagrant, on pourrait au moins citer à une époque proche ce qu'on connaît de la correspondance de Gide et de Martin du Gard. Elle ne dépasse pas le stade de la critique réciproque et stimulante. Rien de cette entr'aide presque mystique pratiquée, sur le chemin de perfection, dans la quête de ce paradis de la peinture qui semble exister pour certains peintres concrètement, et dont Matisse cite à l'occasion les élus qui ont à coup sûr forcé l'entrée : Giotto, Cézanne. Piero della Francesca, Chardin.

Une différence intime, dans la nature de ses rapports avec son art, sépare ici l'écrivain de presque tous les autres artistes. Il peut y avoir des saints de la musique (chacun citera Bach), des saints de la sculpture : les sculpteurs des cathédrales, il y a à coup sûr des saints de la peinture (comme elle a ses lucifériens : Picasso) dont l'approche franciscaine du Vrai plus encore que du Beau ne peut faire aucun doute. Il n'y a pas de saints de la littérature : rien d'autre, même avec le long recul de la gloire et de la mort, que des hérétiques enfermés chacun dans leur hérésie singulière, et qui ne veulent pas de la communion des saints. Il existe un chœur des peintres morts qui célèbre pour nous dans quelque empyrée, de Vermeer à Chardin et à Cézanne, les joies ineffables de la Paix dans la vraie Peinture ; ni Rimbaud, ni Baudelaire, ni Claudel, ni Racine, ni Stendhal, ni Rousseau, ni Flaubert ne rejoignent morts qui que ce soit (malgré tous les efforts des manuels de littérature) pour célébrer ensemble quelque vie unitive en Poésie — et leur jardin d'Eden reste à jamais celui des sentiers qui bifurquent.

*

Les quinze dernières années, qui ne paraissent pas devoir compter tellement dans l'histoire de notre littérature, ont apporté plus de changement dans l'industrie de l'édition et dans le commerce de la librairie que ceux-ci n'en avaient connu depuis Gutenberg. L'histoire de la littérature, au moins momentanément, s'est ralentie ; l'histoire du livre a pris toute la place. Or ce qui nous semble aujourd'hui, dans la littérature, une nouveauté, remplit au contraire l'histoire de la peinture, riche de ces périodes où, plutôt que pour les *noms* et les écoles, l'importance est toute pour les mutations de la technique, de la matière, du support et du marché : invention de la peinture à l'huile, passage de la fresque à la peinture de chevalet et à sa clientèle, etc.

*

Stendhal - Balzac - Flaubert - Zola

Il y a pour chaque époque de l'art un rythme intime, aussi naturel, aussi spontané chez elle que peut l'être le rythme de la respiration, et qui, beaucoup plus profondément que son pittoresque extérieur, plus profondément même que les images-clés qui la hantent, la met en prise sur l'être et réellement la fait exister : c'est à ce rythme seulement que le monde pour elle se met à danser en mesure, c'est à cette allure seule qu'elle capte et traduit la vie, tout comme l'aiguille du gramophone ne peut lire un disque

qu'à une certaine vitesse réglée et fixe. Le *tempo* de
Mozart est fondamentalement étranger à celui de Wagner,
mais il entretient une relation serrée, vitale, avec les *Liai
sons dangereuses* comme avec *Manon Lescaut* ou *L'in-
génu* : *La Mariage de Figaro* signe la conjugaison naturelle
de sa vitesse spécifique avec la littérature représentative de
son temps ; tout comme, à une autre époque, le *lento maes-
toso* de Wagner est apparié à Baudelaire et à Poe, et à
toute la littérature symboliste. Un changement de rythme
aussi essentiel, un ralentissement de même nature du
tempo, plus important sans doute que la modification du
matériel romanesque ou de la conception du personnage
— et qui peut-être en fin de compte y préside et la commande — sépare dans l'histoire du roman *La Cousine
Bette* ou *La Chartreuse* d'un côté, *Madame Bovary* de
l'autre. Une surpression romanesque où les pages se bousculent l'une l'autre, où le contenu tourbillonne comme
l'eau d'un réservoir qui se vide par le fond, comme si le
monde à tout coup tentait de s'évacuer littérairement tout
entier par un conduit trop étroit, congestionne d'un bout
à l'autre la *Comédie Humaine*, confère aux ouvrages de
Balzac la densité étouffante d'un monde agité qui touche,
on dirait, à sa tension interne limite. Et l'*allegro* de *La
Chartreuse*, plus aéré, est plus rapide encore : il est celui
de voyageurs sans bagage qui ne s'encombrent même pas
des volumineux fourgons balzaciens. Le *tempo* de Flaubert, dans *Madame Bovary* comme dans *L'Éducation*, est,
lui, tout entier celui d'un cheminement rétrospectif, celui
d'un homme qui regarde par-dessus son épaule — beaucoup plus proche déjà par là de Proust que de Balzac, il
appartient non pas tant peut-être à la saison de la
conscience bourgeoise malheureuse, qu'à celle où le

roman, son énergie cinétique épuisée, de prospection qu'il était tout entier glisse progressivement à la rumination nostalgique. Essayons de relire les grands romans du dix-neuvième siècle comme s'ils étaient le coup d'œil final du héros sur sa vie, cette saisie illuminatrice remontant le cours de toute une existence qu'on attribue au mourant dans ses dernières secondes : une telle fiction est rejetée d'emblée par *Le Rouge et le Noir* comme par *Le Père Goriot*, qui s'inscrivent en faux contre elle à toutes leurs pages, mais constitue l'éclairage même, le seul éclairage plausible de *Madame Bovary*, avec les points d'orgue engourdis, stupéfiés, où viennent s'engluer une à une toutes ses scènes : une vie tout entière remémorée, sans départ réel, sans problématique aucune, sans la plus faible palpitation d'avenir. *Tempo* songeur et enlisé, à coloration faiblement onirique, qui ne tient pas seulement, loin de là, à une constante personnelle et aux exigences d'un sujet, mais qui est la basse sourde et rythmique de toute une époque, et qui fait, si l'on veut, alors que leurs pôles imaginatifs coïncident, de l'*Éducation sentimentale* une réplique des *Illusions Perdues* presque totalement méconnaissable.

*

Stendhal fanfaronne dans *De l'Amour*, dans les *Souvenirs d'Égotisme*, dans *Henri Brulard*, non dans *La Chartreuse* : les images secrètes les mieux protégées, le roman les débusque sans merci du for intérieur, parce qu'il va puiser impitoyablement, chez l'auteur, dans les dernières réserves. Même la poésie déguise mieux que lui. La dépense vitale exceptionnellement élevée exigée par le roman en est cause pour une part (un caricaturiste de la fin du siècle dernier ne quittait les *raouts* élégants qu'au petit jour : selon lui, ce n'était que vers quatre heures du matin que le visage des reines de la mode enfin lâchait — avouait). Et, surtout, aucune couleur ne tient — sur le genre littéraire le plus battu qui soit de toutes les intempéries — que les couleurs *grand teint*, les couleurs prises dans la masse. Tout ce qui est irisation — même charmant, même ravissant — les années, impitoyables, en récurent le roman comme ferait la friction d'une brosse de chiendent. Une émotion à fleur de peau peut colorer et faire vivre pour longtemps la poésie «fugitive» (les recueils de Verlaine sont pleins de ces poèmes qui semblent chatoyer comme l'aile du papillon, et que protège pourtant un fixateur invisible). Mais non animer un roman. L'entre deux guerres a été riche, et surtout dans la littérature anglo-saxonne (Rosamund Lehmann, Margaret Kennedy, etc.) en romans tout vibrants, comme une harpe éolienne, d'une sensibilité féminine à vif, mais que n'innervait aucune image intérieure centrale, ordonnatrice : malgré leurs qualités, leur charme immédiat, ils sont allés où sont les neiges d'antan (et pourtant *Weather in the streets*, *The Constant nymph*, dont nul ne semble aujourd'hui se souvenir, n'étaient pas des romans négligeables). Il ne suffit pas qu'un roman soit porté par la chaleur d'une émotion sincère ; il faut que cette émotion sache ranimer les images élues, emmagasinées et sommeillantes, toute cette iconographie intime, secrète, qui représente — elle seule et non les documents, les «petits faits vrais», collectionnés à l'extérieur — les réelles archives dont un romancier étoffe ses livres. Le mauvais romancier — je veux dire le romancier habile et indifférent — est celui qui essaie de faire vivre, d'animer de l'extérieur, et en somme loyalement, la couleur locale qui lui paraît propre à un sujet, lequel il a jugé ingénieux ou pittoresque — le vrai est celui qui triche, qui demande au sujet avant tout, et par des voies obliques et imprévues, de lui rouvrir une fois de plus l'accès de sa palette intime, sachant trop bien qu'en fait de couleur locale, la seule qui puisse faire impression, c'est la sienne.

Ainsi Flaubert, une fois sur deux, se trompe sur le choix des sujets qu'il traite, parce qu'il croit que leur autonomie exige d'être respectée. Que d'abnégation dans l'acte d'écrire *Salammbô* ! Mais en vérité, aux yeux du romancier authentique, c'est au sujet qu'il incombe de lui faire place, non à lui de prêter vie et chaleur au développement selon sa propre loi d'un corps étranger.

*

Il semble bien que, des *quatre grands* du roman français, Stendhal, Balzac, Flaubert et Proust, c'est Balzac aujourd'hui qui fait figure de délaissé par la critique : le volume des études qui le concernent est sans doute loin d'atteindre celles qu'on consacre à chacun des trois autres. La «concurrence faite par ses ouvrages à l'état-civil », l'écart, fatalement chez lui minimum par rapport au type traditionnel du roman, parce que chacun, par un accord tacite, va chercher ce type principalement dans ses livres, tout cela, qui a bâti sa gloire à chaux et à sable, le dessert en 1978 auprès des chercheurs littéraires les plus subtils :

modèle du roman français comme Hugo est celui de la poésie, on tend à lui accorder la même fonction essentielle de référence et le même genre de désintérêt *per se* qu'on accorde au mètre-étalon.

Et, je l'avoue, quand l'envie me vient à moi-même de le rouvrir, c'est surtout pour celles de ses œuvres qu'on peut juger plus ou moins déviantes par rapport au type : non pour les *Illusions Perdues*, *La Cousine Bette* ou *Eugénie Grandet*, mais pour *Les Chouans*, *Le Lys dans la Vallée*, *Béatrix*. Le Balzac *standard* ne me cause plus à le relire qu'un plaisir modéré. Je suis surpris en outre — venant de relire *Une Vieille fille* — des écarts de qualité de cette production de fournisseur (écarts sur lesquels Alain autrefois, par piété, nous entraînait à fermer les yeux). Le bâclage et le parlage d'*Une Vieille fille*, ses plaisanteries de table d'hôte, l'outrance et parfois l'inconsistance parodique des personnages (Athanase Granson !) m'ont étonné à cette relecture au point que parfois je n'en croyais pas mes yeux, et que j'entrais presque, furieux contre moi-même, dans le jugement de Sainte-Beuve.

Si Balzac, dès sa publication, avait été abondamment et fidèlement illustré, comme l'a été par exemple Jules Verne par son éditeur Hetzel, si nos habitudes de lecture ne séparaient pas davantage qu'elles ne le font pour *Cinq semaines en ballon* ou *Nord contre Sud* son texte de pareilles images, il me semble quelquefois que nous sentirions mieux, que nous saisirions plus clairement la singularité balzacienne essentielle, qui est un enserrement, et presque un enfouissement de chaque personnage dans le réseau hyperbolique de relations matérielles où il se trouve non pas, comme pour d'autres romanciers réalistes, engagé, mais véritablement emmaillotté, au point, qu'à la limite il n'est presque plus séparable de ces enveloppes, aussi concentriques et aussi serrées que les pelures d'un oignon, enveloppes qui le dessinent, le moulent, et presque en définitive pour nous le font être. Enveloppes qui se nomment, pour les plus immédiates vêtements, mobilier, maison, pour les plus extérieures parenté, relations, métier, entreprises, fortune. On s'extasie, à juste titre, sur le fourmillement humain qui fait grouiller les différents répertoires des personnages balzaciens, mais imagine-t-on (par exemple) quelles Galeries Barbès de rêve, quel catalogue hyperbolique de *Manufrance*, quelle accumulation de livraisons de l'*Intermédiaire des chercheurs et des curieux*, quel *corpus* de la brocante universelle pourrait rivaliser avec la gigantesque friperie, avec la colossale foire aux puces dont le dénombrement et la description sont incluses dans les trente ou quarante tomes de la *Comédie Humaine* ? Il y a plus d'un roman de Balzac — et surtout, reconnaissons-le, plus d'un Balzac du second rayon — où l'essence du livre semble bien être, non pas le rapport de l'homme avec le monde, non pas le rapport de l'homme avec son semblable ou avec la société, mais plutôt le rapport de l'homme avec le médiat matérialisé et monnayé de ces grandes entités intimidantes : avec le Mobilier et l'Immobilier.

*

Le ton de légèreté enjouée sur lequel Stendhal parle du conflit des classes sociales (l'abbé Pirard chez le marquis de la Mole) appartient tout entier au dix-huitième siècle,

siècle qui demeure pour Balzac comme s'il n'avait jamais
existé. Il y a entre eux non seulement exclusion réciproque
de leurs espaces romanesques, mais décalage dans le
moment historique du regard, et, à cause de ce décalage, il
y a chez Stendhal, par rapport, à son récit, une sorte
de distanciation qui signe ses livres plus intimement peut-
être qu'aucune autre particularité. *Le Rouge et le Noir*,
c'est certes Stendhal et son génie, mais c'est parfois aussi
comme s'il avait été accordé à Laclos ou à Diderot, au
rebours de la chronologie, de raconter la Restauration.
Cela ne tient pas seulement au ton, à l'omniprésence d'une
volonté de démystification, au scepticisme généralisé.
L'opacité, la fatalité de la structure sociale, dont on ressent
à chaque page de Balzac le poids physique, n'ont chez
Stendhal d'autre réalité que semi-féerique. Laissons de
côté *La Chartreuse*, où l'argent ne joue aucun rôle, et où
les rapports sociaux entre riches et pauvres sont traités à
peu près comme ceux des rois et des bergères dans le
roman pastoral. Mais, si on prend pour exemple *Le Rouge
et le Noir*, force est bien de constater, malgré le réalisme
apparent de l'ensemble, que les deux vraies réalités balza-
ciennes, l'argent et la promotion sociale, y sont traitées sur
le pur mode des contes de fées. Malgré tous les calculs de
son ambition, l'argent ne parvient à Julien Sorel que sous
la forme anonyme d'une mystérieuse lettre de change — la
promotion, par le coup de baguette d'une convocation
non moins mystérieuse chez le marquis de la Mole. Il n'y a
d'ailleurs à aucun moment, dans la carrière de l'« arri-
viste » Julien Sorel, la moindre relation entre la volonté et
les résultats. Cela parce que Balzac, quand il est optimiste,
est le romancier de la réussite planifiée, et Stendhal celui
du bonheur, toujours plus ou moins enfant du miracle

(chez lui, de la prison). La seule morale sociale qu'on peut tirer de ses livres est que les *buts* ne servent à rien, si ce n'est à communiquer à une vie le mouvement au cours duquel le bonheur a chance de se présenter à la traverse, et c'est la morale d'une classe «arrivée», celle des nobles de cour amis du plaisir, spirituels et désabusés, des salons du XVIIIᵉ siècle, dont sont également frères attardés le marquis de la Mole et le comte Mosca, les deux mentors véritables, sur le chemin de la vie, respectivement de Julien et de Fabrice.

*

La politique dans *Le Rouge et le Noir*. J'aime qu'aucun nom inventé n'y soit clairement traduisible pour l'historien (encore que plus d'une fois, à propos de la conspiration, il en vienne un sur le bout de la langue). Mon principe s'en trouve confirmé : dans la fiction, tout doit être fictif : Stendhal réussit même à éviter le nom du monarque régnant. Un personnage de roman, aussi vivant qu'il soit, si on le confronte dans une scène à une figure historique véritable, y perd instantanément souplesse et liberté, parce qu'il vient s'articuler brusquement à un point fixe isolé : pour un moment, ce n'est plus qu'un manteau pendu à une patère. Ainsi — dans un roman certes très indigne du *Rouge* : *Les Hommes de bonne volonté* — Gurau ou Mionnet, dès qu'ils prennent langue avec Poincaré ou Jaurès.

Objection qui ne porte en rien, d'ailleurs, contre le roman historique, où ce sont les personnages authentiques qui, du seul fait d'être devenus majoritaires, se trouvent automatiquement fictifiés, et dans *Les Trois Mousquetaires* tout comme dans *Guerre et Paix*. Cette mutation spontanée de substance est mise en évidence par un roman comme *La Reine Margot*, de Dumas, où il n'y a presque plus de personnages inventés : ce sont alors ces quelques figures de fiction résiduelles qui viennent soudain gêner aux entournures, au milieu de leur liberté romanesque pleinement conquise, Catherine de Médicis ou le duc d'Alençon.

*

Les loges de la Scala, de San Carlo à Naples, du théâtre Argentina à Rome — louées à l'année ou concédées à vie, tapissées, tendues, meublées, baldaquinées au goût de leurs locataires — étaient les vraies résidences secondaires de l'Italie de Stendhal ; mais, à l'inverse de notre coutume, c'est pour y retrouver la promiscuité des transports en commun et la chaleur du coude à coude qu'on quittait à heure fixe les grands palais glacés et démeublés de cette époque-là.

*

En fait, Balzac, dans ses procédés de grossissement, n'écarte jamais les préoccupations qui sont celles du caricaturiste : fidélité au réel, rapidité, divination, isolement du trait décisif, mais aussi déformation et accentuation systématique en vue de l'effet. Son homologue (à peine inférieur) dans la catégorie des arts plastiques, c'est bien Daumier, grand peintre, mais à mi-chemin entre Rembrandt graveur et le *Charivari*. En réalité, ainsi que de nos jours un écrivain comme Colette a eu pendant toute sa vie, orientée par Willy, des relations privilégiées et parfois déformantes avec une certaine *café society* de la rive droite, dont le sens de l'élégance, de l'art, de la nouveauté, de la réussite, n'avait que peu de points communs avec les préoccupations du groupe où se mouvaient, par exemple, Gide ou Claudel, il faut replacer autour de Balzac, pour mieux serrer la nature de ses ambitions, tout un milieu fortement marqué par le gros trait, très appuyé, du journalisme (qui l'a fasciné) par le crayon déformant de Daumier, de Guys ou de Gavarni. Monde pour lequel le signe de la réussite, c'est, non pas l'œuvre patiemment et lentement élaborée à l'écart, mais le coup de poing qui fait retentir instantanément la caisse de résonance parisienne — non pas la marginalité exquise et ombreuse de Stendhal, mais la carrière tapageuse de George Sand, ou l'ascension fulgurante de Thiers porté par la fusée du *National*.

*

Peu importe en fin de compte qu'on préfère ou non Stendhal à Balzac ou à Flaubert, ou à tel autre, qu'on trouve sa production romanesque maigre, et de plus colonisée, enguirlandée de toutes parts comme une forêt de ses lianes par l'arabesque sans commencement ni fin, l'inépui-

sable fioriture de son moi, sa singularité est qu'il livre à ses
lecteurs une *époque-pays* totalement en marge de la chronologie comme de la géographie, une Icarie dont les
consonances seules sont italiennes, flottant quelque part
dans le temps désancré entre Garibaldi et César Borgia,
florissant non pas par les métiers, l'industrie et le commerce, mais par la vertu du loisir et le seul exercice libre
des passions (parmi lesquelles celle de la conversation)
ayant pour monuments les résidences de Palladio et les
prisons du Piranèse, pour gouvernement et pour police
une congrégation d'*hommes noirs* sortis directement des
romans de Donatien Alphonse de Sade — un pays dont le
forum serait le théâtre, et la langue vernaculaire l'opéra et
tout cela logé dans un *no man's land* historique insituable,
patrie intemporelle des seuls gens d'esprit, où — la Révolution mise entre parenthèses, bien qu'on ne cesse d'en parler — Byron et Mazzini pourraient se rencontrer en terrain
de connaissance et converser avec Casanova et le cardinal
de Bernis. Si je lis Balzac, si je lis Dostoïevski, la déformation qu'un tempérament souverain imprime à ma vision
du monde s'impose à moi comme à tout autre, et cependant, quand je rouvre les yeux, ce monde, j'y suis, j'y suis
toujours. Mais si je pousse la porte d'un livre de Beyle,
j'entre en Stendhalie, comme je rejoindrais une maison de
vacances : le souci tombe des épaules, la nécessité se met en
congé, le poids du monde s'allège ; tout est différent : la
saveur de l'air, les lignes du paysage, l'appétit, la légèreté
de vivre, le salut même, l'abord des gens. Chacun le sait (et
peut-être le répète-t-on un peu complaisamment, car c'est
tout de même beaucoup dire) tout grand romancier crée
un « monde » — Stendhal, lui, fait à la fois plus et moins :
il fonde à l'écart pour ses vrais lecteurs une seconde patrie

habitable, un ermitage suspendu hors du temps, non vraiment situé, non vraiment daté, un refuge fait pour les dimanches de la vie, où l'air est plus sec, plus tonifiant, où la vie coule plus désinvolte et plus fraîche — un Eden des passions en liberté, irrigué par le bonheur de vivre, où rien en définitive ne peut se passer très mal, où l'amour renaît de ses cendres, où même le malheur vrai se transforme en regret souriant.

*

Quelle image resterait-il de Stendhal s'il n'avait écrit ni *Le Rouge et le Noir*, ni *La Chartreuse* ? Question naïve, qu'on ne peut pourtant empêcher de rôder quelquefois dans l'esprit, tant — coupé des deux puissants môles romanesques qui le contrefortent — le reste de l'œuvre apparaît dispersé, circonstanciel, inachevé. Celle d'un polygraphe amateur, d'un esprit original plein de feu et de saillies, mais paralysé à l'approche de la réalisation ? d'un Caliban littéraire, masquant son impuissance secrète derrière les emprunts et les démarquages ? La masse, matériellement si considérable, de ce qu'il faut bien appeler ici les laissés-pour-compte d'un écrivain de génie, n'évoque aucunement les hors-d'œuvre de Proust, matériaux abandonnés en vrac au pied de l'énorme édifice de *La Recherche* : ce sont tantôt les « petits papiers » maniaques d'un bel esprit de chef-lieu, tantôt les besognes alimentaires d'un plumitif bien doué, tantôt les ratés caractéristiques d'un écrivain qui n'arrive pas à placer sa voix, qui s'embourbe dans des sujets sans perspective. Il n'y a pas

trace de génie — voilà ce qui me trouble — dans les dix ou
quinze débuts de récits laissés en plan par Stendhal. Une
fois de plus se pose avec lui le problème, qui m'intrigue
tant, du passage inopiné à l'excellence — problème que
Nerval personnifie exemplairement, mais que Stendhal-
Beyle, sous son état-civil multiple, n'est pas non plus sans
soulever. Il est vrai que trois lignes de la *Vie d'Henry Brulard* nous paraissent aujourd'hui irrécusablement signées.
Probablement, en 1840, ne l'auraient-elles pas été moins,
pour ses correspondants, pour sa sœur Pauline, pour
Mérimée, pour Jacquemont, seulement elles étaient
signées Beyle et leur faisaient sans doute le genre d'effet
que nous produisent les entrées du *Journal* de Jules
Renard, tandis qu'en 1978 elles sont signées pour nous
Stendhal, et que leur trace s'allonge, incommensurable-
ment, de toute l'ombre portée du *Rouge* et de la *Chartreuse*. Un effet de contre-jour unique rehausse le
bavardage séduisant du Beyle des jours de semaine : la
gloire, qui a été vraiment pour lui le soleil des morts, vient,
non pas faire étinceler après coup les propos d'un homme
d'esprit depuis longtemps reconnu pour tel (ce qui ne
serait que banal) mais les incorporer étroitement, les
agglutiner à ses chefs-d'œuvre. L'effet d'intégration qui ne
s'exerce à aucun degré sur les *Choses Vues* de Hugo ou les
récits de voyages de Flaubert, lesquels restent hétérogènes
à leur massif central, s'exerce à plein sur le moindre fragment de Stendhal, qui accourt de lui-même faire bloc,
indissociablement, avec la masse pourtant singulièrement
réduite de ses œuvres maîtresses. Jamais sans doute un
noyau radio-actif aussi réduit n'aura transmué et activé
par bombardement une enveloppe inerte aussi épaisse.

*

L'accroissement du pouvoir séparateur de l'œil interne, de Mme de La Fayette à Stendhal et de Stendhal à Proust, est sans doute l'indice le plus clair du progrès du « roman psychologique ». Mais progrès, si progrès il y a, non dans le sens d'une « vérité » serrée de plus en plus près : plutôt dans celui de la libération d'une féerie intime, plus subtile, plus riche, dont l'auteur se donne le spectacle sur la scène intérieure, et dont son art étend la jouissance à son lecteur sans enrichir sa connaissance. La psychologie dans la fiction est création pure, doublée d'un pouvoir de suggestion active.

*

Le parallèle de Stendhal et de Balzac est celui de deux images du monde différentes, mais puissamment surdéterminées et soulignées par des techniques romanesques qu'un siècle sépare, alors que l'écart entre les dates de naissance des deux écrivains, qui n'est que de seize ans, en fait de quasi-contemporains. Chacun penché en équilibre instable sur l'extrême bord de deux époques de la littérature, l'une commençante et l'autre finissante, ils semblent presque se donner la main, comme ces derniers étages des maisons en encorbellement, qu'une rue pourtant sépare où roulent les voitures. Quand je passe de *La Chartreuse* — où les paysages de la Lombardie et des Alpes ont le flou volupteux et embrumé des paysages de Watteau — au début de *Béatrix*, le formidable débarquement du monde extérieur dans le roman, avec son roulement de train de marchandises, soudain me ramène à la conscience de cette fissure béante : *Quid* du palais qu'habite la Sanseverina ? de l'odeur des rues de Parme ? mais pourtant déjà tout le pathos que le dix-neuvième siècle va accoler à l'Histoire est là présent, avec le prélude de Waterloo qui frappe les trois coups. De combien de plaisirs inédits nous sommes redevables au seul « retard » technique et sensible de Stendhal, alors que le mobilier en vrac de Balzac, à peine extrait de ses caisses, attend encore d'être trié par l'exigeante parcimonie flaubertienne !

*

Pourquoi les manies, les bizarreries intimes de Stendhal, les maximes qu'il note sur ses bretelles, pourquoi Breton désœuvré marchant sur les grands boulevards vers l'horloge *Longines*, ou suivant dans la rue le manège charmant d'une demoiselle en quête de cornichons, nous captivent-ils, alors que rien de tel ne nous retiendrait (je choisis presque au hasard) ni sous la plume de Hugo, ni sous celle de Flaubert — et j'ajouterai, n'en déplaise à Valéry, ni sous celle de Restif, dont la complaisance à soi-même m'ennuie ?

Ni un égocentrisme plus marqué (celui de Hugo les vaut tous) ni un penchant pour la confession (Breton n'en a guère, malgré les apparences) ne sont ici en cause. Ce qui compte, et ce qui compte seul, c'est la coïncidence rare d'une seule et même longueur d'onde véhiculant pêle-mêle les rythmes de l'*habitus* et ceux de la parole : ainsi le ton vital devient lui-même une écriture impérieuse, et le style geste, port, et ton de voix.

*

La chute de Napoléon a été la chance de Stendhal. Tout de même, après que la première « réussite dans l'épicerie » eut tourné court à Marseille, il était en train de se pousser joliment, quoi qu'on dise, dans les *riz-pain-sel* de la Grande Armée. On ne parle guère chez les beylistes de cette longue période de 1806 à 1814, d'où la littérature s'absente, non seulement parce que les obligations professionnelles y tiennent beaucoup de place, mais parce que Stendhal (après 1810 surtout) occupé, installé, officiel, reçu et recevant, a sans doute moins besoin d'écrire dès qu'il peut satisfaire cette envie qu'on imagine chez lui vitale : parler à son gré, parler en public, là où et avec qui bon lui semble. On ne se représente pas assez, dans la longue existence de loisirs forcés que sera le reste de sa vie, les moments de solitude, qui, même en Italie, ont dû l'emporter de beaucoup sur les autres ; solitude due à la gêne matérielle, au célibat. à sa situation constamment hors jeu de *man about town* sans moyens, flâneur des deux rives à Paris, étranger (malgré tout) en Italie, où il n'a jamais eu qu'un visa de tourisme. La littérature a comblé les intervalles de ces heures trop courtes de *brio* en public, qui étaient avec la Scala et la Comédie Française de l'après-dîner les seuls points vifs de ses journées d'éternel marginal : c'est la demi-solde, après 1815, qui lui a fait la part, pour nous si belle, et peut-être pour Stendhal seulement si large, qu'elle a tenue dans une vie qui comportait d'autres paramètres.

Parce que nous ne prenons guère en considération, dans la vie de Stendhal, l'aspect qu'elle a eu aussi — et peut-être, pour lui, surtout — celui d'une carrière bureaucratique prématurément brisée, et mal rattrapée sur le tard, nous ne voyons en lui que l'« écrivain de toujours », et jamais le très jeune retraité qui, heureusement, a mieux à faire que de traduire Horace (ou Carpani). Mais qui s'en avise en fin de compte assez tard.

*

En fait, qui a lu *Le Rouge et le Noir*, dans le temps de sa parution ? Une des recettes qui permettent à un chef d'œuvre de passer un long moment inaperçu, le livre l'a utilisée : un habillage d'archaïsme, entièrement miné de l'intérieur par la corrosion d'un tempérament, d'une sensibilité originale. *Le Rouge et le Noir*, paraissant en pleine surchauffe romantique, presque au lendemain de la première d'*Hernani*, faisait à première vue de Stendhal, par l'écriture comme par le genre d'esprit, un épigone fané des petits maîtres cyniques, ironiques et blasés, du dix-huitième siècle, beaucoup plus proche de Crébillon fils que de Balzac, et ce vernis suranné camouflait tout le reste. Nous ne voyons aujourd'hui dans le livre que le renouvellement de fond en comble, en profondeur, du roman élégant et sec du XVIIIe siècle ; les contemporains, eux, ne voyaient que la croûte factice de scepticisme et de persiflage voltairien, qui dut leur paraître vieillotte. Il est probable que ce Stendhal *bifrons*, qui ne l'est plus pour nous, ne l'était pas davantage pour ses contemporains. Seulement c'est l'autre face qu'ils voyaient, exclusivement : occurrence rare, mais non tout à fait exceptionnelle, au tournant d'une époque, d'un livre fait comme ces portes, dues à l'ingéniosité de Duchamp, qui ne peuvent fermer une pièce qu'en en ouvrant une autre, et vice versa.

*

Un des traits de Stendhal qui, dans l'écriture, l'apparentent le plus étroitement au dix-huitième siècle, est la désinvolture avec laquelle il évoque toujours la mort violente, à la guerre, en duel, par assassinat, suicide ou exécution ; c'est toujours chez lui le ton de l'abbé Prévost : « Tiens, voilà Lescaut : il ira ce soir souper chez les anges ! » celui de la guerre en dentelles et des aristocrates en hasard de guillotine. Si on laisse de côté l'apologétique et l'éloquence de la chaire qui, au dix-septième siècle, exploitent en elle leur domaine de fondation, le *tremolo* qui souligne l'évocation de la mort, foncièrement roturier, date du seul dix-neuvième siècle. *Le Dernier Jour d'un condamné*, de Hugo, qui en est la caricature, souligne par l'outrance même son entrée en fanfare dans la sensibilité littéraire du temps.

Essayons — essayons (et pourtant Flaubert pour son temps est un modèle de retenue) de nous imaginer l'effarement d'un lecteur de romans du dix-septième, et même du dix-huitième siècle (malgré Rousseau) devant le pathos de l'agonie de *Madame Bovary*...

*

D'où vient cet effet de prise directe que procure à tout coup, même dans ses ouvrages alimentaires, ses rapsodies musicales et touristiques et ses recopiages, la prose de Stendhal, et qu'aucun autre auteur ne me procure à ce point ? Pourquoi cette prose est-elle de bout en bout, sans présenter de qualités formelles bien apparentes, à la fois aussi intensément vivante et aussi intimement « personnalisée ? » Je crois parfois en surprendre à-demi une des raisons. Cette prose n'est jamais une prose parlée ; elle n'a rien du vocabulaire et des tournures de la conversation familière, de l'entretien qui va à l'aventure. Mais elle en a presque constamment le dé-lié, la désinvolture, la liberté de non-enchaînement quasi totale. Aucune prose où la phrase qui s'achève laisse moins prévoir la figure, le rythme, et même le ton de celle qui va suivre. Or celui qui nous captive dans la conversation, ce n'est pas le Goethe qui s'entretient avec Eckermann de façon si pédagogique, c'est celui dont le propos à chaque instant enjambe le prévisible, *saute* avec grâce, avec imprévu, et parfois avec génie. Ainsi il me semble que le secret qu'à la prose de Stendhal de nous faire en quelques instants, quand on le reprend, « tomber sous le charme » serait à chercher, à l'opposé de celui de la prose oratoire de Bossuet ou de Chateaubriand, non pas dans la coulée unie de l'écriture et dans sa richesse cumulative, mais plutôt dans des valeurs exquisement négatives ; dans la variété des moyens qu'elle étale à chaque instant de déjouer l'attente, dans le registre largement ouvert de ses ruptures.

*

La vérité qu'il faut rappeler d'abord, quand on parle de Balzac, et que pourtant malgré soi on oublie toujours à demi, chaque fois qu'on le compare aux autres «grands», c'est qu'il est à la fois le premier professionnel intégral et le premier «fournisseur» régulier que la carrière de romancier ait connu en France. Sa catégorie (ainsi désignerait-on en langage sportif les seuls écrivains auxquels il soit tout à fait licite de le confronter) ce n'est pas Stendhal, Flaubert et Proust, c'est Dumas, Eugène Sue, Zola, Ponson du Terrail, Zévaco (je ne m'occupe pas de la qualité, mais du *statut*). Entre un artiste bien renté comme Flaubert, qui donne le meilleur de lui-même, de loin en loin, dans une œuvre où il engage toutes ses réserves, et un Balzac qui recense chaque soir, l'œil sur son échéancier, le nombre de pages abattues dans la journée, il y a la même différence d'état qu'entre un professionnel de tennis d'avant-guerre, qui donnait la leçon cinq heures par jour, et les *cracks* amateurs qu'il entraînait et qui se livraient jusqu'au bout de leurs forces, deux ou trois fois par an, à Wimbledon ou dans la Coupe Davis. Le régime de Balzac (au sens où on parle du régime d'un moteur) est celui d'un écrivain qui a besoin de *tenir*, c'est-à-dire un régime qui tourne presque toujours un peu au-dessous de sa capacité maxima, et qui utilise avec métier toutes les déclivités, tous les paliers qui

le reposent (un mécanisme de développement et d'amplification à ressort presque purement verbal étant chez Balzac
le procédé le plus commun pour se ménager, pour disposer
dans sa création des temps de repos où il souffle). Il y a
d'évidence maldonne à comparer trait pour trait la pesée
au trébuchet d'un adjectif par Flaubert aux soucis de style
(il en a, mais qui sont à une autre échelle) d'un romancier
qui écrit ceci, dans *La Femme de trente ans.*

« Enfin elle ouvrit la porte. Le cri des gonds avait sans
doute vainement frappé l'oreille du meurtrier. Quoique
son ouïe fût très fine, il resta presque collé sur le mur,
immobile et comme perdu dans ses pensées. Le cercle de
lumière projeté par la lanterne l'éclairait faiblement et il
ressemblait dans cette zone de clair-obscur à ces sombres
statues de chevaliers, toujours debout à l'encoignure de
quelque tombe noire sous les chapelles gothiques. Des
gouttes de sueur froide sillonnaient son front jaune et
large. Une audace incroyable brillait sur ce visage fortement contracté. Ses yeux de feu, fixes et secs, semblaient
contempler un combat dans l'obscurité qui était devant
lui. Des pensées tumultueuses passaient rapidement sur
cette face, dont l'expression ferme et précise indiquait une
âme supérieure. Son corps, son attitude, ses proportions
s'accordaient avec son génie sauvage. Cet homme était
tout force et toute puissance, et il envisageait les ténèbres
comme une visible image de son avenir. Habitué à voir les
figures énergiques des géants qui se pressaient autour de
Napoléon, et préoccupé par une curiosité morale, le général n'avait pas fait attention aux singularités physiques de
cet homme extraordinaire, mais, sujette comme toutes les
femmes aux impressions extérieures, Hélène fut saisie par
le mélange de lumière et d'ombre, de grandiose et de pas-

sion, par un poétique chaos qui donnait à cet inconnu l'apparence de Lucifer se relevant de sa chute. Tout à coup, la tempête peinte sur ce visage s'apaisa comme par magie, et l'indéfinissable empire dont l'étranger était à son insu peut-être, le principe et l'effet, se répandit autour de lui avec la progressive rapidité d'une inondation. Un torrent de pensées découla de son front au moment où ses traits reprirent leurs formes naturelles. *Charmée*, soit par l'étrangeté de cette entrevue, soit par le mystère dans lequel elle pénétrait, la jeune fille put alors admirer une physionomie douce et pleine d'intérêt. Elle resta pendant quelque temps dans un prestigieux silence, et en proie à des troubles jusqu'alors inconnus à sa jeune âme. Mais bientôt, soit qu'Hélène eût laissé échapper une exclamation, soit que l'assassin, revenant du monde idéal au monde réel, entendît une autre respiration que la sienne, il tourna la tête vers la fille de son hôte, et aperçut indistinctement dans l'ombre la figure sublime et les formes majestueuses d'une créature qu'il dut prendre pour un ange, à la voir immobile et vague comme une apparition. »

Aucun roman isolé de Balzac peut-être ne *tient* tout à fait, si on le compare point par point à ceux de ses célèbres rivaux, mais sa mise n'est placée là ; un siècle avant leur avènement au ciel de la politique, c'est sur la vertu transfiguratrice des « masses » en littérature qu'il mise, et sur un certain passage qui s'y opère parfois — et qui dans la *Comédie Humaine* en fait s'opère toujours — de la quantité à la qualité. A partir d'un certain volume romanesque encore jamais obtenu avant lui, Balzac a dû avoir le pressentiment (il en donne la preuve en immergeant après coup chacun de ses ouvrages isolés dans l'ensemble de la *Comédie Humaine*) que toutes les données stylistiques changeaient de poids, comme un caillou qu'on plonge dans une rivière, et de nature, comme une détonation que l'écho d'une caverne à la fois étale et amplifie. Car l'interconnexion romanesque généralisée que réalise pour la première fois le coup de génie de la Comédie Humaine ne permet pas seulement un effet de mise en écho, le jeu d'un clavier multiplié de correspondances : elle permet, tout comme l'interconnexion d'un réseau électrique, de mobiliser le potentiel d'un secteur romanesque éloigné au service d'un récit qui languit ou qui *flanche*, et, de fait, le miracle de cette œuvre formellement si inégale est que tout sentiment de passage à vide y disparaît le plus souvent à la lecture : les réserves romanesques affluent d'elles-mêmes comme par un jeu de vases communicants ; le tout ici ne commande pas seulement à la partie, il vient colmater ses déficiences, instantanément.

De ces vertus de la mise en relations globalisée, Balzac a fini par être parfaitement conscient, et par jouer quelquefois avec une subtilité prémonitoire. Quand il écrit, dans *Une Vieille Fille*, que Suzanne la lingère a senti s'éveiller sa vocation d'aventurière galante en entendant raconter dans sa jeunesse l'histoire de Marie de Verneuil, fille de duc, dont le premier épisode se déroule, dans *Les Chouans*, à l'hôtel du More, précisément dans ce même Alençon qu'elle habite, il injecte dans ce récit terre à terre, par un rappel analogique adroit, le même genre d'enrichissement émotif que Wagner introduisant, dans la partition du cordonnier Sachs tenté par l'amour, le leitmotiv du roi Mark dans *Tristan*. Ce qui était d'abord simple articulation romanesque est devenu avec le temps, dans la conception de la *Comédie Humaine*, osmose et même circulation du sang. Le lierre finit par enfoncer des racines vives dans le mur auquel il s'était d'abord seulement agrafé.

*

Stendhal : écrivain du dix-huitième siècle publiant au temps de Louis-Philippe — Claudel, projeté directement du siècle d'Innocent III dans la Troisième République d'Émile Combes — Barbey d'Aurevilly, chouan du Second Empire — de tels décalages signalent presque toujours une situation prometteuse d'originalité, parce que permettant à la fois la participation et le recul. Du même privilège participent les écrivains (Chateaubriand) que les hasards de la chronologie ont fait vivre à cheval sur une charnière historique, la compression extrême de la durée rompue qu'ils ont traversée remplaçant les effets du retard historique personnel. La transplantation de l'écrivain en cours de vie d'un milieu de civilisation attardé dans un milieu plus développé, ou inversement (Claudel encore, ou Gobineau) est de nature à produire des effets analogues : il serait bon de s'en enquérir — nul à ma connaissance ne l'a fait jusqu'ici — à propos de Lautréamont.

*

Jean Prévost parle des « progrès de la technique » et des « faiblesses de la composition » à propos de ce *Rome, Naples et Florence*, qui semble écrit au débotté du soir à l'auberge, sans même un souvenir pour les fragments écrits la veille, et qui va battant la campagne sur des ailes de papillon. Le charme de Stendhal est de ne vouloir que par machine, et de ne pouvoir que par laisser-aller — est, pour le lecteur, de sentir le laisser-aller reprendre le dessus là même où l'auteur tire sur les rênes le plus fort. « Faiblesses de la composition » : quoi de plus contre-indiqué, en effet, que l'étrange composition binaire de *Le Rouge et le Noir* avec les deux longues plages de Verrières et de Paris, flanquées chacune du bref appendice du séminaire et de la prison ? deux trochées : une boiterie rythmique particulièrement disgracieuse : qui s'en soucie ? Le mouvement — Stendhal n'est guère que mouvement — est déséquilibre, et dissymétrie, et éveil à chaque instant de la force centrifuge. Rien ne compte peut-être chez un romancier que de savoir serrer à chaque instant le courant de vie qui le porte, le *vif du courant*, lequel, dès que le lit sinue, vient comme chacun sait heurter alternativement l'une, puis l'autre rive, toujours déporté, toujours décentré, et sans se soucier jamais de tenir décorativement le juste milieu.

Bien souvent la critique, peu préoccupée de la traction impérieuse vers l'avant qui meut la main à plume, peu soucieuse du courant de la lecture, tient sous son regard le livre comme un champ déployé, et y cherche des symétries, des harmonies d'arpenteur, alors que tous les secrets opératoires y relèvent exclusivement de la mécanique des fluides.

*

Si j'ai la curiosité après tant d'années de rouvrir *Le Rouge et le Noir* et de relire çà et là quelques chapitres, je sens un peu mieux comment c'est fait ; je vois avec un amusement invariablement complice comment Beyle prépare et place ses *mots* (qui ne jaillissent pas tous dans l'instant, bien loin de là, sous sa plume). Je suis surpris de l'éclipse du monde extérieur, qui se met soudain ici à exister si peu — amorti, raréfié, décapé de sa résonance, comme les bruits pour l'oreille quand on met pied à terre au sommet du Puy de Dôme — et qui surgit du vide par pans isolés, sortes de cartouches emblématiques servant à blasonner le lieu et l'heure : le tilleul de Verrières, la porte du séminaire, la tente du coutil cramoisi de l'hôtel de Retz, les coups sonnés par l'horloge de l'hôtel d'Aligre. C'est par sa manière de traiter le monde extérieur seulement comme empreinte en creux de l'homme, rabotée et polie à sa convenance, et par là presque invisible (parcs, promenades, salons, théâtres) que Stendhal tient le plus étroitement au XVIIIe siècle : les « magnifiques » salons de l'hôtel de La Mole n'ont pas de fonction autre, on le sent, que d'assurer le plus discrètement possible les commodités de la conversation. Mais, dès qu'elles sortent de la grisaille fonctionnelle, les touches concrètes accrochent l'attention aussi vivement que dans une étude en noir et blanc des rehauts de couleur espacés ; elles prennent aisément un caractère augural : on en trouverait sans difficulté d'autres exemples que le reflet de sang célèbre — et un peu simplet — des vitraux de Verrières au début du livre : l'*échelle*, par exemple, de Verrières, de l'hôtel de la Mole (et de l'échafaud) les *lettres*, ou billets, toutes sans exception dans le roman lourdes de conséquence (il y a dans les romans comme dans la vie de Stendhal une méfiance instinctive vis-à-vis du texte manuscrit, toujours considéré comme une possible pièce à conviction ; l'écrit y est invariablement quelque chose que l'on dissimule, que l'on camoufle ou que l'on chiffre.)

Une singularité apparaît à la relecture. J'ai toujours eu
une prévention — je l'ai écrit — contre les *ana* de l'auteur,
semés dans le cours d'un roman, qui ne tiennent pas étroitement à la vie du livre et qui s'en détachent dès qu'on le
secoue. *Le Rouge et le Noir* en est rempli, et rien n'est
jamais tenté, bien au contraire, pour les fondre dans le
corps de l'ouvrage, pour les incorporer ; le récit à chaque
instant est coupé de tirets invisibles, entre lesquels l'auteur
prend la parole sans le moins du monde se dissimuler. Or
la vie particulière à ce roman — impossible d'en douter à la
relecture — est inséparable de ces apartés que tout souligne. Et je suis ramené brusquement ici vers un genre de
réflexions que je me faisais autrefois, à propos des *Diabo-
liques* sur la position de l'auteur par rapport à l'action de
son livre et au public. Quand Balzac se lance, pour des
pages et encore des pages, dans un développement ou un
commentaire infiniment plus complaisants que ceux de
Stendhal, il donne l'impression, par un effet de ventrilo-
quie, de parler *de l'autre côté du cadre*, non pas certes
comme un des personnages du roman, mais plutôt comme
un héros surnuméraire voué au commentaire, et un peu
comme un coryphée de tragédie embourgeoisé, spectateur
certes de l'action, mais du côté de la scène, non de celui du
public. La projection romanesque en effet est ici si violente
que l'auteur lui-même s'en trouve aspiré, et bascule de l'autre côté ; même quand il prend la parole, il la prend non
plus au milieu de nous, mais — dédoublé — du milieu
même de cette pension Vauquer, de cette maison Grandet
ou de ce Cabinet des Antiques, où il s'est dans notre esprit
une fois pour toutes transféré. Ses interventions se font
quelquefois longuettes pour les raisons mêmes qui font

que nous supportons mal les parenthèses des chœurs grecs (s'ils nous semblent à l'occasion paralyser un peu la pièce, c'est qu'ils sont *dedans*). Stendhal, lui, n'est jamais *dans Le Rouge*. Quand il cesse un instant de raconter, et parle pour son compte, il occupe une position intermédiaire entre les personnages du roman et le lecteur — tantôt face à celui-ci et le tirant de côté par la manche pour lui faire part de ses réflexions sur le monde comme il va, tantôt lui tournant le dos et coupant la parole à ses personnages pour leur signifier *ex abrupto* sa façon de penser. Entre le roman et nous, dès que les vifs moments de l'action se ralentissent, il y a la perpétuelle présence d'un intermédiaire, ou mieux encore d'un *go between*, d'un va-et-vient qui s'interpose moins comme le coefficient de déformation propre à tout tempérament créateur que plutôt comme un interprète doublé d'un animateur. C'est pourquoi il n'y a pas de monde de Stendhal au sens où on parle d'un monde de Dostoievsky ou de Kafka : il y a *le* monde. Mais seulement mystérieusement ensoleillé, comme il l'est lorsqu'on s'y promène aux côtés de quelqu'un qui a le don de recharger la vie. Mais seulement vu au travers de l'écran omniprésent moins d'une imagination créatrice et déformante que d'une fureur de vivre, que d'une humeur inlassablement animée et gourmande, à la mobilité, à la séduction, au chatoiement inépuisables. Un monde non pas transfiguré, mais simplement repassionné.

Je reviens à la réflexion de Céline, qui m'a tellement frappé autrefois et que j'ai déjà citée : « Quand on n'a plus assez de musique en soi pour faire danser la vie... ». Quand on n'a plus, pour une raison ou pour une autre, suffisamment en soi de cette musique, c'est là, et là seulement, que Stendhal est irremplaçable, car pour quelques heures il vous la restitue ; il n'a ni grande invention, et il le sait (il lui faut la béquille du fait divers) ni grande technique (quoiqu'il s'en vante) ni grande imagination (et il s'en moque) ni, autant qu'on le dit, de cette « profondeur psychologique » qui est surtout chez lui vivacité de la formule et ingéniosité du trait — rien que cet allegro intime, ce *staccato* grêle et un peu sec qui n'est qu'à lui, mais au rythme duquel la vie en effet se remet irrésistiblement à danser.

*

« A l'âge que j'ai, et prétendant m'y connaître un peu, je serais intéressé par un professeur — un professeur comme il y en avait il y a quarante ans — qui m'expliquerait *par le menu* les beautés de *Le Rouge et le Noir*, dont une lecture récente m'a fait voir surtout les défauts. On me dit que Balzac, à sa parution, a écrit un grand article sur *Le Rouge*... pourquoi *toutes* les éditions ne donnent-elles pas l'article de Balzac ? » (Montherlant : *Carnets*).

Passons sur le « grand article » de Balzac, écrit sur *La Chartreuse*. Montherlant n'aime pas *Le Rouge* ; rien à dire là-dessus : la littérature, comme la démocratie, ne respire que par la non-unanimité dans le suffrage. Mais ce *par le menu* m'intéresse, parce qu'il est, précisément, la pierre de touche pour toutes les allergies à Stendhal : Stendhal n'a pas de beautés de détail, alors qu'un Huysmans n'a que celles-là. Dans la page de Stendhal, il y a dix fois moins à glaner pour l'« explication française » d'un candidat que dans celle de Balzac ou de Flaubert ; comme romancier, il ne relève que de ses ensembles, parce qu'il réside à peu près

tout entier dans son *mouvement* (toujours cet *allegro* dont
je parlais l'autre jour, chez lui vraiment, au plein sens du
mot, *vivace* : y être sensible ou non, c'est presque une question de rythme mental, de longueur d'onde intime : l'allegro de Mozart m'excède pour ma part autant que celui de
Stendhal me ravit.) Pour ce qui est de ses beautés de détail
d'«éminent psychologue», il est temps d'en revenir : ce
sont, hors de toute vérification expérimentale, des créa-
tions pures de l'esprit (et du meilleur) des collisions d'idées
endiablées libérant soudain je ne sais quel oxygène qui
donne au style son pétillement et son champagne : la psychologie de Stendhal m'a toujours paru toute féerique : on
voudrait qu'elle soit vraie, pour faire le monde plus exci-
tant. Dès la première fois que je lus *Le Rouge* — et j'étais
certes bien loin de m'y connaître même un peu — je n'ac-
cordai guère de crédit à la vérité psychologique de ses
notations sèches et bondissantes, de cette élégante algèbre
sentimentale : je sentais bien que tout était invention et
poésie chiffrée, et que le détail même du livre était subor-
donné à une enivrante rapidité.

Peut-être qu'au fond ce qui empêche Montherlant de
«voir» Stendhal est ce qui les rapproche, et les rapproche
seul, au milieu de tant de contrastes : l'inaptitude surémi-
nente de l'un et de l'autre, dans le roman, à la transparence
— la transparence à la vie qui est celle de Tchékhov, de
Tolstoï. Inaptitude ambiguë qui est à la fois lacune, si l'on
veut, mais aussi qualité irremplaçable — qui est celle de
certains très grands acteurs chez lesquels la composition
d'un rôle pâlit toujours au profit du rejaillissement têtu de
leur identité. Pour ceux-là, en vérité, peu importe au fond
le rôle : c'est *eux* seulement qu'on va voir, ou plutôt revoir :
leur accent, leurs tics, leur manière de marcher, de saluer,

de lever le nez. Or, un acteur, chacun le félicite sans restriction de sa *présence*, mais il y a — beaucoup moins clair — un problème de la présence du romancier dans son roman, présence qui est apport, mais aussi — à partir d'un certain seuil que Stendhal ne franchit pas et que Montherlant dépasse — qui peut être écran. Quand il s'agit de fiction, il y a des cas où cette présence devient comme on dit, écrasante, et il arrive que soit tant pis. Dans un livre comme *La Rose de Sable* (que j'apprécie) le *moi* de l'écrivain s'étale sans que je regimbe pendant quatre cents pages (une performance !) mais tout ce qui est « l'histoire » s'en trouve peu ou prou passé à la moulinette.

*

Balzac comme planificateur de l'harmonie sociale, dans *Le Médecin de Campagne*, *Le Curé de Village*, et même l'*Envers de l'Histoire contemporaine*. La clé du progrès est pour lui dans le despotisme éclairé (et qui n'y va pas de main morte ! voir la déportation nocturne des *crétins* de la Grande Chartreuse par Benassis, dans *Le Médecin de Campagne*) des notables et des grands propriétaires, jamais dans l'intervention de l'État — l'obstacle (*Les Paysans*) c'est la classe rurale émergeante et exploiteuse des paysans demi-enrichis (Rigou dans *Les Paysans*). Il y a là le reflet de tout un courant d'idées *ultra* prolongé parfois par la pratique (ainsi Villèle gérait ses terres toulousaines) qui tendait à reprendre en France le projet de Catherine II en Russie : utiliser les grands propriétaires, pourvus de droits de police et de pouvoirs réglementaires étendus,

comme des espèces d'administrateurs coloniaux, enca-
drant, surveillant, mais aussi aidant, éduquant et éclairant
la masse rurale indigène (Balzac considère les paysans
français à peu près comme des moujiks). La grande rêverie
sociale aristocratique, qui a persisté en France jusqu'aux
notables de l'Assemblée de 1871 et jusqu'au duc de Bro-
glie, celle d'une France rurale devenue une sorte de Vendée
économique antibourgeoise, paissant et labourant en
unité de cœur avec la grande propriété foncière et les prê-
tres, s'étale positivement d'un bout à l'autre de l'idyllique
Médecin de Campagne, tout comme elle transparaît néga-
tivement dans la contre-épreuve poussée au noir des *Paysans*.

« Dès que le paysan passe de sa vie purement laborieuse
à la vie aisée, ou à la possession territoriale, il devient
insupportable. Vous allez voir un peu l'esprit de cette
classe dans Taboureau, homme simple en apparence,
ignare même, mais certainement profond quand il s'agit de
ses intérêts » (Benassis dans *Le Médecin de Campagne*).
N'est-ce pas là le *Koulak*, et sa rapacité négativiste qui sont
voués aux gémonies, tout comme dans *Les Paysans* ? Et
voici que le monarchiste et réactionnaire Balzac rejoint de
manière inopinée la politique sociale du Petit Père des
Peuples.

*

Je ne crois pas une seconde que Balzac, malgré ses van-
tardises, ait cherché à faire concurrence à l'état-civil. Ce
n'est pas là une ambition d'écrivain ; ce serait à la fois trop

et trop peu. Trop, parce que chaque artiste a parfaitement conscience de la négativité creuse et essentielle de la littérature (négativité sur laquelle M. Blanchot a écrit de fort bonnes pages). Trop peu, parce que le romancier, par exemple, sait trop bien, pour avoir le désir de leur faire concurrence, de quelle supériorité décisive disposent ses personnages sur les citoyens de chair et d'os qui figurent dans les registres municipaux. Cette supériorité, Proust l'a parfaitement définie : entièrement intériorisés par le lecteur, alors que les personnages réels, perçus par ses sens, lui restent pour plus des trois quarts opaques, tout ce qui advient aux personnages du roman naît en lui ; ils sont en lui pour un moment autant et plus lui-même que lui — semblables en cela au démon *Ginifer*, ingénieuse trouvaille de Cocteau dans *Les Chevaliers de la Table Ronde*, qui n'a d'autre existence que celle des êtres réels et successifs dans lesquels, l'un après l'autre, il se loge grâce à la magie de Merlin en les expulsant un moment de leur identité normale et apparente.

*

L'aspect *overdressed* du récit balzacien, toujours habillé de pied en cap, meublé, drapé, enguirlandé comme un salon de la Belle Époque, et d'autant plus que l'époque où il se situe est une période de transition, où les modes et les styles se côtoient et se bousculent sans s'éliminer, le pantalon et la culotte, la botte et l'escarpin, le style Empire et le style Restauration (avec des ressouvenances du style Louis XVI). Le foisonnement des objets singuliers l'emporte partout sur le coup d'œil d'ensemble, les *intérieurs* sur les paysages, les volants, les empiècements, les enjolivures, le grain des étoffes sur la ligne du vêtement. Certaines des silhouettes épisodiques du roman balzacien font penser à l'Homme Invisible de Wells, lequel n'existe réellement que par le revêtement de cuir et d'étoffe qui vient se plaquer sur sa cavité centrale.

Aucun autre romancier ne semble avoir disposé de ce recul instantané qui lui fait voir et décrire les costumes, les meubles, les voitures qu'il a sous les yeux comme des costumes «d'époque», des meubles d'antiquaire, des *clous* d'un musée de la carrosserie. C'est ce qui donne à ses romans, simultanément, la chaleur directe, irremplaçable, du vécu, et la séduction que gardent pour nous les intimistes hollandais ou vénitiens : né pour ainsi dire historique, l'extraordinaire bric à brac qui peuple ses livres n'a pu se défraîchir ; l'air du temps, la mode qui naît, les jeux de mots au goût du jour, semblent tirés hors de la durée à mesure qu'il les enregistre, et fixés tout vifs, un peu lourdement, mais comme dans une gelée d'éternité.

*

« L'agent supérieur de la police sut imposer silence à ses passions » (*Les Chouans*). Des phrases de ce genre chez Balzac (il y en a beaucoup) trouent le ridicule comme une balle, et font voir au-delà comme un jour plus corsé de pur théâtre, où les personnages — tous les personnages — rejouent la comédie de leur vie en éclat et en majesté, chacun, naturellement, à son niveau.

*

Comme l'éclairage d'un livre change parfois (et même son équilibre intime) selon le temps et l'humeur! Je ne retrouve plus tout à fait le plaisir que j'avais à lire *La Chartreuse* il y a une vingtaine d'années, plaisir qui ne fut jamais, et de bien loin, comparable à celui que m'a donné à quinze ans *Le Rouge et le Noir*. Toutes les parties d'aventures et d'intrigue — par exemple les complications de passeports et les démêlés avec la police qui suivent la mort de Giletti — glissent à la relecture du côté du roman picaresque et me semblent un peu chargées. Quant à Fabrice, livré en tout à l'immédiat comme la feuille aux sautes du vent, le charmant benêt qui habite parfois cette aimable enveloppe me défrise un peu : il n'a de consistance que sa séduction, et, comme toujours en cette matière dans un roman, Stendhal a besoin qu'on lui fasse crédit. Cette séduction de jeunesse enivrante, le film, l'opéra peut-être, pourraient la faire directement ressortir ; le roman, beaucoup moins bien pourvu, ne dispose guère ici que du dialogue. Et le dialogue stendhalien, contrairement à celui de Balzac, est pauvre en diversité de vocabulaire et de timbre, ne particularise pas, sauf s'il s'agit, épisodiquement, de comparses de la basse classe. On est toujours entre gens d'esprit — le pétillement continu, la relance égalisatrice de la conversation de salon ne sont jamais perdus de l'oreille ; Fabrice, quand il parle, ne parle pas très différemment de Mosca ou d'Ernest IV. De là vient que la séduction, dont il devrait être pour justifier le déroulement du récit l'exclusif et privilégié porteur, s'émiette, se disperse, et vient pailleter pour le lecteur à peu près également, outre Fabrice, le comte, la duchesse, et même par instants le prince — petite coterie prestigieuse, cercle enchanté de « fils de roi » qui scintille surtout par son *être ensemble*. Le charme du roman est dans la grâce liée des figures indissociables de ce quadrille enivrant, sur un fond de beaux arbres, de lacs, et de lointains de montagne vaporeux, et — chose étrange à dire — si je cherchais un équivalent pour mon impression de relecture, c'est du côté de l'*Embarquement pour Cythère* qu'il me faudrait chercher.

Le roman prend toute sa hauteur (sans mauvais jeu de mots) seulement dans le second tome, avec les épisodes de la Tour Farnèse. Dans le premier, j'en veux un peu à Stendhal de ne pas me rendre tout à fait invraisemblable, en le relisant, que l'interprète de l'archevêque en herbe, dans le film tiré de *La Chartreuse*, ait pu incarner dans une autre production le personnage de *Fanfan la Tulipe*. La séduction de ce roman concertant, au fil des pages, grandit par la vertu d'un micro-climat tellement épanouissant et tonique qu'il rend toutes les figures qui le peuplent tendrement parentes, ainsi que toutes les plantes, au printemps, sont moins différentes les unes des autres que le reste de l'année. *Fondu* qui vient sans doute de ce que tout, du livre, a surgi ou plutôt ressurgi d'un jet : c'est une nostalgie débridée et captée vive par l'écriture : toute l'Italie, à demi-vécue, à demi-rêvée, est remontée d'un coup, comme une bouffée de parfum, à la tête de Stendhal ; il a pu un instant n'être, indivisiblement, que ce parfum, que cet instant privilégié. Et, cet instant privilégié, le dire sans reprendre haleine, tant sa matière était volatile : comme on comprend que le temps l'ait pressé ! Comment se permettre de comparer ce livre *donné*, ce livre médiumnique, à l'âpre et volontaire construction du *Rouge*, toute pleine à craquer d'énergie ouvrière ?

Dans les dernières pages, la bousculade rocambolesque des événements, la rapidité du récit tournent au vertige. Le malheureux et charmant comte Mosca, qu'on prend un peu en pitié, s'éparpille pour finir dans le sillage de son explosive duchesse comme une meule de paille derrière une tornade. Toutes les scènes et manœuvres de cour qui suivent l'empoisonnement d'Ernest IV sont d'une invraisemblance outrée. L'*allegro* stendhalien que j'aime tant se mue un peu trop pour mon goût en *allegro furioso*.

*

Quel étrange itinéraire, quel itinéraire *rétro* que celui de Fabrice, si on écarte de lui un moment les prestiges romanesques d'une Italie détachée du cours de l'Histoire, qui mêle Guichardin à Metternich, et la Rome des Borgia à la Parme de Marie-Louise ! Encore adolescent, il a été saisi par le grand vent de l'Histoire, il a couru à Waterloo ; à peine revenu en Italie — il n'a pas encore vingt ans — tout est oublié à jamais ; il est comme opéré inexplicablement d'une des dimensions de sa vie : plus rien — hormis l'amour — que les menues coquineries, les salonneries, les intrigues, les coteries d'une capitale naine de principicule, plus rien qu'une vie, adorablement certes, mais tout de même si médiocrement épicurienne, plus rien qu'un « homme en trop » comme disent les Russes, un séduisant surnuméraire de cour. Je sais bien que c'est là le mouvement même de Stendhal, qui en 1815 tourne le dos une fois

pour toutes aux fastes de l'Histoire qui l'a laissé sur le
sable, et ne rêve plus que d'un grenier à Milan et d'une loge
à la Scala. Mais ce très jeune renonçant, en 1815, a devant
lui tous ses livres : Fabrice, lui, n'a rien. Et, si on le lit d'une
certaine manière, le roman est comme une couronne
enchantée qui vient ceindre un vide. A ce fils idéal dans
lequel il a mis ses complaisances, Stendhal, par une naïveté
congénitale à tout créateur, a fait tous les dons sauf un, le
seul qui le justifierait, mais aussi le seul qui ne soit pas délé-
gable. En se projetant en lui, en lui prêtant son bref rendez-
vous manqué avec Napoléon, en faisant de lui un Stendhal
« réussi », plus jeune, plus beau, plus riche, plus séduisant,
plus spontané, mais non créateur — et pour cause — il en a
fait un étrange retraité adolescent de la grandeur.

*

Ils sont fortunés, les livres dont on sent que, derrière
l'agitation, même frénétique, qui peut à l'occasion les
habiter, ils ont été écrits de bout en bout comme dans la
poussière d'or et dans la paix souriante et *regrettante*[1]
d'une fin de journée d'été. On dirait que la faculté percep-
tive de leur lecteur elle aussi se dédouble : tandis qu'elle
suit le mouvement incoercible, turbulent, des « petits pas
d'hommes » qui les peuplent, elle ne cesse pas de vérifier la
bénignité de la mécanique céleste, le mouvement lent du
soleil qui s'abaisse, et la lumière de plus en plus gorgée

---

1. L'expression est de Stendhal.

qu'il fait pleuvoir sur la terre. *La Chartreuse de Parme* est
écrite tout entière, et se profile pour moi de bout en bout
contre ce nimbe de soleil mûrissant. Et je placerai dans ce
même lot privilégié, même si cela ne vaut que pour moi. *Le
Lys dans la Vallée* de Balzac, et *Les Cosaques* de Tolstoï.
Quand on quitte ce fond de transparence constellée, l'admirable Dostoievsky, tout de même, se rétrécit un peu : on
sent la clôture humaine, on rentre dans ce que j'ai envie
d'appeler l'enfer des « âmes ». Et c'est vrai aussi, sur un
autre plan, pour Bernanos, dont l'œuvre relève, sans trop
en forcer le sens, du jugement de Nietzsche : « Le monde,
ce mot qui est devenu une injure chrétienne ». Je ne parle
pas de Pascal que je viens de quitter consterné de sa fureur
de haire et de cilice, d'un tel acharnement à haïr le monde
et à se haïr soi-même. Il y a là une littérature de damnés de
la terre et de « bannis de liesse » par décret (comme disait
Alain) que je ne supporte plus guère.

*

De la part de comédie présente chez l'Italien — un peu
plus marquée sans doute, plus spontanée et plus naïve que
chez le Français — Stendhal a tiré et fait épanouir comme
une fleur japonaise toute une féerie de mœurs qui l'a tenu
envoûté jusqu'à ces derniers jours : le coup de foudre de
1800 — sa première descente vers l'Italie — est le plus bel
exemple de cristallisation qu'offre sa vie, une cristallisation que rien n'a pu dissoudre, parce que la vie commune
avec eux n'épuise pas la séduction d'un pays et d'un peuple : elle l'approfondit et l'étend par une présence délicieu-

sement passive et congéable, comme celle d'une femme aimée qui ne serait là que quand on l'appelle. L'Italie s'est toujours confondue pour lui à demi, et presque plus qu'à demi, avec l'usage du théâtre et de l'opéra, c'est-à-dire avec la drogue sans asservissement d'une vie plus dense et plus intense. Ainsi a-t-il eu la chance insigne, pendant presque toute sa vie, par-delà les accidents des amours réelles, de garder à portée de sa main, avec presque toute sa puissance mais sans ses servitudes, la recharge affective et le pouvoir d'éclosion du philtre amoureux.

*

Le mouvement chez les romanciers. Chez Proust, la flèche de Zénon reste réellement suspendue en l'air aussi longtemps qu'il veut, comme un film qui se bloque un moment sur une image fixe — à laquelle les scènes de *La Recherche* semblent toujours rêver intimement. Chez Flaubert, c'est comme le bref effort d'un enlisé pour s'arracher à sa glu, mais qui rapidement se paralyse dans la fascination de l'inerte : chaque paragraphe ou presque se termine sur le retour à une ligne horizontale continue. Chez Stendhal, la flèche arrive d'abord, mais, dans cette ivresse du pur mouvement sans repères, l'évaluation de la progression se perd ; la page couvre indifféremment, sans rien qui avertisse, l'écart de deux semaines ou de deux années ; (d'où les changements de vitesse constants de *La Chartreuse*, qui prennent le lecteur au dépourvu, et qui le désensibilisent si curieusement au sentiment de la continuité temporelle uniforme). Quand Flaubert, lui, interpose dans le récit une longue rupture temporelle, ainsi que dans le final de l'*Éducation Sentimentale*, avec une probité un peu pesante, il manœuvre les signaux de code, va à la ligne, change de temps et passe au parfait défini.

Il voyagea...

J'aime Stendhal, je l'espère, avec assez de recul pour comprendre que ce don qu'il a de communiquer le sentiment d'allégresse et de liberté né du mouvement sans bride ne va pas sans contrepartie : il est victime aussi à sa manière de cette passion si alerte de *bouger* qu'il satisfait en nous sans retenue. Le poids du temps, son effet d'accumulation, le tragique saturnien qui s'en dégage, il n'a pas de moyens pour le faire sentir (ce qui fait aussi qu'il n'y songe pas). L'éclipse du « ver rongeur » d'un bout à l'autre de ses livres est totale. Il y a des emplois de vieillard chez lui (surtout dans la figuration) figés une fois pour toutes dans leur âge emblématique, comme Chélan ou Blanès : dans aucun de ses héros on ne voit réellement de progrès du vieillissement. Le comte Mosca plus d'une fois se prépare bien à la retraite — ou plutôt il en parle — mais ce n'est que pour rebondir plus haut en place, rajeunir par l'argent et la faveur, et faire dans la dernière page du livre une fortune à la Talleyrand. A vingt ou vingt-cinq ans, Julien Sorel est guillotiné, Fabrice muré dans sa Chartreuse. Lucien Leuwen semblait davantage fait pour mûrir, mais le sort du livre ne l'a pas voulu : le destin matériel de la chose écrite a ses perspicacités.

*

A travers Stendhal, à travers Goethe, à travers Chateaubriand, je m'étais fait depuis longtemps de la Rome romantique, et surtout de la campagne romaine, l'idée d'un paradis désaffecté et sauvage. Et plus encore peut-être à travers les deux épais volumes de dessins des peintres romantiques allemands que je feuillette longuement chaque été à Sion, tout remplis de paysages des monts Sabins et des Abruzzes, retracés avec une netteté méticuleuse de chambre noire, et dont le village perché d'*Olevano*, cent fois reproduit sous tous les angles, figure un peu la Montagne Ste Victoire. Les *Mémoires* de Berlioz, (si suspects à plus d'un titre) transportent, eux, l'humeur dénigrante de l'exil dans ces lieux où Chateaubriand rêvait de finir sa vie : l'auteur s'y ennuie à mourir, et dans le débordement des grandes eaux de la place Navone, il ne voit que le pataugement du marécage. Tout ce qui m'attire en imagination dans la Rome de 1830 : l'herbe des rues, le frisson de la malaria, le silence, les sonnailles malingres des troupeaux de chèvres, le flottement de la vie amaigrie dans un vêtement trop grand, est précisément ce qui le rebute : il ne rêve que du Colisée repeuplé de foules hurlantes, de musiques *colossales* sous les voûtes de St Pierre. Il y a chez cet hurluberlu complexe et tonitruant, qui scande sur sa guitare dans les forêts de la Sabine des chants de l'Énéide et des vers de Shakespeare, un Barnum perspicace des beaux-arts considérés comme exhibition, et le pressentiment d'un américanisme de la musique qui n'a jamais réellement pris corps.

Ses chapitres sur l'Italie sont une averse glacée pour le lecteur qui sort conquis des pages de *Rome, Naples et Florence*. A-t-il raison, a-t-il tort ? D'Italiens, il n'a connu que des voituriers, des policiers, et quelques lazzaroni. Mais

Stendhal a-t-il eu de leur saleté, de leur misère et de leur sauvagerie, autre chose qu'une vue paysagiste ? Si Chateaubriand n'a voyagé là-bas qu'en ambassadeur magnifique, il y a entre le point de vue de Stendhal et celui de Berlioz un fossé plus grand encore : celui qui sépare le touriste dans sa *sediola* du beatnik sur le trimard. Trois réactions de sensibilité et de culture, mais aussi trois niveaux d'observation, et trois mondes séparés et étanches : il faudrait songer, pour trouver une référence, à l'Inde moderne vue par quelque dignitaire de l'Unesco, par un touriste de *charter*, et par un hippie qui gagne à pied Katmandou.

*

On n'a sans doute pas tout dit, mais on a dit beaucoup sur la *ville* balzacienne, sur le Paris de Zola, et même sur celui de l'*Éducation Sentimentale*. Beaucoup moins, me semble-t-il, sur la ville si caractéristique de Stendhal : collection discontinue d'enceintes closes — salons, jardins, théâtres — consacrées aux jouissances de l'art, aux plaisirs de l'amour, de la conversation et de l'intrigue, et reliées l'une à l'autre par des cheminements parfaitement abstraits. La *rue* (omniprésente, et même presque seule présente dans un roman comme *Les Misérables*) n'a pas d'existence chez Stendhal, et à peine le *café*, intermédiaire entre la rue et le salon, où le mélange social tient pour lui encore trop de place : moins lieu de rencontre par conséquent que lieu de collision (le café de Besançon du *Rouge*) où on n'entre guère que pour récolter une avanie ou un duel. La figure secrète, élective et parfaite, la quintessence de la Ville pour Stendhal, c'est — avec toutes ses loges accolées et bruissantes — la *Scala* illuminée un soir de «première». L'étanchéité des compartiments sociaux est la règle ; l'osmose n'a lieu qu'entre des cellules contigues régies par les mêmes conditions de température et de pression ; tous les échanges y sont circulaires.

*

J'ai toujours été étonné de la méprise qui fait du roman, pour tant d'écrivains, un instrument de connaissance, de dévoilement ou d'élucidation (même Proust pensait que sa gloire allait se jouer sur la découverte de quelques grandes lois psychologiques). Le roman est un *addendum* à la création, addendum qui ne l'éclaire et ne la dévoile en rien : ce qu'un enfant de sept ans sait parfaitement dès qu'il a mis le nez dans son premier vrai livre (il aura tout le temps de ses études pour tenter de l'oublier laborieusement). Que le roman soit création parasitaire, qu'il naisse et se nourrisse exclusivement du vivant ne change rien à l'autonomie de sa chimie spécifique, ni à son efficacité : les orchidées sont des épiphytes.

Je ne sais pas ce que c'est que la vérité romanesque. Il y a une présence romanesque que chacun constate en face de Stendhal, de Dostoievsky ou de Dickens : elle se passe en tous points de la corroboration des expériences vécues du lecteur. La lecture d'un roman (s'il en vaut la peine) n'est pas réanimation ou sublimation d'une expérience déjà plus ou moins vécue par le lecteur : elle *est* une expérience, directe et inédite, au même titre qu'une rencontre, un

voyage, une maladie ou un amour — mais, à leur différence, une expérience non utilisable. Je relisais l'an dernier
La Chartreuse de Parme, et parce que je la relisais d'un œil
purement critique, je la relisais avec un étonnement admi-
ratif et amusé : il n'y avait pas une once de «vérité» là-
dedans, pas plus de vérité historique, sociale, politique ou
psychologique que dans *Les Trois Mousquetaires* : il y
avait une vision bien-aimée et un peu folle, doublée d'une
passion réalisatrice captivée et captivante, qui s'imposait
de bout en bout. Et il n'y a pas une once — j'ose le dire —
de «vérité» dans Dostoievsky : il a d'autres chats à
fouetter.

*

J'ai lu le traité de Stendhal, *De l'Amour*, aux environs
de ma vingtième année. Puis je l'ai à peu près oublié. Il est
curieux (je m'en suis aperçu récemment en rouvrant le
livre) que la théorie fameuse de la *cristallisation* — en fait
la page, entre toutes celles du livre, à laquelle on se réfère à
satiété — ait subi avec le temps dans mon esprit une transmutation inconsciente : l'image du rameau de Salzbourg
peu à peu recouvert de gemmes avait cédé la place dans
mon souvenir à une autre : celle du choc infime qui fait
cristalliser instantanément une solution sursaturée : symbole non plus de la sédimentation embellissante de
l'amour, mais d'une disposition à aimer toute montée à
laquelle n'importe quelle femme peut servir de déclen-
cheur. Image inauthentique, mais tout aussi vraie en soi —
ou nullement plus fausse — que celle de Stendhal : exem-

ple piquant du fonctionnement sans accrocs d'un possible service d'échange après vente, chez les fournisseurs classiques des *profondes vérités du cœur*.

*

Stendhal, qui s'est recommandé aux *happy few* en parfaite connaissance de cause, demeure et demeurera sans doute toujours le plus antipopulaire de tous nos romanciers. Quand on lit Balzac ou Zola, ou même Flaubert, on voit le maçon debout au pied de son mur qui répond de son ouvrage, honnêtement et sans faux-fuyants : il n'y a pas ici de clé de lecture liée à une pratique culturelle précoce et privilégiée, et qui doive s'ajouter clandestinement au texte. Mais le goût de Stendhal, plus fondamentalement encore que celui de Proust, postule, lui, tyranniquement, le passage par l'enseignement secondaire, parce qu'un certain usage parodique du langage, constamment sous-entendu, toujours flottant autour de sa prose à l'état virtuel, et qui fait la moitié du charme de son écriture, ne s'apprend que dans les cours de collège, concurremment avec le réflexe précoce de prendre ses distances à la fois vis-à-vis du *Beau* scolaire et de ses desservants patentés. J'ai vu deux ou trois fois des autodidactes remarquablement doués pour le goût des livres, et à qui j'essayais de faire lire Beyle, le repousser avec une nuance d'agacement : ils sentaient là des cartes biseautées, un pince sans rire embusqué qu'ils n'arrivaient pas à localiser, et se trouvaient en fin de compte aussi mal à l'aise dans cette prose chiffrée pour les connaisseurs qu'un *self made man* dans le salon des Guermantes : les clés dans lesquelles Stendhal écrit ne sont jamais indiquées (Intelligenti pauca) et chez lui le chromatisme dans le ton est continuel. Une telle expérience m'a fait comprendre qu'il n'y a pas en réalité une page de Stendhal qui ne signifie agressivement, par le renvoi implicite à tout un code de lecture sous-entendu, qu'on est là « entre soi ». A la fois endurci dans le réflexe de gauche en politique, (à la façon d'un radical bon teint quelque peu porté sur le boulangisme) et irrémédiablement *talon rouge* en littérature, il désaccorde ses admirateurs par le heurt entre l'aristocratisme-né de son ironie et de son persiflage, et la virulence de ses partis-pris sur la chose publique — et il n'y a pas un homme de parti dont le goût pour Stendhal ne soit tenu de rester à demi clandestin.

*

Quelques débuts choisis dans les laissés pour compte de Stendhal :

« Par une belle matinée du mois de mai 182. don Blas Bustos y Mosquera, suivi de douze cavaliers, entrait dans le village d'Alcolete, à une lieue de Grenade » (Le coffre et le revenant).

« Pendant une nuit sombre et pluvieuse de l'été 182. un jeune lieutenant du 96e régiment en garnison à Bordeaux se retirait du café où il venait de perdre tout son argent » (Le Philtre).

« Minuit sonnait à l'horloge du château ; le bal allait cesser » (Le roman de Métilde).

Enfin quelqu'un que le terrorisme de Valéry n'était pas

fait pour intimider ! Dès que la scène de ces récits est située en Espagne, la ressemblance avec Mérimée s'impose, presque brutalement, non parce qu'on se transporte en Espagne, mais seulement parce que l'Italie n'est plus là. S'il n'y avait la secrète ouverture d'âme à l'amour que lui a donnée l'Italie, Stendhal serait un second Mérimée. Ce fonds émerveillé que l'enfance lègue à la plupart des écrivains, et qui manque à Beyle, c'est l'adolescence, et le voyage initiatique d'Italie lié à elle qui lui en tiennent lieu. Avec cet avantage que tout attendrissement bêtifiant est exclu chez lui de cette lumière transfiguratrice : il a choisi lui-même l'époque de son *vert paradis*.

*

La dévotion féminine comme valeur érotique de premier rang chez Stendhal (Mme de Rênal, Mme Bissaux, Clélia Conti). Mais non pas, comme chez Laclos, en tant qu'obstacle-roi du parcours, dans le *jumping* de la séduction. Plutôt comme signe électif d'une dimension d'âme supplémentaire, d'une aptitude à ce total quiétisme amoureux qui est la secrète aspiration de Beyle, qui éclate dans le final du *Rouge* comme de *La Chartreuse*, et qui donne à ses romans d'une matière si sèche le velouté, le moelleux qui fait leur vrai pouvoir.

*

Ce qu'il y a peut-être de plus vrai dans la psychologie stendhalienne, si fameuse, et souvent si artificielle dans sa volonté de brio et de *bien-joué*, ce sont les montées, les chutes de tension brutales et parfois instantanées qui affectent les sentiments de ses personnages, dont le voltage ne cesse de changer. Rien de pareil nulle part chez Balzac. Il y a là une amorce, timide encore, de discontinuité dans le *moi* qui annonce et rejoint le vingtième siècle de Proust, en enjambant d'un coup Flaubert et Zola.

*

Par la façon de raisonner, de converser, de se conduire, de se déterminer, par le dégagé de l'esprit comme des manières, les vrais personnages de *La Chartreuse* (et tout autant les personnages épisodiques que les principaux, l'abbé Blanès comme le comte Mosca, Ludovic comme Clélia, Ferrante Palla comme la duchesse) non seulement se révèlent pétris de la même pâte : celle de l'italianité idéale selon Stendhal, mais sont les affiliés d'une franc-maçonnerie du grand chemin où mille choses vont sans dire, où une langue secrète se parle spontanément à demi-mot, toute distinction sociale laissée de côté. Rien de plus typique à ce point de vue que les conversations de la duchesse avec *Ludovic* après l'évasion de Fabrice, conver-sations où le rang ne met aucune distance ; ils sont immé-diatement frères par la *virtù*. Les autres, les Rassi, Fabio Conti, Ascagne, Barbone, Raversi, silhouettés en noir, sans intériorité aucune, jouent les traîtres aussi sommaire-ment, aussi ingénument que dans un roman d'Alexandre

Dumas. *La Chartreuse* est le roman très singulier et un peu féerique d'une aristocratie de *fils de roi* qui — princes ou valets, millionnaires ou vagabonds, mendiants ou ministres — se reconnaît, s'agrège et se constitue au hasard des routes et des accidents par le seul exercice d'un tact mutuel. Et, contrairement à ce qui se passe dans *Le Rouge et le Noir*, chacun des personnages y vaut moins par son relief et son originalité personnelle que par son appartenance intime à cet *égrégore* privilégié dont les échantillons successifs nous charment davantage par leur parenté organique que par leur singularité. Il m'arrive, en lisant *La Chartreuse*, de me figurer que j'écoute un thème musical envoûtant, mais unique, une « petite phrase » à la Vinteuil, qui, reprise inépuisablement, mais chaque fois avec un timbre différent, par les groupes d'instruments successifs, suffit à mon plaisir.

Car les moments d'intériorité pure, les vifs moments stendhaliens de *tempête sous un crâne*, (si fréquents dans *Le Rouge*) où les personnages se concentrent et se rassemblent, sont presque inexistants dans *La Chartreuse*, où, le plus souvent — les passages de pure contemplativité rompant seuls cet *allegro furioso* de leurs longs points d'orgue — la réaction suit l'excitation sans aucun intervalle. Abandonnés par le tempo enragé que leur communique le livre, déstabilisés par quelque ralentissement du récit (la force de cohésion qui soude les personnages de *La Chartreuse* au corps romanesque est moins liée à sa masse qu'à sa vitesse) que représenteraient encore pour nous Fabrice marié, Mosca et la duchesse disgraciés et retirés à Naples ? tandis qu'on s'imagine fort bien Mme de Rênal abandonnée à Verrières. Avouons-le : il faut pour lire ce merveilleux roman un certain état de grâce qu'on ne retrouve pas à volonté ; il m'est arrivé en le rouvrant à certaines pages, et jusqu'à ce que la souple rapidité de l'écriture m'éveille, de penser que je lisais du Dumas, un Dumas attendri et ensoleillé, un Dumas qui serait tombé amoureux de son sujet. Car c'est le climat de l'amour qui soutient le livre, mais ce n'est pas tellement celui de la Sanseverina pour Fabrice, ou de Fabrice pour Clélia Conti ; c'est l'amour, manifeste, du romancier pour son roman, comme pour un Eden revisité en songe.

*

Du point de vue (secondaire) de la mécanique romanesque, *La Chartreuse* embraye sur trois vitesses successives : celle du visiteur de Waterloo, dont l'œil myope s'englue à chaque instant dans les détails — celle du corps du récit, beaucoup plus rapide — celle de la dernière partie, simple résumé, résumé certes signé, mais qui s'impatiente et court la poste en « sautant » autant qu'il le peut. La souple conduite de cette accélération donne au livre un *legato* assez convaincant, mais un lecteur qui passerait sans transition de la retraite de Belgique à l'épisode, *boulé* à toute allure, d'Anetta Marini, se persuaderait difficilement d'avoir feuilleté un seul et même ouvrage. La précision fouillée de l'épisode de Waterloo en fait un long et lent prologue qui ne réussit pas à se souder parfaitement au reste du récit : c'est un hors d'œuvre, qu'il faut prendre au meilleur sens du mot : apéritif et gastronomique.

*

L'adverbe *fort* (employé systématiquement à la place de *très*) et l'adjectif *sublime*, appliqué aussi bien au physique qu'au moral, aux paysages qu'aux traits de caractère, sont deux des maîtres-mots de l'écriture de Stendhal. Prodigués dans ses romans, ils ne comptent pas pour peu — l'un par son caractère de superlatif malicieusement rogné, l'autre parce qu'il souligne d'un clin d'œil complice un cliché passe-partout — dans le sourire imperceptiblement parodique, la tendresse acidulée qui font pour nous son expression la plus habituelle d'écrivain. Les « fort grands » coups de poing ou d'épée qu'échangent parfois les personnages des *Chroniques italiennes* perdent un peu de leur réalité perforante et contondante, et, tout en admirant de bonne foi la « sublime Mathilde », Julien Sorel ne manque pas de prendre un peu de distance avec le caractère espagnol.

*

La relation vitale, chez Balzac, de l'homme avec sa coquille : chez les autres romanciers, les personnages changent de domicile, chez Balzac, ils déménagent.

*

Il y a chez Balzac les romans construits autour du support d'une passion grandiose : Grandet, Claës ou Goriot (il n'y a pas de romans construits autour d'un « caractère », dont la dynamique balzacienne incoercible déborderait aussitôt les traits équilibrés). Mais Balzac, romancier d'un dégagement d'énergie vitale insensé, semble incapable de placer au centre de ses romans une vie dominée et conduite : son Julien Sorel, c'est Lucien de Rubempré. Fouqué auprès de l'un, David Séchard auprès de l'autre — deux équivalences — donnent l'échelle.

*

Pendant près d'un siècle (cela commence avec le règne de Louis-Philippe : « Allez-vous aux Tuileries, madame la duchesse ? — Oui, dans le jardin, » et cela culmine avec le monde de Proust et le salon Guermantes, où on regarde comme une bête curieuse quelqu'un qui va dîner à l'Élysée) les images de l'ascension sociale ont été en France presque radicalement coupées de celles de l'accès au pouvoir politique : admirable chance de développement d'un romanesque social complexe et subtil dont Balzac a été le premier à utiliser toutes les possibilités (et dont ne dispose pas le romanesque de *Le Rouge et le Noir* marqué encore par l'atmosphère de la Restauration). La forte et simple structure en pyramide qui confondait sous Louis XIV, à chaque gradin, fortune, prestige, et pouvoir, n'eût rien permis de ce genre, et celle de la Cinquième République, pour des raisons différentes, ne s'y prête pas beaucoup plus. Je ne veux pas donner à cette remarquable circonstance de notre histoire plus d'importance qu'elle n'en a peut-être, mais force est de constater que c'est dans ce «créneau» sociologique que la grande période du roman français s'est logée.

Cette scission intime des classes dominantes, riche en conflits nuancés et irisés, en changements de camp, en divorces de circonstance et en alliances intéressées, fournissait aux romanciers du temps un monde où les «positions de classe» perdaient de leur consistance et de leur enracinement direct dans la réalité. Un monde peut-être limité (le monde «bourgeois») mais sinueusement fissuré, décollé de la brutale causalité sociale par l'entremise de médiations nombreuses et subtiles. Où les Mille et une Nuits de l'ambition et de l'avidité, du snobisme, des liens d'amitié ou de famille, de l'amour, pouvaient se déployer dans une espèce d'empyrée (comme chez Proust) sans pécher ouvertement contre la réalité.

*

Ce qu'on appelle à tort la composition, et qu'il suffirait de nommer l'équilibre interne d'un roman, il nous semble toujours qu'un romancier comme Flaubert le recherche et l'aménage à l'intérieur d'un espace préalablement clos et non extensible, où tout rééquilibrage s'opère sur le mode de la soustraction, où tout apport supplémentaire se paie d'un délestage opéré dans quelque autre secteur. Mais que chez Balzac au contraire, il y a toujours à l'horizon de sa plume la réserve d'un continent vierge, d'un Far West romanesque inépuisable où les dysharmonies, les ruptures d'équilibre qui s'ébauchent dans un texte mené à la diable ne sont que des stimulants pour une fuite en avant conquérante, pour une boulimie annexionniste, des hypothèques prises sur une fortune encore à venir. Tous ses problèmes poussent à une dilatation de sa matière, toutes ses difficultés sont des exhortations à l'ampleur. L'équilibre à retrouver s'en remet toujours chez lui, en définitive, non à un retranchement parcimonieux de substance, mais à la générosité d'un supplément de création.

Une telle remarque vaudrait aussi, chez Stendhal, pour *La Chartreuse*, où il s'ébat sur son terrain nourricier et où on sent que la ressource ne lui manquera jamais (le roman tourne court et *boule* sa fin seulement par quelque inquiétude de l'excès de richesse, et aussi parce que l'éditeur a renâclé). Mais non pour *Le Rouge*, où l'équilibre tient à un sens des proportions plus économe et plus ménager. Il est bien clair qu'un autre admirable exemple — le plus parfait de tous sans doute — de ce déséquilibre moteur, de cet équilibre toujours confié à l'avenir, toujours à trouver dans la seule expansion indéfinie de la conquête créatrice, est fourni par *A la Recherche du Temps Perdu*.

*

En tout objet qui agit par la séduction, le charme, le seul vrai charme, est épidermique : qui songe à louer le squelette de sa Dulcinée ? Bien entendu faut-il qu'elle soit capable de marcher, comme tout le monde : encore ne marchande-t-on pas l'amour, loin de là, à certaines boiteuses.

En profondeur?... En profondeur, toutes les œuvres d'art tendent à s'égaliser, comme les mouvements de la mer cessent à trente mètres de la surface. Même si je lis Balzac, dont on ne vante pourtant guère d'habitude les charmes extérieurs, une fois retirés de ses livres ses façons de table d'hôte, l'épaisseur si particulière, presque gluante, de sa coulée verbale qui s'étale nourrissante et poisseuse comme une confiture (si différente de la sécheresse aérée de Stendhal, qui claque ainsi que le linge dans un courant d'air), ses grâces éléphantesques et d'autant plus attendrissantes, et tout ce qui, dans sa prose, fait penser aussi à l'agilité brusque et inattendue des obèses, bref le Gaudissart prodigieux — débordant de toutes parts par son invention ses ridicules — dont on ne peut détacher son regard et son oreille, une fois banalisé le timbre de cette voix sensuelle et charnue, si complaisante à elle-même, qui charrie ses visions comme le trop-plein grandiose d'un fleuve en débâcle, que reste-t-il qui me retienne vraiment ? Quelques *infaillibles coups de sonde* dans les arcanes sociaux de la *Monarchie Tempérée*, dont je me moque comme de colin-tampon, du matériel pour la sociologie politique, réceptionné d'ailleurs par elle, avouons-le, sans trop de certificats de garantie.

La critique des romans nous fait l'effet, plus d'une fois, de porter sur un opéra réduit à son livret. Encore un livret possède-t-il un équilibre de pénurie, une autonomie dans l'indigence auxquels un sujet romanesque, décapé de son écriture, ne saurait prétendre aucunement.

*

Il y a peu de tics, nés de l'énervement du style artiste, qui me gênent autant — et chez Flaubert comme chez Zola — que l'emploi réitéré au pluriel de termes abstraits précédés de l'article indéfini : « Des langueurs flottaient... » « Des tendresses le prenaient » etc. Double indétermination provocante qui est une capitulation inconditionnelle de l'esprit de rigueur.

Passe encore pour Zola, mais pour Flaubert ! Mais les exigences et les négligences des plus scrupuleux artistes font bien souvent penser à la paille et à la poutre de l'Évangile. Flaubert, littéralement, ne voit pas le lâché substantiel de ces négligences, alors qu'il pourchasse formellement les répétitions de mots, les pronoms relatifs, et les cascades de génitifs du geste réflexe qu'on a pour chasser de l'ongle les miettes de son veston. Ces génitifs avec lesquels Hugo, pour ne citer que lui, en use si superbement dans ses pièces les plus travaillées :

Des empreintes de pieds de géants qu'il voyait
(Booz endormi)

Chaque écrivain en réalité est sensibilisé différemment aux écarts du langage ; la correction absolue ne témoignant de rien d'autre que d'un sentiment banalisé, anonyme de la langue. Pourquoi proscrirais-je les répétitions de mots, puisque c'est la contorsion de la périphrase destinée à les éviter qui m'est à moi désagréable ? Voulez-vous dire « Il pleut » ? dites « Il pleut ». Même si c'est pour une seconde averse.

*

Certes, *Salammbô* est une «folie» littéraire, un pavillon chinois, plus cornu que nature, fourvoyé dans le parc romantique, et sa lecture suivie s'assimile à un redoutable exercice de poids et haltères. Mais, si on la poursuit jusqu'au bout, un sentiment global, sinistre et même oppressant, de la païennie antique s'en dégage. Il ne tient pas tellement au bric-à-brac barbare, à l'orientalisme délirant, à la sauvagerie très appuyée des tableaux : il tient à ce que, des impulsions qui traversent cette pâte humaine, aucune, jamais, n'est surmontée, aucune — même religieuse — spiritualisée ; à aucun moment la possibilité d'une instance commune entre les hommes n'apparaît. Tout est faux dans ce *peplum* parodique, sauf peut-être l'essentiel : le sentiment, obtenu par les plus douteux moyens, mais finalement vivant, de la distance par rapport à l'ère chrétienne, et même au monde de la Bible : c'est une chronique d'avant *La Conscience*, d'avant le châtiment de Caïn.

*

Abstraction faite de la richesse de leur contenu, j'admire moins, comme *réalisations* au sens de Cézanne — et ceci pour des raisons d'ouvrier — les livres qui prolifèrent et rayonnent en liberté autour d'un thème central que les grands récits romanesques strictement réglés par la chronologie. Moins *Ulysse* ou *La Recherche du Temps Perdu* que *Le Rouge et le Noir* ou *Madame Bovary*. Tout comme j'admire davantage le fil-de-ferriste aux mains nues que celui qui s'avance aidé d'un balancier. Et, pour me servir d'une autre image, en échange de toutes les souples commodités que se donnent les ouvrages composés *en étoile*, il est une arme, une des plus prestigieuses de l'arsenal romanesque, dont ils se privent : la pression cumulative que vient exercer sur les dernières scènes d'un roman, (la mort de Mme Bovary par exemple) la série engrangée et sans rupture des épisodes qui les précèdent. Ainsi la détente progressive des gaz qui le propulsent donne au projectile sa vitesse maxima à la bouche du canon.

Les secrets processus de capitalisation continue (l'image est par trop mercantile, mais je n'en trouve pas de meilleure) qui, à l'œuvre tout au long du progrès d'un ouvrage de fiction, contribuent de façon sans doute décisive à son enrichissement, sont une des parties les moins étudiées de la technique romanesque (étant bien entendu que la technique est ce qui ne s'apprend pas, et ne prend effet dans un livre qu'*a posteriori*). Il y a lieu de croire, en tout cas, qu'ils sont liés plus qu'on ne croit au respect de la durée sous sa forme vectorielle, et peuvent être perturbés par la fréquence trop grande, dans un récit, des «retours amont».

*

Comme elle est morne dans sa monotonie, la chute de phrase de Flaubert ! Quelquefois, il est vrai, il part d'un mouvement assez vif, mais c'est comme un ruisseau allègre qui court immanquablement se jeter dans une mare. Le rythme de l'anapeste : brève — brève — longue, étendu aux membres de la phrase, semble chez lui presque une nécessité respiratoire. Toute son écriture est une lutte plus d'une fois malheureuse pour faire vivre et relancer la page ou le paragraphe par-delà cette fatalité de retombement.

*

Difficultés de la reconstitution du passé, telle que Flaubert l'affronte dans *Salammbô*. Les invalides de guerre de l'Antiquité : faible pourcentage de manchots et d'unijambistes, et en somme un taux de récupération remarquablement élevé de la main d'œuvre endommagée. En revanche, les réunions d'anciens combattants, généreusement balafrées, devaient ressembler aux banquets de corporation des universités allemandes, au temps de Bismarck.

*

Il y a des heures où je n'ai plus de goût que pour les quelques récits modestes, sans intrigue, sans merveilleux apparent et même sans poésie éclatante, que l'on quitte avec la certitude d'être toujours resté en rassurant pays de connaissance. Mais non sans le sentiment d'une sorte de tendre ensoleillement intérieur, qui bégaye, du fond de sa quiétude mystérieusement consolée « oui, la vie c'est comme ça ».

Aussi bien Nerval dans *Sylvie* que Tolstoï (*Les Cosaques*) si différents, me dispensent ce sentiment avec égalité. Rarement l'œuvre de Balzac, que le bouillonnement humain, qui monte parfois à la tête comme un vertige, surpeuple trop. Jamais Flaubert, où l'interposition du regard

froid, et de la loupe de l'entomologiste, ne se laisse pas une
seconde oublier. Ni Proust : le crépitement ininterrompu
du détail trop rendu, trop éclatant, y tient continûment à
distance le faible engourdissement de l'esprit, comparable
à l'éclosion d'un nouveau climat, qui prélude à ce genre
d'enchantement. Et pas davantage Stendhal : il y a ici un
refus de s'engluer dans le monde, et comme un excès d'autonomie jalouse de l'esprit qui, par l'insolence, par le
dégagé, par l'ironie, *se reprend* — et reprend le lecteur en
main, à chaque instant.

Ils ont tous en leur faveur, bien entendu, d'autres supériorités. Peut-être y a-t-il quelque trace de vieillissement
dans ce goût plus prononcé que j'ai de laisser venir à travers le texte — ou de me donner l'illusion de laisser venir
— *la vie comme elle est*. Aux écrivains qui me la restituent,
une certaine inactivité de l'esprit, qui se laisse lentement
imprégner, est nécessaire, combinée à une plus grande
ouverture, sur le champ sensible, du diaphragme intérieur
— ce que Degas j'imagine, appelait, avec un bonheur d'expression ami de la mémoire, « se mettre en espalier ». A
vingt ans, à trente ans même, il me semblait que la vie passait très au large et comme insaisissable ; une ivresse à
arrière-goût d'angoisse se levait de la multiplicité offerte,
et massacrée à mesure, des possibles. La contraction de
champ qu'amène l'âge fixe et leste ce Protée éblouissant et
insaisissable. Le monde est plus proche de nous, plus
solide et plus sûr, et l'écrivain, qui sent diminuer l'aptitude
de l'imagination à l'envol, et pour qui Pégase est rétif,
retrouve aussi en partie les ressources d'Antée.

*

Je reprends L'*Éducation sentimentale*, et l'immense respect dont on entoure l'ouvrage m'apparaît de nouveau mal compréhensible. La volonté de dégoût avec laquelle Flaubert traite presque tous ses personnages les mécanise et les fait grimacer : que de fantoches dans cette chronique ! on dirait que — le tout commandant tyranniquement à la partie — leur substance est mangée par la moisissure grisâtre qui commence à trembler comme une brume sur la France du Roi Citoyen (c'est pourquoi les réflexions, justement célèbres, sur la révolution de 1848, ont beaucoup plus de relief que toutes les scènes de la vie parisienne). Ce qui m'émeut parfois, c'est l'incapacité où se trouve Flaubert de donner vie réellement à son héroïne ; trop irradiée de partout par un souvenir obsédant, elle est au milieu du roman comme un *blanc* où tout relief s'efface, décolorée, on dirait, par la lumière trop intense de l'amour comme un cliché surexposé.

Dans les descriptions, Flaubert renonce ici à suggérer, à évoquer, ce qu'il faisait presque toujours magnifiquement, malgré le «réalisme», dans *Madame Bovary*. Il faut qu'il dise tout, parce qu'il ne lance jamais l'imagination au-delà de ce qu'il dit. Dans l'épisode pourtant célèbre de Fontainebleau, la forêt est décrite dans le style même du *Baedeker* ou des itinéraires des *Guides Bleus* : chaque arrêt des promeneurs donne lieu avec monotonie à la mise en route du *topo* descriptif passe-partout.

«Enfin ils descendirent dans le parterre.

C'est un vaste rectangle, laissant voir, d'un seul coup d'œil, ses larges allées jaunes, ses carrés de gazon, ses rubans de buis, ses ifs en pyramide...» etc.

«Une demi-heure après, ils mirent pied à terre encore une fois pour gravir les hauteurs d'Apremont.

Le chemin fait des zigzags entre les pins trapus
sous des rochers à profil anguleux... » etc. (anguleux, les rochers de Fontainebleau ?)

Le livre est meublé d'un mobilier abondant et plus soigneusement trié que chez Balzac : potiches, châles, bot-
tines, cachemires, capotes, consoles, tentures, vaisselle,
piédouches, *turbotières*, mais combien Flaubert est desservi ici par l'absence de l'obsédante senteur provinciale
des intérieurs de *Madame Bovary* ! Tout, paraît-il, pour
l'historien du mobilier et du costume, jusqu'au moindre
détail, est rigoureusement contrôlé, *tout est d'époque*. Que
m'importe que cette languissante et morne odyssée épuise
un à un de son inventaire tous les rayons des Grands
Magasins de la Monarchie Tempérée ! La syntaxe pesam-
ment retombante de Flaubert, qui plombe sa phrase et
l'empêche de s'ailer jamais, me décourage de le suivre au
long de ses déambulations laborieuses de garde-mites : il y
a cent fois plus de vie pour moi dans *Les Misérables*, et dix
fois plus dans les *Mystères de Paris*.

*

J'achève la relecture de *L'Éducation Sentimentale*
entreprise par mauvaise conscience, aux seules fins de
réduire l'abîme qui me sépare ici du jugement quasi-
universel de mes contemporains. Elle n'a changé en rien
mon opinion. La figure la plus convaincante du roman est
peut-être, dans son inconsistance, celle du « sieur
Arnoux », mais c'est une figure qui tend vers le vaudeville,
à mi-chemin entre Labiche et Balzac (il est singulier que le
souvenir de l'auteur de *Perrichon* me soit revenu plus

d'une fois au cours de ma lecture : *Regimbart*, tant par son nom que par ses réflexes conditionnés, est un pur personnage de Labiche). Quelle image mélodramatique inattendue, et qui jure avec la lente monotonie de l'ouvrage, que celle de Dussardier abattu par Sénécal sous les yeux de Frédéric ! Le ménage Dambreuse, quel ectoplasme ! sans un seul trait un peu incisif qui réussisse à le faire sortir de l'indistinction grande bourgeoise ! Quant à la réflexion finale sur le bordel, si peu convaincante, si artificielle, si *amenée*, et qui cerne de manière si rétrécissante la signification du roman, elle est comme une transgression, dans l'univers de Flaubert, qui est tout de même d'une autre complexité et d'une autre envergure, du cynisme court et réducteur de *Maupassant*.

*

Ce qui concourt beaucoup à l'équilibre et à l'efficacité de *Madame Bovary*, à l'inverse de *L'Éducation Sentimentale* où l'esprit de dérision en définitive submerge l'ensemble monotonement, c'est que tout ce qui touche de près à l'héroïne — non seulement Léon et Rodolphe, mais Justin, le père Rouault et même Charles — est tiré un moment peu ou prou du commun par le reflet d'un feu central intense, et constitue autour d'Emma (car tous sont présents de bout en bout, ou reviennent, jusqu'à la fin) comme un anneau satellisé de faible éclairement, mais qui suffit à l'isoler des grotesques sans alliage que sont Homais, Binet ou Bournisien, au point que, d'un bout à l'autre du livre, elle semble à peine les percevoir. En relisant le roman, ce qui m'a frappé, ce n'est pas le ratage misérable des amours et des fantasmes d'Emma, sur lequel Flaubert s'appesantit, c'est l'intensité de flamme vive qui plante son héroïne, au milieu du sommeil épais d'un trou de Normandie, comme une torche allumée. Je suis plus sensible, à cette relecture, au beau combat d'Emma qu'à sa défaite, qui n'est nullement dérisoire, comme on le dit trop souvent. Car, en somme, tout ce qu'il est possible de tenter, dans sa situation dès le début sans espoir, elle le tente, non sans hardiesse, et la passivité nostalgique et fascinée qui a gardé le nom de bovarysme n'a que très relativement à voir avec un esprit de décision qui, dans le livre, va plus d'une fois jusqu'à l'intrépidité. Finalement, dans les dernières scènes (où Flaubert, d'ailleurs, bascule ostensiblement du côté de son héroïne) la placidité bovine d'Yonville en est perturbée : cette flammèche de passion errante est à deux doigts de mettre le feu à un village pourtant si exemplairement ignifugé.

C'est cette fureur d'un vouloir-vivre effréné, lent à s'éveiller, couvant et finalement explosant dans la torpeur d'une bourgade comme une bombe à retardement, qui est définitive assure pour beaucoup la grandeur du livre. L'enlisement, naturel à Flaubert, à n'être cette fois pas consenti, retrouve, avec un contrepoids, tout son potentiel poétique. Une fois de plus, l'éclairage d'un chef d'œuvre change avec le temps : celui du *M.L.F.*, comme celui de mai 68 (« Prenez vos désirs pour des réalités ») viennent chercher à la distance d'un siècle dans Emma Bovary une surface vivement réfléchissante, et font du livre pour nous, aujourd'hui, autant qu'un roman de l'échec, un roman de l'éveil : celui d'une prosélyte encore à l'état sauvage.

*

Quand je lis *Nana*, les ravages de l'écriture artiste chère aux Goncourt me paraissent brusquement plus étendus que dans les autres romans de la série des *Rougon*. Ce n'est pas le mauvais goût — après tout, peu importe ! — qui me gâte le style de Zola, c'est, dans le bâti de sa phrase, une sorte de porte-à-faux continuel qui met le lecteur mal à l'aise, comme on est mal à l'aise devant les gens qui ne peuvent se tenir debout que sur un pied, ou accotés à quelque meuble.

Le meilleur du livre est dans le rendu, assez saisissant, de l'atmosphère de la scène et des coulisses dans un théâtre où on répète. Zola a remarquablement senti le côté *cosy* et bourgeoisement paisible, avec leur concierge et leurs chats dormeurs, de ces arrières du théâtre, habités à petit bruit autour de la pénombre conspiratoire qui règne sur le plateau — et où de partout pénètre un grand jour inattendu, aseptisant et placide (c'était particulièrement vrai du théâtre Montparnasse, où les fenêtres des loges, des escaliers et des couloirs, donnaient toutes sur la clairière spacieuse, ensoleillée, du cimetière).

Le roman de Zola se tient assez longtemps en équilibre instable entre l'accent du vrai (le passage à vide de Nana, amoureuse d'un cabotin en garni, faisant son marché en savates entre deux prospérités) et le faux morceau de bravoure (le repas ridicule, la maison transformée en salle d'attente, les clients casés jusque dans la cuisine). Jusqu'au moment où, dans les scènes grand-guignolesques de la culmination finale, dignes du pinceau de Clovis Trouille, il bascule dans la bouffonnerie involontaire. Ce qui me confirme dans l'idée qui est la mienne depuis longtemps, à savoir que le Zola, « épique » et visionnaire du difforme, tant célébré par les critiques, est bien loin de mériter la préférence. Le meilleur du registre, chez lui, est en réalité situé dans le *medium*, et presque toujours, quand il grimpe dans l'aigu, il déraille. Il a d'ailleurs une manière de prévenir, de *poitriner* quand il va attaquer le contre-ut, que Balzac ne se permettrait jamais.

*

La possibilité, économique pour un auteur, d'intégrer à un ouvrage de fiction non plus de simples fiches de renseignement, mais des matériaux déjà littérairement élaborés, mémoires, souvenirs ou témoignages, il me semble que c'est Zola qui s'en avise pour la première fois. Ce qui me parut clair quand je lus *La Débâcle*, qui digère parfois très incomplètement les carnets de route d'un aide de camp de Mac Mahon. Et c'est ce qui donne à ses romans leur marginalité historique équivoque ; ils font penser à des arbres retournés au sauvage, mais qui se souviennent d'avoir été greffés.

Car nul ne m'enlèvera de l'idée que la réputation du Zola « épique » est bâtie tout entière sur des morceaux de bravoure dont *Les Misérables* ont à la fois sécurisé l'audace et fourni le modèle insurpassé : la mine de *Germinal*, le Paradou ou la Lison doivent presque tout, et un peu plus encore, aux égouts de Jean Valjean, au jardin de la rue Plumet, à l'éléphant de la Bastille. Ce que les *Rougon-*

Macquart apportent de réellement neuf à la littérature, c'est l'annonce du roman-reportage.

*

Toutes les maisons, tous les jardins, tous les mobiliers, tous les costumes des romans de Zola, à l'inverse de ceux de Balzac, sentent la fiche et le catalogue (de ce point de vue, le recensement botanique du jardin d'hiver de l'hôtel Saccard, dans *La Curée*, va jusqu'à la parodie : c'est la collection des étiquettes du *Palmarium* de quelque Jardin des Plantes). Chez Balzac, le bric-à-brac des intérieurs, si excessif, si envahissant qu'il soit par endroits, semble toujours avoir été soumis à une longue et tiède cohabitation casanière qui l'organise et nous le rend plausible : c'est le sentiment puissant de la tanière humaine qui émerge de ce fourre-tout ; bien plutôt qu'à une resserre de brocanteur, il fait penser aux nids où on trouve entretissés des bouts de fil à coudre, des franges de châle, des mégots, des fétus de paille, du crin de cheval et des bouts d'allumettes. Tout est vêtement — moulé, déformé et élimé sur l'homme — dans l'environnement balzacien ; tout, chez Zola, dès qu'il quitte les classes populaires, semble une commande fraîchement livrée de chez *Worms* ou du *Bonheur des Dames*.

*

Zola : *La Débâcle*. Les mémoires, récits vécus, et sans

doute témoignages oraux qu'il a consultés mènent l'auteur avec une vraisemblance d'autant plus méritoire qu'elle est tout entière reconstituée jusqu'au champ de bataille de Sedan exclusivement, c'est-à-dire jusqu'aux limites de la zone de feu, où nulle documentation ne peut plus suffire, même au romancier le plus imaginatif, parce que, dans le jeu de transferts et de substitutions illimité qui est sa ressource, aucune équivalence ne se présente plus qui puisse animer de l'intérieur la peinture d'une troupe sous le feu, et du monde insolite où elle se trouve projetée. Monde où les ingrédients de base de la chimie mentale perdent leur stabilité et deviennent volatils, où le sentiment du temps et de l'espace — pour ne prendre que cet exemple — subit de si singulières distorsions.

N'importe : au récit de la dérive lugubre de l'armée de Mac Mahon entre Reims et Sedan, mille souvenirs ont relevé la tête. Les marches zigzaguantes dans les polders de la Flandre hollandaise, à travers l'épaisse zone de calme, sourde et verte, que bordait très loin au nord, à l'est, au sud est, le roulement amorti des explosions. Sas-de-Gand à deux heures du matin, toutes lumières éteintes, ses passerelles, ses cheminées, ses grues, ses écluses accrochant des rayons de lune dans la nuit opaque, comme les œuvres hautes d'une flotte coulée dans un lac noir. La nuit blanche de Gravelines, face à la fausse aurore qui rougissait au ras des toits, du côté de Calais. Le déluge qui battait la chaussée de Dunkerque à Teteghem, bordée aussi régulièrement que par des arbres de ses deux rangées de camions anglais basculés au fossé.

Mais il restait, en 1940, beaucoup plus de place pour la fantasmagorie. La sous-information en temps de guerre a fait depuis Napoléon III des progrès foudroyants. Le der-

nier des troupiers de Mac-Mahon connaissait en partant
pour Sedan la situation de guerre, et la liste des défaites,
dont les journaux ne cachaient rien. En 1940, le *black-out*
dans les cervelles était complet ; la désinvolture foudroyante du rêve était le seul mode de jonction des nou-
velles incohérentes qu'on pouvait rassembler.

*

Paysage et roman

Qu'est-ce qui nous *parle* dans un paysage ?

Quand on a le goût surtout des vastes panoramas, il me
semble que c'est d'abord l'étalement dans l'espace —
imagé, apéritif — d'un « chemin de la vie », virtuel et
variantable, que son étirement au long du temps ne permet
d'habitude de se représenter que dans l'abstrait. Un chemin de la vie qui serait en même temps, parce qu'éligible,
un chemin de plaisir. Tout grand paysage est une invita-
tion à le posséder par la marche ; le genre d'enthousiasme
qu'il communique est une ivresse du parcours. Cette zone
d'ombre, *puis* cette nappe de lumière, *puis* ce versant à descendre, cette rivière guéable, cette maison déjà esseulée sur
la colline, ce bois noir à traverser auquel elle s'adosse, et,
au fond, tout au fond, cette brume ensoleillée comme une
gloire qui est indissolublement à la fois le point de fuite du
paysage, l'étape proposée de notre journée, et comme la
perspective obscurément prophétisée de notre vie. « Les
grands pays muets longuement s'étendront »... mais pourtant ils parlent ; ils parlent confusément, mais puissam-

ment, de ce qui vient, et soudain semble venir de si loin, au-devant de nous.

C'est pourquoi aussi tout ce qui, dans la distribution des couleurs, des ombres et des lumières d'un paysage, y fait une part matérielle plus apparente aux indices de l'heure et de la saison, en rend la physionomie plus expressive, parce qu'il y entretisse plus étroitement la liberté liée à l'espace au destin qui se laisse pressentir dans la temporalité. C'est ce qui fait que le paysage minéralisé par l'heure de midi retourne à l'inertie sous le regard, tandis que le paysage du matin, et plus encore celui du soir, atteignent plus d'une fois à une transparence augurale où, si tout est chemin, tout est aussi pressentiment. Cet engouffrement de l'avenir dans la délinéation, pourtant si ferme et si stable, des traits de la Terre est l'aiguillon d'une pensée déjà à-demi divinatoire, d'une lucidité que la Terre épure et semble tourner toute vers l'avenir : une des singularités de la figure de Moïse, dans la Bible, est que le don de clairvoyance semble lié chez lui chaque fois, et comme indissolublement, à l'embrassement par le regard de quelque vaste panorama révélateur.

*

Gide a-t-il raison d'associer la valorisation poétique de la montagne à la morale calviniste suisse ? (goût de la pureté, ou plutôt de l'impollution, que souligne la phobie protestante du microbe — valeur morale de l'ascension, de l'effort vers les cimes). Il est de fait que le goût de la montagne naît seulement avec Rousseau, donc en milieu

calviniste, et qu'il ne s'impose pas sans difficulté aux pays
latins : trois quarts de siècle après *La Nouvelle Héloïse*,
Chateaubriand qui passe le Simplon en est resté *grosso
modo* à la notion classique des « abymes affreux ». Mais la
découverte de la montagne comme source d'exaltation —
révolution de toute importance dans la *Weltanschauung*
géographique de l'homme — a dû avoir des motifs d'une
tout autre ampleur que l'extension brusque à l'Europe
d'une particularité cantonale de la sensibilité.

En réalité ce n'est pas la montagne, mais le couple indissolublement lié mer-et-montagne, et même la triade mer-
montagne-forêt qui voit sa promotion définitivement
assurée au début du dix-neuvième siècle. Sa double attraction devient alors si irrésistible qu'un Lermontov, pionnier
d'une littérature sans passé et qui s'éveille à peine, ne distingue dans le paysage russe que ces deux seuls éléments,
qui y sont totalement marginaux, et qu'il va chercher au
fond du Caucase. Et c'est en Angleterre, l'Angleterre d'Os-
sian et de Byron (à qui Lermontov doit tant) que s'est opérée cette révolution de la sensibilité paysagiste, à laquelle
le romantisme allemand, explorateur original des
domaines de la nuit et du rêve, a pris moins de part. Il s'est
produit en fait, dans l'élaboration de ce qu'on appelle le
romantisme européen, une séparation des fonctions, largement déterminée à la fois par les particularités du sentiment national et religieux, et par le choc inégalement
ressenti de l'accélération de l'histoire : au génie britanni-
que l'éveil paysagiste aux *grands horizons*, à l'Allemagne
la découverte de la nuit et du rêve, à la France de 1815 le
sentiment tragique de l'histoire, de l'universelle caducité
de ses formes. Première création collective organiquement
européenne, ce que ni la Renaissance, ni la Réforme n'ont

jamais été, c'est le romantisme qui a rendu tangible l'inter-
dépendance des formes nationales de la culture d'Occident. Dès qu'il naît, il ne se produit plus aucun retard dans
la propagation des nouveaux modes de sentir : pour la première fois, de Madrid à Moscou, aucune zone d'opacité ne
la freine, Lermontov répond presque immédiatement à
Byron, alors que les frontières du temps de la Sainte
Alliance, les censures politiques et religieuses de toutes
sortes, sont infiniment moins perméables qu'à l'époque de Michel Ange ou de Luther : phénomène remarquable d'une caisse de résonance spontanément unifiée, et qui
jamais, par la suite, ne vibrera dans toute son ampleur
aussi parfaitement. Rien de tel ne s'était produit, malgré
les apparences, dans l'Europe des lumières du XVIIIᵉ siècle, où c'étaient les gouvernements surtout qui prenaient
en charge, en la filtrant et en la contrôlant soigneusement,
la diffusion d'une idéologie totalement marquée au coin
de l'intellectualité française.

*

Je suis loin de me plaindre de tous les aspects de la
modernité architecturale. Les vastes terre-pleins dallés de
marbre entre les gratte-ciel, lorsque ceux-ci sont espacés et
laissent descendre jusqu'au sol de larges pans de ciel qua-
drangulaires, la margelle froide de leurs bassins et de leurs
piscines me séduisaient déjà, chaque fois que je les rencon-
trais à New York ou à Chicago, au Rockefeller Center ou
sur le front du lac Michigan. Dès avant la guerre, la haute
terrasse nue du Trocadéro m'attirait. Cet après-midi, reve-

nant de la gare Montparnasse et gravissant, le long même de la tour, l'escalier qui mène au terre-plein, le même charme agit de nouveau sur moi, puissant : ces beaux et vastes volumes aux angles tranchants, aux arêtes nettes, faisaient ma respiration plus ample et plus légère ; dans ce paysage parisien en pleine mue, les solides puissamment découpés, tantôt de pierre, tantôt d'air, qui m'entouraient et me surplombaient paraissaient pour les sens égaux en densité et en dureté : j'y circulais comme inclus dans un vitrail coupant et perspectif — le vent froid qui courait sur ces dalles nues sans y soulever ni une feuille, ni un grain de poussière, me revigorait comme nulle part.

Une fois de plus ici, avec le *Rêve Parisien*, Baudelaire, si aimanté vers une modernité encore à venir et pourtant déjà pressentie, a vu de loin s'avancer ce nouvel âge — à l'inverse pour une fois de Poe, dont le *Domaine d'Arnheim* n'est que la vision ultime d'une architecture tout entière digérée par l'eau et par la verdure — une architecture où Le Nôtre colonise et déborde de partout Mansart.

*

L'image unifiée d'un paysage, du paysage natal par exemple, telle que nous la gardons en nous et la vérifions depuis l'enfance, est faite — au-delà des changements saisonniers qui ne sont pas vraiment saisis comme changements, mais plutôt comme simples attributs de sa substance successivement perçus — d'une combinaison de cycles périodiques aux rythmes très variés. A Saint Florent par exemple, dans le paysage que depuis toujours j'ai

sous les yeux à travers ma fenêtre, ces cycles sont de trente
ans environ pour les peupliers, qu'on abat alors, puis
qu'on replante, du double, ou davantage, pour les saules,
tandis que le rythme de l'extension et du renouvellement
des bâtisses, autrefois plus que séculaire, tend aujourd'hui
visiblement à s'accélérer. Longtemps, pendant mon
enfance, j'ai eu devant les yeux, en face de la maison sur la
rive de l'île Batailleuse, une superbe rangée de peupliers
déjà mûrs ; rien ne me déconcerta davantage que de voir
mettre à bas, un beau jour, ces colonnes de mon Parthé-
non. Depuis, j'ai vu deux cycles complets se succéder dans
cet ordre d'architecture — et un ragoût nietzschéen plus
corsé venir épicer de façon significative la ritournelle sim-
plette du cycle des saisons.

*

Ardenne : la *Vieille Forêt*, dont il est question dans *Le
Seigneur des anneaux*, a ici son siège social : tout le reste
n'en procède que par marcottes, boutures et transplantation ; point de vraie forêt que la forêt Hercynienne.

Je suis repassé aux Hauts Buttés, demeurés intacts
dans leur clairière depuis 1955, sauf que le « *Café des Pla-
tanes* » est devenu un restaurant un peu plus huppé, où on
sert le dimanche le marcassin aux airelles. Le squelette de
la maison-forte se dresse toujours au bord de la route
d'Alle à Sedan, d'année en année davantage submergé par
la croissance du sous-bois. La route de Revin aux Hauts
Buttés a été asphaltée, mais s'est dégradée déjà et retourne
peu à peu à la sauvagerie ; de chaque côté de l'étroit ruban

qui s'écaille, de hauts et exubérants peuplements de fougères ; dans le bois des Manises, où un sentier s'ouvre à
moi au fond d'une coupe, la promenade dans le taillis
mouillé arrosé de soleil est si riante à dix heures du matin
que l'envie me vient presque de m'ébrouer dans le feuillage humide aux senteurs d'automne à la fois terreuses et
ailées. Tout ce petit canton sauvage est devenu mien, et les
changements que j'y trouve en viennent à se confondre peu
à peu avec ceux d'un canton natal ; les *témoins* naïfs qui le
jalonnent çà et là deviennent presque pour moi ceux d'une
histoire qui se serait réellement passée.

*

Ce qui me frappe dans les *Lettres de Russie* de Custine,
ce n'est pas tant l'acuité de l'observateur politique que le
coup d'œil du paysagiste par qui les espaces urbains inters-
titiels — l'air qui nage sur les places démesurées, entre les
aiguilles, les dômes espacés, les colonnades et les quais de
l'énorme fleuve — sont évalués et mis en place dans toute
leur singularité. La forte et attirante image de St-
Pétersbourg qui vient surnager une fois clos le livre, c'est
celle d'une capitale encore démeublée où les monuments
flottent dans l'espace trop grand, au bord des eaux gon-
flées qui coulent au ras des parapets de granit : Brasilia
nordique et lacunaire, trouée des clairières de ses terrains
vagues, où l'étalement inanimé des places et des perspec-
tives absorbe et dissout la foule et les bruits, où s'emballe
d'un galop enragé sur les pavés de bois un trafic maigre et
hâtif que cerne le silence. Ville trop distendue, trop plate

sur l'horizon ras, où l'oreille en suspens se désoriente de
l'absence d'écho, et qui s'inquiète de ne pas surprendre sa
propre rumeur : le silence d'une capitale, insolite comme
s'il y neigeait en plein été. Et peu importe que l'illimité de la
plaine russe soit ici évoqué à peine. Elle est présente en
perspective et en pointillé — et davantage présente de ne
l'être qu'en pointillé — au bout de ces avenues trop vastes
qui vont se diluant en pistes forestières, et qui meurent
confuses, déjà incorporées à la forêt, entre les palissades,
les baraques de bois et les tas de rondins. La taïga, par
toutes les fissures de la ville, y insuffle son haleine verte
comme souffle un mufle de bête sous une porte.

*

Presque tous les penseurs, tous les poètes d'Occident
privilégient les idées, les images qui évoquent l'éveil,
c'est-à-dire la sécession de l'esprit d'avec le monde, et
négligent non moins systématiquement celles qui figurent — la lourdeur et la gaucherie du mot, montrent
combien ce qu'il désigne est tenu pour généralement négligeable, sinon indésirable — l'*endormissement*, la réunification.

Encore dans cet éveil s'agit-il presque toujours d'un état
déjà éveillé plutôt que d'un passage. Combien peu d'attention accordée dans la science comme dans la littérature
occidentale, aux états réellement naissants ou expirants de
la conscience ! Je n'en excepte pas, bien au contraire, *La
Jeune Parque*, dont tout le mouvement, résolument récur-
rent, prend pour point de départ et pour assise la
conscience la plus alertée.

Philosophie occidentale : l'homme y est systématiquement envisagé, par rapport au monde, dans son *écart*
maximum. Tous les états où cette tension antagoniste se
relâche : sommeil, rêve, états mystiques, contemplatifs ou
végétatifs, sentiment de participation ou d'identification
des civilisations sauvages, ou de certaines maladies men-
tales, ont été par elle opiniâtrement dévalués.

*

Proust considéré comme terminus

Je n'ergote en rien sur l'admiration que je porte comme
tout le monde à la *Recherche du Temps Perdu*, si je remarque que la précision miraculeuse du souvenir, qui de partout afflue pour animer ses personnages, leur donner le
rendu du détail vrai avec lequel aucune imagination ne
peut rivaliser, les prive en même temps de ce tremblement
d'avenir, de cette élation vers l'éventuel qui est une des
cimes les plus rares de l'accomplissement romanesque, et
dont je trouvais encore récemment en le relisant une illustration admirable dans une scène du *Sang Noir* de Louis
Guilloux : ce déjeûner chez le notaire où se croisent avant
de se quitter pour ne plus se revoir, dans un climat de légèreté et de détachement irréel, des êtres qui tous sont en par-
tance, et autour desquels l'avenir fait comme une
palpitation d'éventail. Ce *lâchez-tout* de ballon libre, dont
la sensation nous est donnée seulement de loin en loin dans
nos lectures romanesques préférées, et qui est peut-être le
couronnement de la fiction, parce qu'il est comme la maté-

rialisation même de la liberté, Proust se l'interdit : son absence est le prix payé pour la puissance de réanimation que communique à son œuvre une imagination plus que chez tout autre romancier proche de ses racines vivantes, qui sont souvenir. Toute la *Recherche* est résurrection, mais résurrection temporaire, scène rejouée dans les caveaux du temps, avant de s'y recoucher, par des momies qui retrouvent non seulement la parole et le geste, mais jusqu'au rose des joues et à la carnation de fleur qu'elles avaient en leur vivant. Seulement Eurydice, qui s'est mise en marche vers nous toute respirante, et qui déjà revoit presque le jour de la terre, ne reviendra pas des Enfers : cette jeunesse toujours en devenir, cette poussée d'avenir en eux que rien jamais ne peut figer, et qui fait que nous mêlons en imagination les personnages de nos romans préférés à nos rencontres, à nos amours, à nos aventures, le peuple du *Temps Perdu* n'y a pas part. Le cordon ombilical que Fabrice del Dongo a tranché avec la Lombardie de la Sainte Alliance (tout en continuant par quelque sortilège d'y puiser son suc nourricier) Albertine ou la duchesse de Guermantes ne peuvent le rompre avec leur salon Belle Époque ; comme dans les chambres des tombeaux d'Égypte, leur double ranimé ne volète que parmi les bijoux, les fards, les sandales, les peignes, les robes, les talismans conjurateurs du mobilier funèbre, et, pareille aux personnages de *Locus Solus* miraculés par une injection de *résurrectine*, ce que remonte Odette de Crécy, vêtue de sa *matinée*, ce ne sont pas les allées de nos songes et de nos pressentiments, c'est à jamais la rue Abbattucci ensoleillée de l'an 1900, avec ses pavés frais arrosés, son odeur de crottin neuf, le *staccato* de son bruit de sabots.

*

L'enchaînement des séquences dans *La Recherche du Temps Perdu* ressemble souvent — plutôt qu'à l'articulation habituelle en chapelet des scènes romanesques selon l'écoulement du temps — à la multiplication cellulaire par dédoublement des noyaux. Dès qu'un foyer d'intérêt inédit ou inattendu se densifie suffisamment sur les marges d'un des tableaux animés qui constituent *La Recherche*, il centre sur lui l'attention et le regard du narrateur et devient le noyau d'une séquence neuve, laquelle organise aussitôt son autonomie. Aussi difficile à relier, spatialement et chronologiquement, à la précédente, aussi capricieusement apparentée à elle qu'il advient aux cellules d'un tissu qui prolifère dans l'anarchie. L'impératif génétique de multiplication et d'enrichissement prédomine dans le livre à tout coup sur celui d'organisation. La ligne de vie si svelte et si aérée qui préside au développement d'un roman de Stendhal fait place ici à un étoilement par expansion, un peu étouffant, mais non moins dynamique, de la substance vive. Un monde sans destination et sans hiérarchie, uniquement animé de son infinie capacité de bourgeonnement intime, c'est le sentiment que nous donne parfois le monde de *La Recherche*, et il arrive qu'une page de Proust fasse penser à ces fragments de matière vivante des romans de science-fiction, tombés sur notre terre d'une autre planète, et dont rien ne peut arrêter la propension inextinguible à proliférer en tache d'huile.

*

Le côté de Guermantes reste la partie à la fois la plus miroitante et la plus superficielle de *La Recherche* : elle ne relève réellement que du romancier mondain, le monocle vissé à l'œil, qui circule à travers les salons sous l'égide du phylactère parodique *J'observe*. Et en effet il observe merveilleusement. Mais tout le solide qui supporte ces irisations mondaines : la composition, les confluences et l'évolution de la fortune Guermantes, les relations du duc avec son agent de change, son banquier, son notaire, ses régisseurs, toute la coupe en profondeur balzacienne qui donnerait à ces reflets de glaces une troisième dimension, se font ici — et c'est sans doute pour moi la seule fois dans *La Recherche* — explicitement désirer. Un statut économique apparemment fixe de la classe régnante autorise les chroniques cancanières en milieu clos du Grand Siècle, de Tallemant à Saint Simon : il ne cautionne plus, dans l'époque de rapides mutations foncières et financières à laquelle est confronté le Narrateur, les tics et les finesses salonnardes du milieu Guermantes, déjà menacé en profondeur par la poussée Verdurin, laquelle relève à l'évidence de tout autres motifs que des fluctuations du snobisme. Mais sans doute Proust l'a su et l'a voulu ainsi : tous les câbles rompus, toutes les amarres coupées, c'est un ciel, un ciel sans doute inférieur, mais un ciel tout de même : le ciel de la mondanité, où le duc de Guermantes est Dieu le Père, qu'il célèbre et où il intronise, et si les actions de Suez et les grands domaines sont la rampe de lancement de ces brillants astéroïdes, c'est selon d'autres lois que désormais ils gravitent, se groupent, se repoussent et s'attirent : ils ont franchi, au moins littérairement, la vitesse de libération.

*

Une des raisons qui font que Proust n'a pas eu de descendance littéraire apparente tient à ce que celle-ci serait très difficilement identifiable, — à ce que son œuvre représente moins la création de ce qu'on appelle un « monde » d'écrivain, c'est-à-dire le filtrage du monde objectif par une sensibilité originale, que l'application d'une conquête technique décisive, aussitôt utilisable par tous : un saut qualitatif dans l'appareillage optique de la littérature. Le pouvoir séparateur de l'œil — de l'œil intime — a doublé : voilà la nouveauté capitale ; elle implique, comme toute mise au point d'un microscope plus perfectionné, à la fois une minutie supérieure dans l'observation des domaines déjà explorés *et* l'accès à des domaines neufs, qui jusque là restaient indiscernables (typique est par exemple pour moi l'inclusion dans *Swann* d'un chapitre tel que *Noms de pays* : *terra incognita* jusque-là pour la littérature, qu'un Huysmans par exemple avait la capacité de reconnaître, mais qu'il n'avait pas, faute du grossissement nécessaire, le moyen d'explorer.)

Quand je parle de progrès, il va de soi que ce pouvoir séparateur de l'œil existait, virtuellement, seulement il n'était pas homologué ; nul n'en faisait usage : toutes les conquêtes, tous les gains de puissance de l'art ont été non des inventions, mais des permissions, des droits de transgression qu'un artiste soudain s'est accordés à lui-même

aux dépens du *non-osé* jusqu'à lui. Il existe pour chaque
époque un infiniment petit que la littérature considère
comme matière de rebut, comme indigne qu'on en fasse
état, mais le seuil de cet infiniment petit résiduel et négligeable se déplace avec le temps, et ce seuil va s'abaissant du
dix-septième au dix-neuvième siècle, et du dix-neuvième
au vingtième : le détail vestimentaire minutieux des personnages de Balzac se situe pour un contemporain de Boileau (et même encore pour Stendhal, quasi-contemporain
de Balzac, ce qui prouve la brusquerie de la mutation) au-
delà de ce seuil, mais les détails lilliputiens par lesquels se
trahit le snobisme de Legrandin sont de même au-delà du
pouvoir séparateur à la disposition de Flaubert. Il n'est
d'ailleurs nullement exclu que ce seuil, au lieu d'avancer,
régresse avec le temps, sans que la qualité de la littérature
en soit forcément mise en jeu ; on a tendance à le penser
quand on compare à ce point de vue la littérature du dix-
septième siècle à celle du seizième. Car tout se passe
comme si l'ouverture de compas de la littérature romanesque restait fixe, et si ce qui est gagné en direction de l'analyse était, du même coup perdu dans celle de la synthèse.
Le baron de Charlus par exemple, s'il est « vivant » (ô combien !) ne l'est nullement à la manière de Fabrice ou de
Julien Sorel : puissamment incorporé par un œil et une
oreille infaillibles à chacune des scènes auxquelles il est
mêlé, et lié à elles par un foisonnement anormal de points
de suture, il ne se détache pas d'elles comme le fait un héros
de Stendhal, que le *plus* indivisible capitalisé par lui au-
delà de chacune de ses apparitions dans le roman libère et
permet de mêler familièrement à nos rêveries et presque à
notre vie : il se soude plutôt au détail de chaque scène du
livre et semble s'absorber en elles, comme ces personnages,

dans les décors de bibliothèques qu'a peints Vuillard, qui sont comme maçonnés dans le mur de livres auquel ils s'adossent. D'où la nécessité des longs fragments d'essais, et des réflexions psychologiques et théoriques que Proust intercale à chaque instant dans l'évocation de ses personnages : fonctionnels de part en part, ils jouent un rôle indispensable de ciment romanesque ; ils sont le seul moyen de ressaisir et de réunifier à un niveau plus abstrait des personnages qui tendent à s'éparpiller, à se fragmenter entre toutes leurs apparitions romanesques, lesquelles sont, chacune, inoubliables, mais, du point de vue de l'équilibre de l'ouvrage, risquent peut-être de l'être trop.

Oui, je ne peux m'en empêcher : chaque fois que je revois au Petit Palais les « bibliothèques » de Vuillard, je pense à Proust, frappé que je suis, que j'ai toujours été, de l'écart minimum de densité et de relief qui sépare les personnages de son livre de la masse foisonnante, vivante dont le livre est fait, et dont ils émergent tout juste. Ils sont comme des bas-reliefs de faible saillie, pris dans l'épaisseur, et qui se détacheraient à peine, non d'une paroi lisse, mais d'un grouillement déjà animé, comme celui des murs des temples hindous. Parfois même on dirait que ces personnages naissent, presque sans solution de continuité, d'un simple excès de densité de la matière livresque de Proust, tout comme on nous montre les premières cellules vivantes naissant de la « soupe biologique » primitive par un phénomène plus proche de la cristallisation que de la création. En plus d'une occasion, la manière dont ils viennent s'insérer dans *La Recherche* semble d'ailleurs en témoigner matériellement. Quand la duchesse de Guermantes — certainement, de tous les personnages de *La Recherche*, un de ceux qu'elle retient le plus étroitement

collés à elle et englués dans son bloc nourricier — apparaît
pour la première fois, de loin annoncée, intégrée déjà, par
son nom, sa demeure, son « côté », et les mille variations
qui s'y relient, à la masse de l'œuvre, c'est à peine si, pour
s'avancer sur le tapis rouge de l'église de Combray, elle se
sépare de son vitrail emblématique, avant d'ailleurs —
pour longtemps — d'y rentrer. Et, par la suite, la figure de
la duchesse ne cessera pas de s'enrichir des sucs dont l'œuvre — même en son absence — continue de la nourrir dans
son hibernation. S'il était permis d'évoquer très audacieu-
sement, à propos de la mécanique romanesque, la mécanique céleste, je dirais qu'en fait d'efficacité artistique une
quantité constante résulte, chez Proust, du produit d'une
énorme masse centrale par celle de satellites de faibles
dimensions, et, dans Stendhal, du produit de masses au
contraire presque équivalentes, les personnages-clés ayant
chez lui autant de poids pour le lecteur que l'ensemble de
l'ouvrage qui les a fait éclore, et le tirant à eux autant qu'ils
sont attirés par lui.

*

Peu de souci, me semble-t-il, chez Proust, de l'agence-
ment des parties de son œuvre entre elles, encore que certains critiques fassent grand cas de la « composition » de
La Recherche du Temps Perdu. Dans chaque partie, un
minimum de pierres d'attente est ménagé pour se mortai-
ser à la partie voisine ; la densité, la solidité intrinsèque du
matériau, traité par blocs puissants, sont suffisantes pour
que la juxtaposition suffise à l'équilibre, comme dans ces

murailles achéennes de moellons bruts qui tiennent debout par simple empilement, sans ciment interstitiel. L'enchaînement chronologique — du moins jusqu'à la coupure de la guerre de 14, où la coulée du temps brusquement s'accélère, — reste des plus vagues. En fait, cet écoulement temporel (ainsi, dit-on, l'espace einsteinien se distend en fonction de son peuplement par la matière) semble chez Proust dépendre directement de la densité de la substance romanesque qu'il charrie : rapide quand le récit se démeuble, englué et presque arrêté quand il se sature d'un magma de réflexions, d'impressions, de souvenirs, au point de s'engorger et de donner l'impression, tant il s'est chargé d'un excès d'éléments en dissolution, qu'il va *prendre* d'un moment à l'autre comme une gelée.

Chaque fois que je rouvre *La Recherche du Temps Perdu*, je suis davantage sensible à la primauté du matériau sur l'architecture, du tissu cellulaire sur l'organe différencié, de la densité de la coulée verbale sur l'espace d'air libre concédé aux personnages, de la durée concrète de la lecture sur le temps figuré du récit. La masse centrale du livre, impérieusement, rabat et plaque contre elle-même, par une force de gravité toute-puissante, tout ce qui tend à se projeter hors d'elle, y compris la production imaginative du lecteur qui, privée d'air et privée de mouvement par la jungle étouffante et compacte d'une prose surnourrie, n'arrive jamais à s'élancer hors d'elle, à jouer à partir d'elle librement : combien de fois, quand son esprit stimulé s'ébranle et commence à imaginer pour son propre compte, le lecteur de Proust n'a-t-il pas le sentiment que, deux lignes, dix lignes plus loin, l'auteur est déjà embusqué sur son chemin pour tuer dans l'œuf ce commencement d'indépendance, qu'il l'a précédé en hâte pour jalonner à ses propres couleurs tous les chemins éventuels du *rallye* romanesque. Dans tout roman, un équilibre chaque fois différent s'établit entre ce qui est dit, et ce que l'élan ainsi donné doit permettre au lecteur d'achever de lui-même en *figures libres* : dans Proust, la prolifération compacte de l'explicite réduit l'implicite abandonné au lecteur à la portion congrue. Reconnaissons-le — et cette limite vient chez lui en compenser une autre qu'il a forcée — on ne rêve guère à partir de Proust, on s'en repaît : c'est une nourriture beaucoup plus qu'un apéritif.

*

Les rapports des personnages de *La Recherche* avec l'argent sont ceux qu'on voit dans les contes orientaux. Pas de « bourses moyennes », ou si peu, et seulement parmi les comparses ; la « richesse » figure partout comme un absolu indivisible et équivaut à la possession de coffres ou de cavernes aux trésors, mal localisées, mais d'où l'or coule inépuisable comme l'huile de la cruche du prophète. Si luxueusement qu'ils vivent, ces riches de conte bleu vivent encore infiniment au-dessous de leurs moyens, et sont à chaque instant en mesure de se permettre des *extras* à peine vraisemblables : les Verdurin, pour leur anniversaire, offrent des pierres précieuses aux membres du « petit noyau » (ainsi Catherine II faisait circuler parmi les convives de ses dîners un saladier de pierreries) ou bien partent en croisière pour un an sur un yacht, à seule fin de permettre au fidèle *Biche* — à qui Cottard l'a prescrit — de respirer l'air de la mer ; Swann, pour distraire Odette qu'il

emmène à Bayreuth, trouve amusant de louer pour la saison un des châteaux du roi de Bavière, etc. Ce comportement plus américain que français du monde des salons, qui
fait penser aux rois de l'acier et des chemins de fer, aux
Carnegie et aux Vanderbilt, plutôt qu'aux fortunes de la
Belle Époque, encore solidement assises sur leurs biens-
fonds, mais un peu courtes en disponibilités immédiates,
donne à l'insertion de *La Recherche* dans l'histoire vraie
des sociétés un caractère irréel et même fabuleux qui la sert
en définitive beaucoup. Tout comme notre époque
retrouve le goût du mélange des saveurs sucrées et salées,
le plaisir qu'on a à lire Proust tient en partie à l'étrange
précision, à la précision paradoxale d'un réalisme a-
historique, à ce que le monde qu'analyse et perce à jour
une psychologie aussi démystifiée vit sur un substrat de
féerie économique qui nous reporte à des millénaires au-
delà de Balzac, et qui, enjambant *César Birotteau* ou les
Illusions Perdues va rejoindre *Ali-Baba*, la lampe merveilleuse ou *Sindbad le Marin*.

*

Petits châteaux de Bohème — *Les nuits d'octobre* —
Chansons et légendes du Valois : même en dehors de *Sylvie*, il y a chez Nerval une infusion omniprésente du souvenir, une chanson du temps passé qui s'envole et qui se
dévide à partir des rappels même les plus ténus de naguère
comme de jadis, et que je ne vois à aucun autre écrivain. Ce
n'est pas une résurrection quasi-hallucinatoire du passé,
comme il arrive aux meilleurs moments de Proust, tout

proches parfois de l'illusion de la fausse reconnaissance,
c'est plutôt, évoqué dans sa prose par quelque sortilège, le
contact d'aveugle qu'on éprouve en retrouvant la maison
et le jardin de son enfance. Comme si ce monde révolu
était le seul endroit où, instinctivement, infailliblement
Nerval *s'y retrouve*, et nous en convainc immédiatement,
Et, pour ce faire, il n'a nul besoin du détail visuel ou auditif
miraculeux du souvenir proustien : ce qui nous retient
dans *Sylvie*, ce n'est pas la demi-douzaine de détails charmants par où il peut rivaliser de netteté avec *La
Recherche* ; c'est sa seule démarche, c'est le décousu inimitable, la liberté de son vagabondage, qui nous persuadent
à chaque instant que, où qu'il aille dans ce passé perdu, il
reste à jamais chez lui.

Peut-être y a-t-il aussi, dans le flou, dans l'embu nerva-
lien qui vient gommer à chaque instant une précision trop
grande, le sentiment que ce « fané » délicieux qui est la
teinte spécifique de jadis s'évanouirait dans la vivacité trop
mordante de la résurrection proustienne, dont la singularité est de reporter sur le souvenir l'agressivité directe propre d'habitude à la sensation. Le passé ne *chante* jamais
chez Proust : il surgit à neuf dans la conscience et la violente presque ; chez Nerval, il est moins contenu matériel
qu'il n'est tonalité et éclairage, glissade affective vers un
jaunissement d'automne, une tonalité mineure qui vient
teinter la vie, au moment même où elle est vécue (si légère-
ment d'ailleurs et comme à distance) des couleurs tout de
suite intemporelles du souvenir. Il n'y a jamais chez Nerval
recherche de l'or du temps perdu, jamais cet impérialisme
tendu de Proust, qui n'a de cesse qu'il n'ait remis une main
fiévreuse sur les trésors dissipés : il y a plutôt consentement
docile à l'imprégnation déjà passéiste du présent au

moment même où il est vécu. Ce qui porte peut-être le mieux les vraies couleurs du souvenir chez Nerval, ce n'est pas la résurrection du Valois dans *Sylvie*, c'est la démarche noctambule de l'écrivain lorsqu'au milieu de la nuit, au début du récit, il se met en quête dans les rues de Paris d'un fiacre pour aller retrouver la fête du *bouquet*, c'est cette mise en éveil nocturne d'une conscience pour laquelle, chaque fois que vraiment elles tournent, les aiguilles du temps se mettent infailliblement à tourner à l'envers. C'est cette route de nuit onirique de *Flandre*, dont on a le sentiment si intense, en lisant la nouvelle, qu'elle n'a jamais vraiment été parcourue par Nerval qu'à rebours.

*

Un *compact* sans solution de continuité de rues, de salons, de visages, d'éclairages, de souvenirs, de paysages, de timbres de voix, de conversations, pousse à rechercher, dans le domaine des équivalences gastronomiques, pour la dégustation du *Temps Perdu*, les types de mets remarquables à la fois par leur hétérogénéité intime et leur consistance entièrement solidifiée, comme les puddings et les *gelées*.

*

Jamais de vraies conversations dans les scènes paralysées de *La Recherche*, mais seulement des « bulles » signalétiques, d'une puissance d'expression inégalée (« Je savais bien où elle voulait en venir » — « Ah ! tu me mets aux anges »). La seule chose que Proust ignore, c'est le mouvement ; en ce sens il est l'antipode de Stendhal qui *est* mouvement, et qui n'a presque besoin de rien d'autre. La récupération du passé, obsessionnelle chez lui, n'imite en effet en rien dans sa démarche l'anticipation de l'avenir : ce que livre la mémoire, et particulièrement — recherchées par Proust au-dessus de tout — ce que livrent les fulgurations de la mémoire, ce sont des visions d'éclair, des tableaux figés dans l'instantané par un coup de baguette, des tableaux enchantés. L'évocation de fragments du passé s'imbrique ainsi parfaitement dans le présent romanesque qui, lorsqu'il est présent pur, est fixé, c'est-à-dire panoramique et descriptif — la projection vers l'avenir ne s'y imbrique jamais : il faut n'être qu'à lui, comme l'est Stendhal. Quand Proust évoque, dans *La Recherche*, le désir du narrateur de voir Venise, ce désir a déjà les couleurs délicatement fanées de la réminiscence : pas un instant, pour le lecteur, cette voile hissée n'a pris le vent.

*

Il y a comme une légitimité à rêver d'une audience chez Ranuce Ernest IV, d'une conversation avec la Sanseverina, mais on ne peut pas davantage s'imaginer une rencontre avec Mme de Guermantes, avec Albertine ou avec Gilberte, qu'avec une des figures qui peuplent les *Mémoires* de Saint-Simon : une fois extraits, les uns du rituel de la cour liturgique du Roi Soleil, les autres de l'exigeant et exclusif équilibre écologique du milieu proustien, ce ne sont plus que des poissons tirés sur la grève.

*

Roman

Bien souvent on observe, dans l'usage que fait l'auteur de romans de la première ou de la troisième personne, un contre-emploi apparent. Le *je* étant utilisé parfois avec partialité là où le récit garde un caractère objectif plus marqué, le *il*, pour des récits dont l'éclairage est décidément subjectif. Il n'y a rien eu là de délibéré, rien que l'exercice de cet instinct qui, dès les premières pages d'un livre, tranche péremptoirement, sans même leur accorder une pensée claire, les problèmes les plus complexes et les plus enchevêtrés (choix du ton, de la « distanciation » ou de la participation étroite, du *sfumato* ou de la netteté des contours, etc.). La vérité est que la somme de décisions sans appel, brutales ou subtiles, qu'implique toute première page, est à donner le vertige. La possibilité d'intervention laissée à l'auteur ne dépassant pas sensiblement par la suite celle que l'éducation peut exercer *a posteriori* au long des années sur une « nature », — et sans doute est-il bon et sain, que le déclic initial, l'acte de l'engendrement, soit laissé dans un cas comme dans l'autre, au physique comme au spirituel, à l'impulsion aveugle, à l'aventurisme du pur désir. Le début d'un ouvrage de fiction n'a peut-être au fond d'autre objectif vrai que de créer de l'irrémédiable, un point d'ancrage fixe, une *donnée* résistante que l'esprit ne puisse plus désormais ébranler. Car il y a un problème des problèmes de la fiction qui se pose préalablement à tous les autres, qu'on laisse entre parenthèses, et qui n'est autre que celui du point d'appui d'Archimède : sur quoi se fonder pour quitter le cercle fermé de l'évasif, du substituable et du fluctuant ? à partir de quoi permettre à l'esprit en travail de fiction d'échapper au sort du *Nautilus* de Jules Verne : *Mobilis in mobile* ? Ce qui peut seul mériter à la « création » romanesque son nom, c'est que le romancier y passe outre, comme dans la création vraie, au mystère qui consiste pour lui — au commencement des commencements — à susciter, à fabriquer, sans aucun secours de ses mains, quelque chose qui puisse devenir ensuite opaque à son propre esprit.

*

Je sens vivement combien, peu sensible que je suis à l'observation des « unités » de toute sorte dans une œuvre d'art, je le reste fondamentalement à son unité élémentaire. Toutes les disparates dans la nature du matériau d'une œuvre me heurtent, et cela va au point que dans un ouvrage de fiction, il ne m'est pas possible de laisser subsister un seul nom de lieu réel. Je m'autorise ici au moins d'une préoccupation analogue dans *La Chartreuse*, où la ville fort authentique de Parme se trouve déréalisée subtilement par l'implantation de la tour Farnèse. Il ne s'agit pas d'un *petit jeu*, visant à piquer ou à dérouter le lecteur, il y va de l'honneur romanesque même, de la nature intime du roman, qui est de faire le lecteur *être* à mesure tout ce qui est dit, mais dans l'anéantissement concomitant de toute réalité de référence.

*

Qui niera que la multiplicité des relations — partiellement clandestines — établies entre les divers éléments d'un ouvrage de fiction en constitue la richesse ? Seulement tout est dans le courant qui passe à travers les innombrables conducteurs, finement anastomosés, d'un texte : à supposer qu'on parvienne à les détecter tous — dénombrement objectif qui n'est pas, à la limite, impensable — il resterait à déterminer comment ces contacts « intra-textuels » se hiérarchisent et se commandent l'un l'autre. Détermination de toute importance, car le courant de la lecture ne se divise pas, et toutes choses, en matière de lecture romanesque, posent une question moins d'existence que d'intensité. Le courant de la lecture, aveuglément, parmi tous les embranchements que lui présente un livre, suit les fils à plus grande section, et certains des exégètes modernes du texte rappellent à l'esprit, en réaction, ces plans électrifiés qu'on trouve dans les stations du métropolitain : mille chemins s'y trouvent interconnectés, en apparence interchangeables, mais, si on appuie sur le bouton, seul le trajet le plus court entre le départ et le terminus s'illumine. Il y a certes autant de lectures d'un texte que de lecteurs, mais pour chaque lecteur — lorsqu'il ne s'institue pas promoteur artificiel de lectures marginales — il y a un trajet à travers le livre et en fait il n'y en a qu'un. Le fil de la lecture ne se ramifie jamais ; si, pour un moment, nous perdons de vue un personnage, en gardant le pressentiment qu'il va reparaître dans certaines éventualités, ce pressentiment n'est pas mis en réserve à l'écart dans notre mémoire : il s'incorpore aussitôt au sentiment global que promeut à chaque instant notre lecture, et vient le nuancer sans s'en distinguer. Cette mémoire des éléments déjà absorbés et consommés — mémoire tout entière intégrée, tout entière active à tout moment — que crée la fiction à mesure qu'elle avance, et qui est une de ses prérogatives capitales, contredit, non à l'existence, mais à la ségrégation des « niveaux de sens » étagés dans un texte. Ces niveaux n'atteignent pas à la présence réelle parce qu'ils ne sont jamais suivis séparément par l'attention, mais plutôt perçus synthétiquement à la manière d'un accord musical : ainsi la richesse d'un livre tient-elle moins à la multiplicité consciemment enregistrée de ces « niveaux de sens » qu'à l'ampleur de la résonance indivise qu'ils organisent autour du texte au fur et à mesure de la progression de la lecture. Le refus de toute séparation, l'impérialisme du sentiment global, qui font de toute lecture vraie d'un roman une totalisation indistincte, y amènent à prévaloir très généralement, sur le plaisir intellectuel de la compréhension, qui disjoint, la jouissance fondamentalement unitaire qui naît de l'écoute d'une symphonie.

*

Les réflexions de Valéry sur la littérature sont celles d'un écrivain chez qui le plaisir de lecture atteint à son minimum, le souci de vérification professionnelle à son maximum. Sa frigidité naturelle en la matière fait que, chaque fois qu'il s'en prend au roman, c'est à la manière d'un gymnasiarque qui critiquerait le manque d'économie des mouvements du coït : il se formalise d'un gaspillage d'énergie dont il ne veut pas connaître l'enjeu. On peut se demander, quand il condamne le roman, si le laisser-aller, expressément invoqué par lui, de la démarche romanesque en est bien la cause, et non pas plutôt les effets du roman sur le lecteur, qui sont — par rapport à tous les autres genres littéraires — un ébranlement affectif à la fois plus massif et moins défini : de toutes les formes que revêt la littérature, le roman, même de qualité, est celle qui touche de plus près à l'art d'assouvissement. Valéry parle admirablement de la littérature, si on ne s'occupe que de ses moyens et de leur mise en œuvre, et si on veut bien mettre entre parenthèses les modestes réquisitions du lecteur : rien de ce qui touche à l'ingestion de la chose écrite n'est jamais abordé par lui, et on dirait qu'il ne s'est jamais trouvé lui-même en situation de consommateur, mais seulement de vérificateur des denrées et de contrôleur des poids et mesures.

*

Michel Butor fait, à propos des romans de Hugo, une remarque intéressante sur les arrêts de la narration, qui laisse place chez lui très souvent et très longuement soit à un monologue intérieur, soit à une large amplification descriptive, philosophique ou historique. Il les compare aux *arias* sur lesquels se fige plus ou moins longuement l'action d'un opéra.

La comparaison est séduisante ; je ne la crois pas tout à fait juste. L'*aria* de l'opéra traditionnel correspond en fait à un passage de la quantité à la qualité : l'excès d'une accumulation émotive intense transmue brusquement le dialogue, ou le récitatif mouvementé, en éjaculation lyrique immobile. Les pauses narratives du roman auxquelles Butor fait allusion me paraissent remplir bien plus souvent une fonction autre : celle d'un retard organisé, d'un freinage de l'action, dont le but est de laisser affluer vers l'*apex* dramatique déjà en vue toutes les réserves capables de l'orchestrer et de l'amplifier. Ainsi, chez Balzac, dans *Les Chouans*, la longue description du panorama de La Pèlerine, qui vise clairement à enrichir la simple escarmouche de guerilla qui s'annonce de toute la résonance historique et géographique exemplaire qu'elle est capable d'éveiller.

C'est qu'un des problèmes cachés du romancier, problème que l'auteur résout, ou tente de résoudre, grâce au seul instinct, est d'assurer comme un général d'armée la progression coordonnée des masses hétérogènes que son récit met en mouvement, et dont les personnages individualisés ne constituent que la pointe avancée, la tête chercheuse la plus alertée et la plus mobile. Tout roman traîne ainsi avec lui (le mot ici n'a rien de péjoratif) sa logistique propre, plus ou moins volumineuse, plus ou moins camouflée, plus ou moins contraignante, jamais absente tout à fait, depuis la colonne volante du monotype psychologique à la manière de *La Princesse de Clèves* ou d'*Adolphe*, qui s'avance sans soutien ni bagages, jusqu'aux phalanges pesantes, toutes réglées dans leur marche par le charroi de leurs *impedimenta*, des romans sociaux de Zola.

Une des singularités de *La Chartreuse*, très différente

par là de *Le Rouge et le Noir*, est l'insouciance complète et heureuse où Stendhal se maintient d'un bout à l'autre vis-à-vis des fonds de son ouvrage, lesquels s'arrangent comme ils peuvent pour faire souvenir d'eux le lecteur, et — rareté grande — y réussissent on ne peut mieux : le récit ne cesse de courir la poste sans ralentir pour eux un instant ; c'est une superbe réussite romanesque de suggestion quasi immatérielle. L'Italie de la Sainte-Alliance est là présente tout entière, aussi bien dans son paysage et sa société que dans son climat politique stagnant, mais elle ne l'est que fragmentée en charges individuelles que les personnages transportent partout avec eux sans en paraître empêtrés ni alourdis : leur patrie romanesque restant collée à la semelle de leurs souliers.

*

Et pourquoi pas, en définitive, « La marquise sortit à cinq heures » ? En fait, deux lignes d'opérations distinctes viennent converger dans l'offensive contre le roman et assurent son efficacité. L'une menée contre « le style d'information pur et simple » qui est censé y avoir cours. L'autre contre l'arbitraire de la fiction.

La manœuvre d'intimidation, toute traditionnelle, consiste ici d'abord à tenter de faire prendre la partie pour le tout, l'infime partie pour le tout. Car, dès la seconde phrase, l'arbitraire de *la marquise* cède déjà du terrain au souci de coordination et de cohérence du roman — une vie de relations, à l'intérieur du récit, commence à s'éveiller et à se substituer à l'assertion péremptoire que la première phrase a abattue comme un poing sur la table. En fait, s'il s'agit d'un romancier véritable, l'arbitraire, dans le roman supposé par l'auteur de la *Jeune Parque*, ne dépasse jamais vraiment la première phrase qu'il en cite : il n'y a pas de cas plus exemplaire que la célèbre *marquise* de citation abusive par suppression du contexte.

Ce qui apparaît de plus clair dans la position très largement instinctive qu'adopte ici Valéry, c'est la rétraction fondamentale de l'esprit devant le vice natif de tout commencement absolu, de toute Genèse. Nul artiste, bien entendu, ne peut rester tout à fait insensible, même s'il passe outre, à ce vice de l'*incipit* qui marque tous les arts de l'organisation de la durée : littérature, musique, à l'inverse des œuvres plastiques dont l'exécution, certes, s'insère elle aussi dans le déroulement du temps, mais qui, par leur achèvement, effacent toute référence temporelle et se présentent, plus purement, comme un circuit fermé sur lui-même, sans commencement ni fin.

Il n'est pas exclu qu'il y ait de l'humeur dans la phrase de Valéry, car la servitude romanesque ne fait qu'amplifier exemplairement une servitude inhérente aussi au versificateur. Le roman, moins pur, sert ici de bouc émissaire pour ce dont la poésie elle-même ne saurait être tout à fait expurgée : la gratuité initiale. Quel écrivain n'a rêvé de rompre son attache avec la contingence du monde — d'effacer son commencement ?

*

Roman cruel. Il y a un sujet de roman qui, à ma (médio-

cre) connaissance, n'a jamais été traité, ou du moins
jamais dans toute son ampleur. Le héros en est un amoureux de grand style, non pas un Don Juan, mais, plutôt
qu'un séducteur, un de ces vrais amoureux de vocation, à
flambées successives, dont le domaine musical — compositeurs, chanteurs et chefs d'orchestre — semble fournir
plus de spécimens que les autres. D'année en année il
change d'idole, toujours enflammé, toujours exclusif, toujours transporté. Mais ses ex-amantes ne meurent pas
(elles ne meurent que dans les livres). Et comme il
est d'un naturel sociable et cordial, qu'il est aussi, profondément, un professionnel, un homme de travail et d'habitudes, et goûte peu le plaisir de rompre, toutes ses
maîtresses une à une quittent la scène flamboyante de la
passion sans pour autant disparaître de sa vie : elles ren-
trent dans le circuit familier et gentiment indifférent des
consœurs et des collaboratrices quotidiennes. Vers la fin
de sa vie, il ne se déplace plus qu'entre d'anciennes *Dilettas*
et *Unicas*, comme un sacristain à la nuit tombante dans
l'odeur de mégot douceâtre des cierges qu'il a soufflés l'un
après l'autre. Un monde bien pire qu'un monde d'objets
inertes : un monde de batteries déchargées.

*

Analyse chimique : opération authentique, parce que la
synthèse des éléments décomposés restitue le corps ana-
lysé dans son intégrité et dans son poids. « Science » de la
littérature, ou du texte : la somme des moyens détectés et
des opérations décryptées est toujours, non seulement

incomparablement inférieure au total que l'œuvre figure, mais encore hétérogène à elle absolument. L'œuvre d'art n'est pas, n'est jamais une combinatoire d'éléments allant, par exemple, du simple au complexe, elle est bien plutôt pour l'écrivain comme un volume pressenti dès le début dans toute son ampleur et qui se laisse coloniser librement, inégalement, et par là même déformer aussi progressivement par l'écriture. La distribution mécanique du travail de l'écrivain le long du vecteur temporel qu'il parcourt est une source d'images fausses, qui toutes s'apparentent de près ou de loin à celle du fleuve peu à peu grossi par ses confluences : tout autant le travail de chaque page va apparemment vers la totalité pour peu à peu la construire, tout autant la totalité pressentie vient dans le sens inverse à chaque instant secrètement au-devant de la page en voie de s'écrire pour l'orienter et l'informer. Modifiée par chaque page, au fur et à mesure que les pages s'écrivent, mais à chaque instant présente dans toute sa masse ; élastique, déformable, mais indivisible. Et d'une présence de plus en plus écrasante à mesure que l'œuvre (je parle ici du seul roman) s'étoffe et approche davantage de sa réalisation, de sa fin ; il me semble que les critiques ne prêtent guère d'attention, si même ils la soupçonnent, à cette force d'attraction constamment croissante, et finalement toute-puissante, du tout sur la partie, qui fait de la composition d'un roman quelque chose de moins proche d'un libre voyage de découverte, que plutôt du comportement délicatement guidé d'un véhicule spatial qui s'apprête à alunir. Le climat du travail du romancier change progressivement tout au long de sa route : rien de plus différent de la liberté presque désinvolte des premiers chapitres que la navigation anxieuse, nerveusement surveillée, de la phase terminale, où le sentiment du maximum de risque se mêle à l'impression enivrante d'être attiré, aspiré, comme si la masse à laquelle le livre a peu à peu donné corps se mettait à son tour à vous capturer dans son champ (peut-être est-ce cette impression que traduisent à leur manière — si mal — les romanciers qui soutiennent que leurs personnages « leur échappent »). Le fait, qui m'a bien souvent intrigué, qu'à chacun de mes romans j'aie observé aux deux tiers à peu près de la rédaction un long arrêt — un arrêt de plusieurs mois qui s'accompagnait de désarroi et de malaise — avant de reprendre et de finir, n'est peut-être pas étranger à ce sentiment que j'ai plus d'une fois éprouvé en achevant un livre, d'« atterrir » — dangereusement — plutôt que de terminer.

*

Tout ce qu'on introduit dans un roman devient signe : impossible d'y faire pénétrer un élément qui peu ou prou ne le change, pas plus que dans une équation un chiffre, un signe algébrique ou un exposant superflu. Quelquefois — rarement, car une des vertus cardinales du romancier est une belle et intrépide inconscience — dans un jour de penchant critique il m'est arrivé de sentir une phrase que je venais d'écrire dresser, comme dit Rimbaud, *des épouvantes devant moi* : aussitôt intégrée au récit, assimilée par lui, happée sans retour par une continuité impitoyable, je sentais l'impossibilité radicale de discerner l'effet ultime de ce que j'enfournais là à un organisme délicat en pleine croissance : aliment ou poison ? Une énorme atténuation

de responsabilité figure, heureusement parmi les caractéristiques romancières ; il faut aller de l'avant sans trop
réfléchir, avoir l'optimisme au moins de croire tirer parti
de ses bévues. Parmi les millions de possibles qui se présentent chaque jour au cours d'une vie, quelques-uns à
peine écloront, échapperont au massacre, comme font les
œufs de poisson ou d'insecte, c'est-à-dire porteront conséquence : si je me promène dans les rues de ma ville, les cent
maisons familières devant lesquelles je passe chaque jour
— non perçues, anéanties à mesure — sont comme si elles
n'avaient jamais été. Dans un roman, au contraire, aucun
possible n'est anéanti, aucun ne reste sans conséquence,
puisqu'il a reçu la vie têtue et dérangeante de l'écriture : si
j'écris dans un récit : « il passa devant une maison de petite
apparence, dont les volets verts étaient rabattus », rien ne
fera plus que s'efface ce menu coup d'ongle sur l'esprit du
lecteur, coup d'ongle qui entre en composition aussitôt
avec tout le reste ; un timbre d'alarme grelotte : quelque
chose s'est passé dans cette maison, ou va se passer, quelqu'un l'habite, ou l'a habitée, dont il va être question plus
loin. Tout ce qui est dit déclanche attente ou ressouvenir,
tout est porté en compte, positif ou négatif, encore que la
totalisation romanesque procède plutôt par agglutination
que par addition. Ici apparaît la faiblesse de l'attaque de
Valéry contre le roman : la vérité est que le romancier ne
peut pas dire « La marquise sortit à cinq heures » : une telle
phrase, à ce stade de la lecture, n'est même pas perçue : il
dépose seulement, dans une nuit non encore éclairée, un
accessoire de scène destiné à devenir significatif plus tard,
quand le rideau sera vraiment levé. Le tout à venir se
réserve de reprendre entièrement la partie dans son jeu, de
réintégrer cette pierre d'attente d'abord suspendue en l'air,

et nul jugement de gratuité ne peut porter sur une telle phrase, puisqu'il n'est de jugement sur le roman que le jugement dernier. Le mécanisme romanesque est tout aussi précis et subtil que le mécanisme d'un poème, seulement, à cause des dimensions de l'ouvrage, il décourage le travail critique exhaustif que l'analyse d'un sonnet parfois ne rebute pas. Le critique de romans, parce que la complexité d'une analyse réelle excède les moyens de l'esprit, ne travaille que sur des ensembles intermédiaires et arbitraires, des groupements simplificateurs très étendus et pris en bloc : des «scènes» ou des chapitres par exemple, là où un critique de poésie pèserait chaque mot. Mais si le roman en vaut la peine, c'est ligne à ligne que son aventure s'est courue, ligne à ligne qu'elle doit être discutée, si on la discute. Il n'y a pas plus de «détail» dans le roman que dans aucune œuvre d'art, bien que sa masse le suggère (parce qu'on se persuade avec raison que l'artiste en effet n'a pu tout contrôler) et toute critique réduite à résumer, à regrouper et à simplifier, perd son droit et son crédit, ici comme ailleurs.

Déjà dit, ainsi ou autrement, et à redire encore.

*

Ce basculement des proportions et des préséances que Wagner a introduit entre le jeu, les propos des personnages en scène, et le commentaire choral tout-puissant de l'orchestre comme un bruissement de forêt, pourquoi serait-il interdit de l'opérer dans le roman? et de faire rétrograder les amours et les querelles, les *raisons* et les

escarmouches des protagonistes au bénéfice de la
pulsation-mère du grand orchestre du monde? Dès que
j'ai commencé à fréquenter le théâtre lyrique, j'ai été fasciné par ces brèches si béantes et si éloquentes, pratiquées
dans la continuité du chant, brèches où il semble que
ténors, basses et soprani sur la scène, et non seulement le
public au fond de l'obscurité, se taisent pour laisser venir
battre autour d'eux le flux de toute une marée sonore,
comme s'ils faisaient silence, interdits, autour de la révélation confuse, qui déferle, de tout ce qui mûrit pour eux et
pourtant hors d'eux. Ce bien que Mallarmé voulait que la
poésie reprît à la musique, pourquoi serait-il interdit au
roman de le disputer à l'opéra? Ces moments uniques
d'écoute profonde et jaillissante, vraiment et réellement
inspirés, qui me semblaient toujours et me semblent
encore crever la paroi du fond du théâtre et l'ouvrir toute
grande pour laisser entrer la rumeur directrice du monde
devenu Sibylle et devenu Pythie, il n'est pas dit que la
musique ait seule le privilège de leur ménager un espace, de
donner issue aux transes prophétiques de leurs vapeurs.

*

Le roman a certes dépéri en tant que créateur de personnages à partir du XXᵉ siècle : ici on doit donner raison à
Mme Nathalie Sarraute. Mais je doute que la vraie cause
en soit celle qu'elle avance, à savoir la défiance grandissante du lecteur comme de l'écrivain vis-à-vis des figures
de la fiction qui prennent vie. J'y vois bien plutôt l'effet
d'une confiance démesurément accrue de l'écrivain en sa

capacité d'animer de bout en bout des ouvrages romanesques par la seule production, à peine déguisée, de son moi intime. Dans les romans de Malraux, de Colette, de Montherlant (dont je suis loin de penser aucun mal) il n'y a *que* Malraux, que Colette, que Montherlant, c'est assez clair. Le seul et unique type vivant qu'ils mettent au monde, au monde de la fiction, c'est leur *moi* distribué sous diverses espèces et permanent sous d'innombrables hypostases ; que le perpétuel dialogue avec soi-même puisse se substituer sans vergogne à la tentative plus humble qui était jusque-là celle du roman d'imiter les accidents, les rencontres et la variété de la création, c'est l'effet non pas d'une incrédulité grandissante du lecteur vis-à-vis de la personnification romanesque, mais plutôt d'une foi presque insolente de l'auteur dans la capacité immanente à la fiction de faire *tout* accepter, y compris non seulement le mystère de la transsubstantiation réédité, mais encore le miracle des noces de Cana.

*

Les livres manqués des écrivains qui, dans leur vieillesse, tentent de donner, sans y réussir, l'image d'une époque nouvelle qui n'est plus faite pour eux, marquent souvent mieux que d'autres, parce qu'en eux une adaptation qu'on dirait physiologique échoue pathétiquement à se faire, la brutalité du déclic qui sépare du suivant un moment de la civilisation et de la société. Ainsi de l'un des derniers livres de Jules Verne, *Maître du Monde*, livre manqué, publié à la veille de sa mort, où le vieux magicien

entrevoit, mais comme Moïse la Terre Promise, l'avènement littéraire du grand détective traqueur de secrets
d'État, qui va fleurir avec Lupin et Rouletabille (le *Great
Eyry*, repaire du Maître du Monde, ouvre la voie à l'Aiguille Creuse) tout comme, avec la course Prairie du Chien
— Milwaukee et son bolide avaleur de poussière, il tente
de s'acclimater à la fièvre du *cent à l'heure* du premier
Paris-Madrid. Ainsi d'un très pauvre roman de Paul Bourget que j'ai lu dans ma jeunesse, — reconnaissance effa-
rée et tâtonnante poussée par lui dans la *terra incognita* de
l'après-guerre — et qui s'appelait *Le Danseur mondain*.

*

« Je suis trop vif, trop net pour conter, j'ai précisément
la fonction contraire, je balaye le récit. La suite dorée me
pèse. Je n'excelle pas à m'attarder » (Valéry).

Comment en effet, avec de telles exigences innées, s'at-
tacher au roman, dont une des ressources secrètes est de
pouvoir fournir des comprimés de lenteur ?

Cette allergie, après tout légitime, laissée de côté, les
objections de Valéry au roman se réduisent à deux.

1) l'arbitraire (« La marquise sortit à cinq heures »)

2) la multiplicité des variantes possibles « dans le mou »
(sic) toutes à peu près vierges de conséquences (« la comtesse sortit à six heures »).

Examinons.

« *La marquise* » est en fait infiniment moins variantable
qu'il n'y paraît. « La duchesse » ferait tonner la grosse artillerie nobiliaire balzacienne, introduirait d'emblée un autre

registre social : hautes intrigues de salon, mêlées d'Église et de politique. « La comtesse » est un titre déjà trop incolore pour qu'on l'emploie, isolé du nom, autrement que dans une intention particulière, caricaturale par exemple. « Marquise », au surplus, reste rigoureusement connoté par l'adjectif *exquise*, toujours présent musicalement en filigrane : finesse, joliesse, suggestion d'une intrigue galante sans menace de drame accourent à son appel. Beaucoup trop de choses — en fait déjà tout un aiguillage tonal du récit — sont engagées par ce choix (et dans la première phrase d'un livre !) pour que le romancier s'en remette ici au hasard.

« *A cinq heures* » outre une certaine qualité de la lumière et de l'air, qui peut avoir son importance, ménage le loisir, et annonce par là même la probabilité, et sans doute le projet, d'une rencontre importante avant le dîner. « Six heures » couperait malencontreusement l'après-midi trop près de sa fin, n'annoncerait que la contrainte mécanique de l'horaire d'un dentiste ou d'une gare de chemin de fer. Cinq heures — heure ouvrable — est l'heure luxueuse du loisir romanesque, tout comme le deuxième étage est le bel étage d'un immeuble : autre connotation qui s'inscrit d'emblée dans l'anticipation du lecteur. Etc. etc...

Un tact suffisamment aiguisé du sens et de la précision des conjectures que chacune de ses phrases fera lever dans l'esprit fait partie de l'équipement du romancier : c'est là ce qui lui permet de « garder le contact » exigence aussi impérieuse dans l'écriture d'un roman qu'elle l'est dans la conduite de la guerre. La moitié de son talent est de projection : la première page à peine achevée — et même la première phrase — il suit du regard tout un entrecroisement de trajectoires déjà en route, les unes de courte, les autres de longue ou de très longue portée. Persistance des images qui peuvent se chevaucher, — surgissement des couleurs complémentaires — images à halo — toute une singulière chimie rétinienne entre en jeu aussi chez le lecteur, à laquelle l'auteur n'a pas le droit d'être insensible : à chaque instant en effet, la lecture projette dans l'avenir du lecteur une phosphorescence à demi éclairante, qui dépend moins encore des images immédiates que le texte fait surgir que de certaines valeurs proprement romanesques dont elles sont ou ne sont pas chargées, et qui toutes ont partie liée avec la temporalité. On pourrait dire que toute l'attention que le poète porte à la capacité de déflagration immédiate des mots qu'il emploie, le romancier la reporte, avec une précision sans doute moindre qui tient à la différence d'échelle, sur la possibilité d'effet à retardement de ses phrases. Chez Dostoïevski par exemple, le pouvoir romanesque des dialogues — réticents, allusifs, indirects, jamais explicites — consiste presque entièrement dans l'énorme énergie cinétique dont ils rechargent l'esprit du lecteur, alors que le roman panoramique et détendu de Tolstoï, dont les mérites sont ailleurs, et presque tous de l'ordre immédiat de la nature, n'en ménage et n'en accumule presque aucune (le plaisir, exceptionnel dans le roman, que donne à la lecture *Guerre et Paix*, est peut-être ce qui se rapproche le plus d'une manducation comblante et nourrissante, qui se suffit à elle-même d'instant en instant sans presque anticiper).

En fait, si dans toute lecture l'esprit du lecteur anticipe sur le texte, si le point focal de son attention se porte toujours un peu, et souvent beaucoup, au-delà des mots que l'œil enregistre, il n'y a pas de doute que ce décalage vers

l'avenir atteint son minimum dans la lecture d'un poème
— et d'un poème de Mallarmé plus que d'un poème de
Hugo ou de Musset — son maximum dans la lecture d'un
roman, non seulement d'un roman de cape et d'épée, mais
de Kafka ou de Dostoïevski. La naïveté de la croyance en
une assimilation possible de la vie romanesque à la vie
courante peut se mesurer à cette simple observation : si,
dans une section de vie vécue, les signaux que le monde
extérieur émet en direction de la conscience concernent
dans leur immense majorité ce qui dure et persiste, les
signaux moins nombreux, mais filtrés, que le texte d'un
roman dispense portent délibérément sur ce qui change ou
va changer. Et les plus significatifs peut-être portent sur ce
qui va changer à terme, le temps verbal d'élection du
romanesque étant sans doute non pas le futur mais (si le
temps n'existe pas dans la conjugaison, c'est pourtant son
mode de projection vers l'avant qui anime la fiction) le
futur ultérieur.

Ce qui en réalité agace, dans le roman, les esprits fanati-
ques de précision — celui de Valéry par exemple — ce n'est
pas ce qu'ils disent qu'il est (et qu'il n'est pas) c'est le retard
grandiose qui persiste, par rapport à la poésie, plus finement disséquée, dans l'élucidation de ses moyens. Ce n'est
pas la naïveté, ou la grossièreté de ses procédés et de ses
prétentions, c'est la complexité sans égale des interférences et des interactions, des *retards* prémédités et des
anticipations modulées qui concourent à son efficacité
finale — complexité et enchevêtrement tels qu'ils semblent
ajouter une dimension à l'espace littéraire, et que, dans
l'état actuel de la «science des lettres», ils ne permettent
que le pilotage instinctif et les hasards de la navigation
sans visibilité. Tout compte dans un roman, tout comme

dans un poème : Flaubert le sait (quoique Valéry le juge
bête) qui ne rature pas moins, ni moins minutieusement
que Mallarmé. Mais le champ de forces emmêlées qu'il
représente est trop vaste et trop complexe encore aujour-
d'hui pour un début de saisie intellectuelle précise, et le
mode de calcul qu'elle exigerait n'est pas encore né.

*

La dynamisation, spontanée et immédiate, comme
caractéristique du roman. Ce qui conseille au romancier,
dans le doute, de choisir plutôt par grande préférence la
pédale douce. Si un roman pouvait reproduire par impossible, dans le *tempo* même qui est celui de la réalité, un
fragment de vie vécue, peuplée de tous ses objets, de tous
ses mouvements, de tous ses personnages, le lecteur verrait
revivre l'*accéléré*, secoué d'une débauche d'énergie inex-
plicable, des films d'actualité des années 1910. C'est la lenteur seule du mouvement mécanique de la lecture qui
rétablit un équilibre relatif. Sans quoi même une description de Chateaubriand, le Meschacebé par exemple, res-
semblerait au bouquet du feu d'artifice du 14 juillet.

*

Difficulté qu'il y a à rendre vraisemblables, dans un
roman, les personnages chez lesquels un charme extérieur donné comme universellement ressenti se double

d'une vilenie foncière : le séducteur, l'enjôleur. l'escroc de
charme, etc. Le crédit immédiat qu'obtient chez le lecteur
le récit d'actions bien noires ne trouve pas de contre-partie
convaincante dans la séduction physique dont le romancier gratifie leur auteur. Preuve — parmi d'autres, s'il en
était besoin — que, chez le lecteur de romans, le physique
des personnages est presque entièrement reconstruit à partir d'un sentiment global qu'il se forme d'eux, et où les
traits matériels que l'auteur leur attribue sont au besoin
refusés on ne peut plus cavalièrement pour être remplacés
par d'autres. Chez les héros de roman, pour le lecteur, *le
corps est dans l'âme*, comme chez Spinoza (c'est pourquoi,
quand nous lisons, nous admettons si mal que la naïve
héroïne succombe aux blandices de son ténébreux séducteur). Je me demande quelquefois si Balzac, quand il s'at-
tarde si longuement, si lourdement, sur la description
matérielle de ses personnages, ne cède pas simplement au
besoin instinctif d'équilibrer les plateaux : la netteté de
l'apparence physique d'un héros romanesque étant, pour
le public, infiniment moindre que celle d'un personnage
réel, alors que sa « présence » est bien loin de lui être
inférieure.

Une fois de plus, des remarques de ce genre viennent
mettre l'accent sur le peu de valeur directement informa-
tive qu'a, dans le roman, la description, sur son aptitude
au contraire, et par toute une variété de moyens, à l'évocation. Ce que les mots, dans le roman, appellent à la vie, ce
n'est presque jamais une image précise, mais toujours plutôt un système dynamique en mouvement. Ce que les personnages laissent pressentir, ce vers quoi on devine qu'ils
sont en marche, compte infiniment plus que ce qu'ils sont
(et que le cinéma est tellement plus apte à nous montrer

que le roman) en fait, ils n'existent véritablement que sur leur lancée.

*

D'un poème, il n'existe pas d'autre forme de souvenir que sa remémoration exacte, vers après vers. Pas d'autre reprise de contact possible avec lui que sa résurrection littérale dans l'esprit. Mais le souvenir qu'on garde d'une œuvre de fiction de longue haleine, d'un roman, lu ou relu pour la dernière fois il y a des années, après tout le travail de simplification, de recomposition, de fusion, de rééquilibrage qu'entraîne l'élision de la mémoire, fournirait, si la matière n'en était par nature aussi évasive, un sujet d'étude bien intéressant. En fait, si une telle étude pouvait jamais présenter quelque garantie de sérieux, elle fournirait sur la structure, sur les ressorts secrets des œuvres de fiction, des renseignements inédits.

Il faudrait comparer entre eux les souvenirs que gardent à distance d'une même œuvre des lecteurs exercés et de bonne foi, leur faire raconter de mémoire *à leur idée* le livre — ou plutôt ce qu'il en reste, tout référence au texte omise — noter la récurrence plus ou moins régulière du naufrage de pans entiers qui ont sombré dans le souvenir, de points d'ignition au contraire qui continuent à l'irradier, et à la lumière desquels l'ouvrage se recompose tout autrement. Un autre livre apparaîtrait sous le premier — comme un autre tableau apparaît sous le tableau radiographié — qui serait un peu ce qu'est à la carte économique d'un pays celle de ses seules sources d'énergie.

Et, au bout de cette réduction aux seuls matériaux radio actifs ainsi opérée par le tri de la mémoire, on obtiendrait des écarts surprenants. Certains chefs-d'œuvre, la mémoire les restituerait à peu près conformes à leur squelette, avec la gradation de leurs épisodes, leur courbe d'ensemble, l'équilibre de leurs proportions, ce qui a lieu pour moi, par exemple, pour *Le Rouge et le Noir* (mais non pour *La Chartreuse*) comme pour *Madame Bovary*. Dans d'autres cas, toute la carcasse consumée, il ne subsisterait qu'une espèce de phosphorescence incorporelle : de *Dominique*, rien qu'une certaine tonalité frileuse et automnale, des *Liaisons Dangereuses*, rien que leur frénésie abstraite et sèche comme l'amadou. Et ce qui demeure dans mon souvenir de la relecture que j'ai faite naguère de *La Chartreuse*, c'est autre chose encore : ce sont les épaves pêlemêle sur la grève d'un galion porte-trésors. La descente de l'armée sur Milan. Waterloo. La page divine sur les rives du lac de Côme. La tour Farnèse. Les oiseaux de Clélia. L'évasion. Le prince de Parme (avec l'aide du film). L'orangerie du palais Crescenzi. Le tout aussi désinvoltement battu qu'un jeu de cartes, mais uniformément baigné dans l'ozone allègre, hilarant, de la haute montagne.

Et comme il serait intéressant d'appliquer — pour ainsi dire au second degré — le filtre de la mémoire à une œuvre, comme l'est la *Recherche du Temps Perdu*, déjà entièrement triée par le souvenir !

*

La difficulté qu'éprouve le romancier à évaluer ses

investissements, à mesure qu'il les distribue dans son
œuvre. Tout ce qu'il y introduit compte, chaque indication
du texte fera lever dans l'esprit du lecteur souvenir,
attente, pressentiment. Mais il ne sait pas au juste lesquels : comment juger s'il les comblera ?

Car le poète, lui, a lieu de compter sur les lecteurs de son
poème : tenus en lisière du début à la fin, et mot après mot,
il ne se trouvera entre eux, du meilleur au plus médiocre,
guère plus de différence qu'au concert entre un bon et un
médiocre interprète. Mais le lecteur de roman, lui, n'est
pas un exécutant qui suit pas à pas la note et le *tempo* : c'est
un metteur en scène. Et tout porte à croire que, d'une cervelle à l'autre, les décors, la distribution, l'éclairage, le
mouvement de la représentation deviennent méconnaissa-
bles. Quelle que soit la précision explicite du texte — et
même au besoin *contre* lui s'il lui en prend fantaisie — c'est
le lecteur qui décidera (par exemple) du jeu des personnages et de leur apparence physique. Et la meilleure
preuve en est que l'interprétation d'un film tiré d'un roman
familier nous choque presque toujours, non par son arbitraire, mais le plus souvent à cause de sa fidélité aux indi-
cations formelles du texte, avec lesquelles nous avions pris
en le lisant toutes les libertés.

*

J'aime bien qu'un roman garde sur lui, comme un bouchon d'écume laissé par la marée sur une plage, quelque
trace du tic du jour, de la « scie » à la mode, de l'argot de
l'année où il a été écrit : ainsi des désinences en *rama*, tarte

à la crème des conversations de la pension Vauquer, dans *le Père Goriot*, ainsi cet « *Outil* ! » (pour « Oui ») qui date encore pour moi avec précision des premières années vingt la Nuit du Vél' d'Hiv', dans l'*Ouvert la nuit*, de Paul Morand. Proust est plein de ces épices volatiles du langage-du-jour, particulièrement dans le vocabulaire de Saint-Loup, véritable attrape-mouches du jargon des petits cercles pseudo-symbolistes de 1900, et dans celui de Bloch. De tels colifichets d'époque, restés épinglés aux pages d'un livre âgé et célèbre, lui font dire pour moi : « Je n'étais pas né pour devenir classique. J'ai eu mon jeune temps, et je ne l'oublie pas, où je sentais encore le *Vient de paraître* et le papier neuf, où on coupait mes pages entre le quotidien du matin et la *générale* de l'après-dîner, et on n'y sentait point de disparate — et je respirais là, et j'étais fait pour ne respirer que là. » Le classicisme *voulu*, dont l'essence est de couper tout lien de l'œuvre avec les annales de son temps, a le grand tort de supprimer en elle les repères mêmes par où le lecteur peut mesurer l'étendue de la transmutation qui signale le vrai classicisme : le classicisme involontaire ; ainsi un livre comme *Adolphe* (je l'admire autant que quiconque) est-il né avec les rides d'un très jeune vieillard.

Il est significatif aussi que cette écume du temps restée sur lui qui nous charme dans un roman, quand il a survécu, nous glace dans une pièce de théâtre. Rien, par exemple, n'a aidé davantage à vieillir le théâtre à succès du début du siècle, celui de Porto-Riche et de Bataille. Le théâtre est toujours assez lié par nature à l'air du temps et aux réquisitions de la mode pour qu'on lui en veuille d'en rajouter : quand il cède aux façons de parler d'une époque, c'est pour nous comme s'il apportait avec lui, soudé à lui,

son public d'origine, avec ses *tournures*, ses éventails, ses
aigrettes, ses volants, ses chapeaux-claque.

*

Le *sujet*. Je suis déconcerté, quand je lis leurs propos,
leurs journaux, leurs carnets, leur correspondance, de ne
retrouver chez presque aucun écrivain la préoccupation de
ce problème. On dirait que les sujets de leurs livres leur
viennent continûment — l'un chassant l'autre sitôt la réalisation achevée — sans leur donner plus de souci que ne
semblent s'en faire les peintres pour les motifs de leurs
tableaux. Alors que pour moi l'enclenchement brusque
d'une idée — ou plutôt d'un sentiment — sur la perspective
d'un livre a été chaque fois un événement aussi improbable, aussi imprévisible que le coup de foudre amoureux.
Tout se passe comme s'il existait, accumulée périodi-
quement chez l'écrivain, une richesse romanesque non
monnayée, à laquelle rien ne permettra d'avoir cours, rien
ne prêtera forme et aloi, rien ne donnera issue, sinon le
miracle surgi du hasard — quand il surgit — d'une sorte de
modèle réduit, à la fois simple et éminemment expressif,
capable de tenir dans le creux de la main, et pourtant prometteur d'une infinie capacité d'expansion, pareil au cris-
tal ténu qui, par son simple contact, fait cristalliser à son
image parente toute une solution sursaturée. Je ne sais s'il
existe des recettes pour mettre la main sur un pareil sésame
— qui, bien entendu, ne peut vous ouvrir qu'une fois la
cave de vos propres trésors — en ce qui me concerne, je
n'en possède pas, et c'est une des raisons qui font que j'ai
écrit si peu de livres.

La critique moderne a de bonnes raisons d'écarter une telle question. Je m'y heurte presque chaque fois que je réfléchis sur la littérature, et j'y trouve à rêver : tous ces livres, chez les écrivains, qui existaient en puissance, et qui ne sont pas venus au jour, parce qu'un hasard malin a refusé la clé qui les eût libérés, et qui était à portée de la main. La clé, c'est-à-dire le sujet, à la fois révélateur et cristallisateur, qui d'un seul coup de baguette trace à l'afflux romanesque effervescent et informe des lignes d'opération efficaces, le concentre aux points où vont jouer en sa faveur des effets de levier, le met en marche sous des enseignes expressives et des signaux de ralliement mobilisateurs. Le sujet, avec lequel on a le sentiment que presque tout vous est donné d'un coup, puisque, dans le chaos émouvant et aveugle qui vous habitait, brusquement les grandes masses d'ombre et de lumière se disposent, les chemins confluent, les forces se rassemblent et s'ébranlent, les mouvements se coordonnent, qu'une direction, à la fois unificatrice et multiplicatrice, anime désormais la diversité disponible — puisqu'on tient à la fois le lieu et la formule.

Un des signes les plus sûrs à la fois de la vigueur interne d'un sujet et de son affinité avec vos propres dispositions est que, dans sa simplicité initiale, sont inscrites potentiellement, dès qu'on le serre de plus près, des filières de déterminations plus précises qui vont l'étoilant de tous les côtés, et sur lesquelles, à votre surprise, il ne laisse planer en fait presque aucune ambiguïté. Un vrai sujet a une pente secrète : si vous cherchez à le préciser, et même sur quelque détail secondaire, il ne vous laisse pas plus dans l'embarras qu'un relief vigoureux ne laisse dans le doute la goutte d'eau de pluie qui tombe sur lui et qui l'interroge sur la direction à prendre. Il tient en quelques lignes, il se laisse embrasser d'un coup d'œil, et il a réponse à tout.

Un vrai sujet ne laisse étranger à sa donnée aucun règne et aucun ordre, ni humain, ni terrestre. J'ai pensé bien souvent, à ce propos, que l'une des supériorités les plus certaines de Goethe réside dans le sens, d'une ampleur presque infaillible, qu'il avait du sujet, dès qu'il cessait d'écrire pour se délasser. On devine que Hugo a senti parfaitement toute l'importance du problème, mais s'est laissé abuser par des contrefaçons parfois grossières : il lui suffisait que le sujet, trop avantageusement, prenne la pose.

Il se peut, après tout, que l'idée que je me fais d'un vrai sujet me soit strictement personnelle. Elle n'a rien à voir avec les résumés qui peuplent les *prière d'insérer* ; elle a davantage en commun avec la ligne d'une phrase musicale, aussi chargée d'énergie qu'impossible à décomposer.

*

Il est assez surprenant que le thème, très limité, du couple masculin complémentaire en état permanent de dialogue (maître et serviteur, maître et disciple, maître et pupille, maître et «âme damnée») couple lancé au travers d'un monde réel ou fictif dont il tend à traverser successivement toutes les couches et toute l'épaisseur, ait fourni à lui tout seul une part si grande des chefs-d'œuvre de la littérature mondiale : *La Divine Comédie* — *Don Quichotte* — *Faust* (pour ne rien dire de *Don Juan*, *Candide* ou *Splendeur et misère des courtisanes*). C'est-à-dire les œuvres-clés de trois des grandes littératures européennes, et plusieurs des œuvres capitales de la française.

*

Presque dès que j'ai commencé à écrire, j'ai été sensible à cette particularité qu'a le roman, parmi tous les genres qu'on pratique encore, d'être un insatiable consommateur d'énergie. Il y a dans le livre de Clausewitz un chapitre — remarquable entre tous — qui s'intitule *La friction dans la guerre*. Dans le roman, structure lâche, aux rouages très approximativement ajustés, le frottement destructeur, la déperdition d'énergie guettent à chaque page. Comment ne pas se demander quelle est la force qui mène jusqu'à son accomplissement une besogne aussi harassante ?

Contrairement à ce qui se passe pour un poème, si la langue guide et infléchit l'aventure romanesque en cours de réalisation, il reste qu'elle n'est jamais à son origine. Il y faut un certain état de manque, une insatisfaction urgente et radicale. Une impression, ou un complexe d'impressions, dont tout reste à faire pour leur donner corps, et qui pourtant vous obsède à la façon d'un souvenir réel — quelque chose d'aussi précis et exigeant qu'un nom oublié à retrouver, mais qui n'aurait jamais existé, et qui sera le livre — est sans doute le combustible qui alimente le moteur romanesque. Les vents et les courants, c'est-à-dire les hasards que fait courir le langage, décident souvent de l'itinéraire ; mais nul ne s'est jamais lancé au travers d'une mer inconnue sans qu'un fantôme impérieux, impossible à congédier, lui ait fait signe sur l'autre rive. La difficulté particulière à la fiction est celle d'un compromis hasardeux, aux données sans cesse changeantes, à réaliser à chaque page entre un contenant sans projet, qui est la production spontanée de l'écriture, et un projet sans contenant qui est l'appel insistant de ce *timbre* pressenti et sans support matériel encore, auquel il s'agit de trouver et de fournir un instrument, qui sera le livre.

Il faut tenir solidement les deux bouts de la corde raide sur laquelle le roman s'avance en un équilibre instable. Si tout est commandé par un projet trop précis, trop articulé, toute l'œuvre se sclérose et glisse à la fabrication ; si tout est laissé à l'éventuel de la « textualité » pure, tout se dissout en un parlage sans résonance et sans harmoniques. Le récit est refus du hasard pur, la poésie négation de tout vouloir-écrire défini et prémédité. Il faut accepter de se mouvoir dans ce clair-obscur trompeur, savoir passer sans cesse des chemins à suivre aux chemins à frayer. Ce qui ne peut se faire sans un sens impérieux de l'orientation — au travers de toutes les conjonctures de rencontre — qui est un des dons romanesques majeurs. Au travers des paysages, d'avance inimaginables, que sa seule mise en route fait affluer vers lui, le romancier n'a jamais le droit de perdre de vue le Nord ordonnateur qui lui est spécifique.

Ce magnétisme directeur joue-t-il aussi impérieusement d'un roman à l'autre ? Je ne doute pas une seconde que, pour deux romanciers aussi différents que Stendhal, dans *La Chartreuse* et Alain Fournier, dans *Le Grand Meaulnes*, la matérialisation d'une musique intérieure impossible à capturer autrement que dans le déploiement d'un ample récit ait été leur souci unique. Pour Flaubert, au moins dans *Madame Bovary* (« Donner l'impression de la couleur jaune ») j'incline à y croire encore tout à fait. Chez Balzac, mis à part des romans comme *Les Chouans* ou *Le Lys dans la Vallée*, entrent en jeu des mécanismes qui me restent mystérieux. Les deux parties de *Béatrix*,

visiblement, ne se guident pas sur la même étoile ; même
quand le romancier m'entraîne sans résistance, je ne com-
prends pas, je ne sens pas ce qui mène si impérieusement
son récit. Chez Huysmans, que je relisais ces temps-ci,
cette chasse au météore intérieur atteint à son rôle minimum : les forces centrifuges jouent librement en toute exu-
bérance ; la gourmandise sans bornes du langage, la chasse
aux bonheurs d'expression envahissent et conduisent
tout : juxtaposition pure et sans progression, échantillon-
nage de saveurs séparées qui explosent l'une après l'autre
isolément contre le palais, c'est la substance d'*A Rebours*,
et cet à-plat continuel de mosaïque est peut-être plus mar-
quant encore dans les livres religieux comme *En Route*,
que devrait ordonner de bout en bout un sentiment tout-
puissant, et qui s'émiettent — savoureusement — en
dénombrements, récapitulations, inventaires coupés tout
à trac de saynètes décousues.

*

Un roman qu'on entreprend d'écrire, quelque extrême
liberté de traitement qu'on se promette d'y apporter, ne se
comporte aucunement comme un sujet de poème, qui
n'existe, lui, que totalement intérimaire dans l'attente de
métamorphoses successives, et dont la ductilité. la docilité
au travail du langage, à l'aventure verbale, reste sans
limites. Dans le sujet de roman, il existe un minimum de
structure interne résistante — des blocages dissimulés, des
échos internes complexes qu'un heurt fortuit va soudain
éveiller, des automatismes qui vont se faire jour, des phé-

nomènes de rejet, des affinités au contraire brusquement révélées. La contradiction propre au romancier est que, de son sujet, le langage seul utilisé selon ses pouvoirs propres éveillera les possibilités, mais qu'en même temps, sur lui, les mots ne disposent pas de la toute-puissance qui est celle des mots du poème, parce que la passion du romancier pour son roman ne s'est pas éveillée en face d'un ecto-plasme, mais d'une figure non déformable à volonté, qui possède simultanément et le flou du rêve, et des lignes, un rythme, certains *mouvements* d'une netteté parfaitement concrète et pour lui ensorcelante, figure que, d'une cer-taine manière, il n'a de cesse par le moyen de son roman de chercher à rejoindre. Le roman ne vit que par le genre de liberté que lui donne le langage, utilisé selon ses vrais pou-voirs, mais il n'est tiré du néant que par la contrainte qu'impose de bout en bout au romancier une image exi-geante, une obsession non entièrement littéraire dans sa nature. «Adorable fantôme qui m'as séduit, lève ton voile!» supplie le faiseur de romans — mais la muette apparition lui met en mains un porte-plume.

En fait, on n'a jamais cherché à serrer de près les rela-tions du romancier et de son sujet *avant* : avant le moment où il va commencer à l'écrire, c'est-à-dire à jouer sa chance. L'acte de l'écrire rature à peu près tout souvenir de cette période d'incubation parfois très longue, parfois très courte : on retire les échafaudages. Il semble que le sujet se comporte un peu, vis-à-vis des propositions imprévues de l'écriture, comme une substance de propriétés chimiques mal connues, avide d'entrer en composition avec certains corps, insensible à d'autres. C'est ce qui fait que l'ordon-nance formelle d'un roman lui est de si peu de chose, et un tact plus proche du sens intuitif qui s'éveille dans l'amour au contraire si important : « composer » un roman — au lieu de guetter et de suivre à chaque instant de son progrès les résonances et les harmoniques qui s'éveillent — c'est soumettre à la géométrie ce qui relève de la chimie. Mais ces harmoniques d'une part, ces résistances inattendues, de l'autre, ne se réveilleront nulle part ailleurs que dans le *work in progress*, jamais autrement qu'au fur et à mesure de son avance.

*

Salomé-Hérodiade : type du sujet par lui-même tellement vigoureux que, de Flaubert à Strauss, en passant par Wilde et Mallarmé il n'a engendré que des réussites (Et je me souviens encore du *Salomé* éblouissant qu'avait donné il y a quelques années à la télévision Koralnik, dans le style pictural de Gustave Moreau). J'y songeais, en écoutant la *Salomé* de Richard Strauss, de très loin au-dessus de tout ce que j'en attendais. Tout concourt dans un tel sujet à la fascination : le double éclairage crépusculaire d'une fin et d'un commencement de monde qui donne aux personnages, sur le bariolage des fonds baroques, la netteté de silhouette des objets qu'éclaire le contre-jour, la double résonance des paroles qui vont se propageant simultanément dans deux espaces mentaux et historiques, comme si la prison souterraine du Baptiste dotait soudain le langage des résonances d'une crypte à la sonorité majeure — la possibilité qu'a l'action aussi bien de se développer à volonté et de s'enrichir de scènes annexes que de se contracter en un seul tableau expressif (la danse de Salomé

tout comme l'*Apparition* de Gustave Moreau). Ainsi le
Salomé de Wilde et Strauss peut-il réaliser ce qu'aucune
tragédie classique n'a pu réussir tout à fait : une unité dramatique absolue dans le temps comme dans l'espace :
rien que, dans un lieu unique, une scène continue d'une
heure trois quarts, sans contraction, sans rupture, sans
coupure aucune, sans une minute creuse. L'envoûtement
que je subissais en l'écoutant m'aidait à comprendre ce qui
se cachait d'exigence vraie derrière ,la règle si absurde
parce que maladroitement formulée des trois unités : l'exigence de l'absolue clôture de l'espace dramatique, le refus
de toute fissure, de toute crevasse par où puisse pénétrer
l'air extérieur, comme de tout temps de repos qui laisse
place au recul pris.

*

Quand Malraux écrit que le génie du romancier «est
dans la part du roman qui ne peut être ramenée au récit»,
tout amateur de littérature l'approuve sans même réfléchir. La difficulté commence quand on essaie d'isoler réellement cette part : travail prometteur non point d'une
claire chirurgie intellectuelle, mais plutôt de ce gâchis san-
guinolent et confus qu'on voit sur l'étal des boucheries,
parce que le passage de l'os à la chair, comme celui de
l'«histoire» au texte écrit, se fait par un réseau, d'une téna-
cité inextricable, d'adhérences, de vaisseaux, de ligaments
et d'aponévroses. Il n'est pas vrai que l'*histoire* que raconte
La Chartreuse, ou celle que raconte *Splendeur et misère
des courtisanes* ne tienne pas intimement au génie de Sten-

dhal ou de Balzac, parce que l'intégration de ces récits au système combinatoire de l'imagination a été totale, et qu'il ne leur reste pas plus d'existence distincte qu'au greffon, lui aussi apparemment exogène, où la sève a monté.

Certes, quant au choix d'un sujet, nul romancier n'est infaillible : Flaubert s'engoue d'un *peplum* comme *Salammbô* ou du *pourana* de la *Tentation de St Antoine*, Stendhal de ce *Leuwen* invertébré dont on soupçonne qu'il n'a pas été abandonné en chemin sans motif. Balzac seul s'en tire presque à chaque fois, parce que son mode de composition, toujours si largement ouvert sur l'éventuel, lui laisse toujours le temps, après une bataille perdue, d'en engager et d'en gagner une autre, comme à Marengo, avant que ne tombe le mot *Fin* (il arrive à la vérité quelquefois, comme avec *Béatrix*, que ce soit le contraire). Comment, en fait de sujet, distinguer d'avance un *implant* inerte, où nul tissu vivant ne s'agrippera et ne trouvera jamais prise, d'un greffon osseux qui se développera en symbiose avec le métabolisme de l'écrivain, à la fois nourri de tout ce qui s'articulera sur lui, et en retour le soutenant, l'organisant et l'ordonnant ? Problème dont rien ne garantit la solution que l'œuvre même dans son ultime état, et dans lequel seul un flair aiguisé de sauvage peut aider à s'orienter en tâtonnant.

*

L'écriture

Pourquoi écrit-on ? La vieille et perfide question que *Littérature* avait rajeunie au lendemain de la première guerre mondiale n'a toujours pas reçu sa réponse. Il n'est pas sûr, loin de là, qu'elle n'en comporte qu'une seule, il n'est pas sûr non plus que les motivations d'un écrivain ne varient pas tout au long de sa carrière. Quand j'ai commencé à écrire, il me semble que ce que je cherchais, c'était à matérialiser l'espace, la profondeur d'une certaine effervescence imaginative débordante, un peu comme on crie dans l'obscurité d'une caverne pour en mesurer les dimensions d'après l'écho. Le temps vient sans doute sur le tard où on ne cherche plus guère dans l'écriture qu'une vérification de pouvoirs, par laquelle on lutte pied à pied avec le déclin physiologique. Dans l'intervalle, entre l'excès et la pénurie de l'afflux à ordonner, il me semble parfois que s'étend une zone indécise, où l'habitude, qui peut créer un état de besoin, le goût défensif de donner forme et fixité à quelques images élues qui vont inévitablement s'étiolant, le ressentiment contre le vague mouvant et informe du film intérieur s'entrelacent inextricablement. Il arrive que l'écrivain ait envie tout simplement d'« écrire » ; et il arrive aussi qu'il ait envie tout bonnement de communiquer quelque chose : une remarque, une sensation, une expérience à laquelle il entend plier les mots, car les rapports ambigus et alternatifs de l'écrivain avec la langue sont à peu près ceux qu'on a avec une servante-maîtresse, et sont non moins qu'eux, de bout en bout, hypocritement exploiteurs.

Pourquoi se refuser à admettre qu'écrire se rattache rarement à une impulsion pleinement autonome ? On écrit d'abord parce que d'autres avant vous ont écrit, ensuite, parce qu'on a déjà commencé à écrire : c'est pour le premier qui s'avisa de cet exercice que la question réellement se poserait : ce qui revient à dire qu'elle n'a fondamentalement pas de sens. Dans cette affaire, le mimétisme spontané compte beaucoup : pas d'écrivains sans insertion dans une *chaîne* d'écrivains ininterrompue. Après l'école, qui emmaille l'apprenti-écrivain dans cette chaîne, et le fait glisser déjà d'autorité sur le rail de la *rédaction*, c'est plutôt le fait de cesser d'écrire qui mérite d'intriguer.

La dramatisation de l'acte d'écrire, qui nous est devenue spontanée et comme une seconde nature, est un legs du dix-neuvième siècle. Ni le dix-septième, ni, encore moins, le dix-huitième ne l'ont connue ; un drame tel que *Chatterton* y serait resté incompréhensible ; personne ne s'y est jamais réveillé un beau matin en se disant : « Je serai écrivain », comme on se dit : « Je serai prêtre ». La nécessité progressive et naturelle de la communication, en même temps que l'apprentissage enivrant des résistances du langage, a chez tous précédé et éclipsé le culte du *signe d'élection*, dont le préalable marque avec précision l'avènement du romantisme. Nul n'a jamais employé avant lui cet étrange futur intransitif qui seul érige vraiment, et abusivement, le travail de la plume en énigme : *j'écrirai*.

*

Il y a deux langues poétiques juxtaposées dans les tragédies de Racine. Cette fusion à haute température de la langue précieuse, qui à la fois la fluidifie et en réduit par oxydation les scories — singularité qui rend inimitable dans ses pièces le langage de l'amour — ne se retrouve à aucun degré dans ses récits de rêves et de prodiges, que ce soit dans *Phèdre* ou dans *Athalie*. Aussitôt, au contraire, clichés, redondances, hyperboles insipides, lieux communs ampoulés viennent glacer le style ; tout devient ornement, et froid ornement : ce sont les songes, les miracles et les machines des pseudo-Iliades dont le dix-septième siècle a été si prodigue, que nous avons parfaitement oubliées, et dont seules les défaillances d'un poète de génie nous ont conservé le ton apprêté, l'amphigouri « poétique », l'ennui insondable.

Ces *retards* localisés, où la sclérose antérieure, contre laquelle il a lutté par la plume, se reforme par plaques chez un écrivain novateur, se rattachent presque toujours aux parties de ses écrits où il est le moins à l'aise, à celles qu'il traite, par un reste de faiblesse vis-à-vis de la vieillerie consacrée qu'il est venu abolir, *pour copie conforme*. Heureusement limité chez Racine aux songes et aux « récits » pompeux, c'est-à-dire à des résidus, ce « retard » paralysé, c'est la tragédie tout entière, devenue un laborieux pensum d'immortalité, qui l'imposera à la plume fringante de Voltaire. De même que, plus tard, la gloire expirante de l'épopée l'imposera à la plume de Chateaubriand, assez riche heureusement pour pouvoir se délester après coup de tout un tombereau d'écritures marquées, telles *Les Martyrs* ou *Les Natchez*, par une arrièration du style presque rédhibitoire.

Il y a beaucoup de raisons de croire que les écrivains français sont plus souvent et plus lourdement grevés que les autres de ces pesanteurs formelles et héritées. La littérature française est la seule à avoir connu, non pas une, mais deux crises successives d'idolâtrie du suranné : la Renaissance, puis le classicisme, dont les chefs-d'œuvre sont pour une bonne part dégagés tout au plus à mi-corps du bloc astringent de l'« antique ». Pendant près de trois siècles, et pour notre malchance, la vieillerie littéraire chez nous n'a jamais perdu son droit à la majuscule.

*

Ce qui distingue d'abord la critique littéraire de notre époque de la critique des siècles précédents, c'est une position de départ jamais formulée, tellement elle paraît à chacune de ces époques aller de soi. Pour le critique des temps passés, cette position se formule ainsi : « Voici de quelle manière, et pour quelles raisons, un esprit éclairé doit juger l'œuvre de M. X. ». Pour celui de l'époque contemporaine « Les sciences humaines sont ma caution. J'en sais donc a priori plus long sur le sens et la structure de l'œuvre de M. X. que l'auteur lui-même. » Le premier met en doute la capacité de l'auteur à juger son œuvre, le second à la comprendre. Le premier se borne à dénier à l'écrivain l'accès à la juste perception des valeurs, le second le relègue au rang de simple morceau de nature, produite et non productrice, sécrétion du langage : *natura naturata*.

*

Dictionnaires de synonymes. Certes, ils rendent quelques services à la mémoire verbale qui devient plus rétive avec les années. Mais combien limités ! Le mot que je cherche, ou plutôt dont je guette avec patience le surgissement dans les parages d'un autre qui me sert d'appât, lui

est bien apparenté de quelque façon. Seulement il l'est plus
souvent, hélas ! de la main gauche que de l'autre, et les
pudiques dictionnaires ne connaissent que les unions légi-
timées. Les mystérieux airs de famille qui guident seuls la
quête de l'écrivain dans le clair-obscur du vocabulaire sau-
tent les barrières des unions officielles ; pour lui, la langue
vibre surtout dans ses compromissions adultères. Familles
de mots légales et trop homologuées, il vous hait !

Le principal avantage de la rime des anciens poèmes
était d'obliger l'écrivain, par ses exigences mécaniques, à
forcer le blocus du cercle étroit des mots substituables, à
rendre au langage ses belles couleurs par les vertus éprou-
vées de l'exogamie.

*

Même dans la prose, il faut que le son sache tenir tête au
sens. On n'est pas écrivain sans avoir le sentiment que le
son, dans le mot, vient lester le sens, et que le poids dont il
est ainsi doté peut l'entraîner légitimement, à l'occasion,
dans de singulières excursions centrifuges. L'écriture
comme la lecture est mouvement, et le mot s'y comporte en
conséquence comme un mobile dont la masse, à si peu
qu'elle se réduise, ne peut jamais être tenue pour nulle, et
peut sensiblement infléchir la direction.

*

« Tous les artistes connaissent ces moments de soudaine confusion causée par le voisinage, la présence de la maîtrise d'un autre. Elle tient à ce que chaque exercice d'art constitue une accommodation nouvelle, et elle-même très pleine d'art, de l'élément personnel et individuel à l'art en général. L'artiste, même après des réussites et des succès patents, lorsqu'il fait la comparaison avec les autres, est amené à se demander : comment est-il possible de nommer tout d'une haleine ce que je viens d'arranger là et les œuvres des maîtres ? »

Tout le malaise de l'artiste à se situer lui-même est saisi là dans son principe par Thomas Mann. La conscience qu'il a du *modus vivendi* établi par lui avec l'art, arrangement toujours singulier, toujours boiteux, et qui ne trouve aucun garant dans l'*habitus* des artistes du passé, vient surdéterminer le vif sentiment que l'écrivain éprouve, en face des réussites d'un autre — s'il est vraiment possédé par un style personnel — de n'avoir jamais eu en lui la moindre possibilité de réaliser de telles œuvres, tout au plus de pouvoir peut-être « en faire autant ». Mais que signifie « en faire autant » en matière d'art ? Le sentiment d'impuissance à se substituer à l'autre est ici si tranchant et si vif, et l'assomption d'égalité qui se lève en lui si aventureuse, si peu cautionnée ! Ce que tu as fait, et que j'admire, je me connais clairement incapable de le faire, et ma confiance en ce que je fais est cernée de toutes parts par des prodiges étrangers vers lesquels je ne sens en moi aucun chemin ; ces prodiges, je ne puis ni les exécuter ni les anéantir, ni même les égaler jamais vraiment, puisque toute commune mesure ici s'effondre : la proximité des autres œuvres est pour l'artiste provocation inextinguible à la compétition, en même temps que négation de toute règle homologuée qui la rendrait possible.

*

Aucun écrivain, s'il écrit encore à cet âge, ne peut espérer maintenir toute la qualité de sa production à quatre-vingt-dix ans. Mais, en peinture, Titien et Picasso — d'autres sans doute encore — y réussissent bel et bien. Aucun écrivain n'a de génie avant au moins la pleine adolescence. Mais, en musique, Mozart — d'autres encore sans doute — si. Ce qui tendrait (quant à moi, peu m'importe) à corroborer par la physiologie la hiérarchie des arts telle que la promulgue Hegel.

Une contre-épreuve historique donnerait le même résultat : la littérature, de tous les arts, apparue la dernière. Et un jour, sans doute, la première à s'éclipser.

*

Point de « monde », quel qu'il soit, sans un principe interne d'organisation, sans une sorte de « vouloir-être-ensemble » au moins sommeillant, sans un point de fuite, même infiniment éloigné. vers lequel convergent les lignes de sa perspective. Nous le sentons d'instinct plutôt que nous ne pouvons le démontrer ; d'où l'attrait pour le grand public des théories de Teilhard de Chardin qui sont un bon exemple de *wishful thinking*, et au sens de Malraux une doctrine d'assouvissement.

Les « mondes » de l'art et des artistes se reconnaissent à ceci que le point de fuite y a une présence plus tyrannique qu'en aucun autre — les mondes religieux exceptés, qui sont aussi les seuls où le point de fuite soit nommé. Mondes de l'art : mondes intermédiaires. Moins aimantés que celui du mystique, davantage que celui du promeneur ou du rêveur.

*

Poison perdu
    Des nuits du blond et de la brune
    Rien dans la chambre n'est resté
    Pas une dentelle d'été
    Pas une cravate commune

    Et sur le balcon où le thé
    Se prend aux heures de la lune
    Il n'est resté de trace aucune
    Aucun souvenir n'est resté

    Au coin d'un rideau bleu piquée
    Luit une épingle à tête d'or
    Comme un gros insecte qui dort

    Pointe d'un fin poison trempée
    Je te prends. Sois-moi préparée
    Aux heures des désirs de mort

le sonnet dont l'attribution à Rimbaud, à Nouveau, et même à Verlaine, a été si longuement, si aigrement discutée, avec un résultat aujourd'hui encore si incertain. Verlaine, tout en certifiant qu'il est bien de sa main, le juge « inférieur à tout ce qu'on connaît de Rimbaud. » Breton,

sans se prononcer décisivement, n'en a pas, semble-t-il,
une bien haute opinion. Je n'arrive pas à en faire un cas
aussi piètre ; en fait ce sonnet *à sujet*, très inégal, très marqué par une époque littéraire, cette piécette quasi-
anecdotique, a une tendance mal explicable à me hanter :
une fois évoqué par hasard, j'ai peine à le congédier de ma
mémoire.

A première vue, il est de Nouveau, ou il est — moins
probablement tout de même — de Rimbaud pastichant
Nouveau ; il n'est guère possible en tout cas que le premier, le quatrième, le cinquième et le sixième vers aient été
écrits par quelqu'un qui n'avait pas avec Nouveau une
espèce de consanguinité. Cependant, il est difficile d'imaginer Rimbaud écrivant le premier et la quatrième vers,
qui ne relèvent pas de son vocabulaire — difficile aussi
d'imaginer Rimbaud élisant un pareil sujet, bien plutôt
« baudelairien » au médiocre sens qui faisait goûter Baudelaire par *L'Assiette au Beurre*.

Le onzième vers est si exécrable qu'il fait penser à une
parodie, ou plutôt, si on admet une transmission du texte
en partie orale, à un trou de la mémoire que l'éditeur aurait
bouché avec vraiment n'importe quoi.

Mais le cinquième et le sixième vers glissant syllabe
après syllabe sur la coulée labile des *l* avec une grâce dan-
sante — d'une fluidité, d'une étrangeté confidentielle et
vaporeuse — sont ravissants, et font penser à un poète de
premier rang. Un poème de Nouveau où une mémoire distraite aurait creusé des lacunes, et qu'aurait rapetassé par
places un transcripteur négligent, serait en fin de compte
l'hypothèse la plus probable, n'était que le transcripteur,
en même temps que l'authentificateur (certes discutable)
est tout de même Verlaine.

Il est remarquable que dans ces deux vers qui sont le *clou* du sonnet

> *Et sur le balcon où le thé*
> *Se prend aux heures de la lune*

la consonne *r* (dans *prend* et *heures*) vient relayer la consonne *l* dominante sans qu'il y ait perte aucune de fluidité : le glissement huilé du texte lubrifiant et bémolisant ici — ce qui se rencontre peu — la consonne forte et l'affectant d'une sorte de blèsement.

Il y a, entre des poètes supérieurement doués, — ici Verlaine, Rimbaud, Nouveau — qui ont mené en poésie non seulement une vie commune, mais presque une vie unitive, qui ont collaboré dans certains poèmes, et plus souvent encore dans des pastiches de haute virtuosité, dont la plupart probablement sont perdus, un plus petit commun de la poésie qui se dilate anormalement et qui peut, pour les distinguer l'un de l'autre, réduire le sens littéraire à quia. *Poison Perdu*, devant lequel chacun hésite, nous montre les limites du pouvoir séparateur de la critique. Si jamais la poésie a été près d'être faite par tous, non par un, c'est bien ici. Donnons notre langue au chat.

*

Les trois-quarts du plus beau de la poésie française ont été écrits de 1845 à 1885. Comment en douter ? et je me demande même si le pourcentage avancé par Valéry n'est pas un peu modeste. Hors de ces limites — et mise à part la poésie contemporaine, dont l'approche est autre — que reste-t-il qui hante vraiment ma mémoire ? Quelques vers de Villon, quelques sonnets de Du Bellay, quelques poèmes d'Apollinaire, deux ou trois piécettes de Musset (A St Blaise... — La chanson de Barberine).

Et c'est ce qui rend si dérisoires et si frauduleuses toutes les anthologies de la poésie française, soucieuses d'équilibre et de symétrie, uniformément appliquées à forcer les années stériles, à les faire fleurir en dépit de tout, comme leur titre leur en fait une obligation : comment admettre que la poésie ne connaisse pas les rythmes réguliers de l'horticulture, que tant de décennies, de siècles même, aient passé sans avoir connu leur printemps ?

Reste le cas de Racine, qui pose un problème quasi-insoluble — problème que Shakespeare, où la poésie étoile à chaque instant le texte, le peuple d'astres et d'astéroïdes parfaitement isolables, même si le drame les soumet à sa puissante gravitation, ne pose nullement en Angleterre. C'est le problème d'une poésie à la fois « pure » au plus haut degré, et en même temps soluble jusqu'à la dernière parcelle dans l'action dramatique qu'elle vient servir, courbée sous un *devoir d'état* qui n'entame en rien son intégrité. La poésie de Shakespeare fuse à chaque instant en vocalises sublimes : pas une syllabe chez Racine qui se permette de suspendre même un instant la ligne intelligible de la tragédie. Où classer ? (mais pourquoi le classer ?) l'auteur d'une poésie à la fois pure de tout alliage, et pourtant aussi ineffablement dévoyée ?

*

Aucun vers n'est aussi *lourd* que le vers de Baudelaire, lourd de cette pesanteur spécifique du fruit mûr sur le point de se détacher de la branche qu'il fait plier. Comme la sève se change en succulence inerte dans le fruit où elle s'accumule, il est capable — seul sans doute de son espèce — de transmuer le sang noir d'une existence en un bloc stabilisé de saveur compacte et comestible.

Vers sans cesse fléchissants sous le poids des souvenirs, des ennuis, des chagrins, des voluptés remémorées. Ce poids, c'est celui d'une expérience accumulée : on dirait par moments qu'il y totalise, avec naturel, non pas seulement le sien, mais aussi l'acquis désabusé de toute l'espèce : quel autre poète pourrait écrire, comme c'est le cas, sans ridicule « J'ai plus de souvenirs que si j'avais mille ans ».

Ses vers sont de tous les vers ceux qui invitent le plus à se les redire les yeux fermés ; comme centrés sur une explosion gustative dont le *corps*, incomparable, fait songer à l'essence, à l'élixir. Lourds, et aussi comme aveugles : cette densité (qui n'a rien à voir avec la compression mallarméenne, si volontaire) a sa contrepartie négative : rien chez Baudelaire qui fasse songer à l'essor, à l'envol, auquel il est inapte (la faiblesse d'une pièce comme *Élévation*, quand il se hasarde à être aérien !). Compacts et imprégnés, substantiels au-delà du possible ; au total la matière la plus pulpeuse et la plus gorgée de toute la poésie française.

*

Il y a une idée judicieuse dans le titre des *Mémoires*

Intérieurs de Mauriac. Dans une vie parcourue à l'envers, au temps de sa fin, par le souvenir, ne méritent de subsister, et ne subsistent plus, sans nul souci d'équilibre ou de continuité chronologique, que les seuls rameaux où la sève intime monte encore. Il faudrait abandonner délibérément tout ce qui constitue le « cadre d'une vie », béquille du biographe, propre à le faire clocher infailliblement : faire de ce cadre le nerf d'une biographie, c'est confondre le fil de fer avec la branche de l'espalier qui s'y enroule, mais n'y puise rien, et l'ignore totalement. Il faudrait élaguer tout ce qui n'a pas été, — entre soi et le monde — heures d'écoute profonde, de branchement parfait, et prendre pour principe d'un tri impitoyable le beau titre de Cingria : *Bois sec — bois vert.*

*

La souplesse de plume, l'absence de pente du polygraphe-né de talent, en font la proie désignée des formes littéraires fossiles, parce qu'elles sont le faire-valoir électif des *premiers en gymnastique* ; ainsi — seuls des jeunes lions littéraires de leur temps — Voltaire écrit sa *Henriade* et ses tragédies, Cocteau ses alexandrins, ses drames en vers pour la Comédie-Française, et ses pièces de boulevard.

*

Au commencement était le Verbe... Certes. Mais dès les premiers mots prononcés, il n'est plus seul : le *sens* est né — rien ne peut l'empêcher de naître dès que des mots, quels qu'ils soient, s'alignent — et le sens, on l'oublie trop, est à la fois signification et *direction* irréversible : le sens est un vecteur ; la machinerie du langage, dès qu'elle est en mouvement, crée immédiatement dans l'esprit un courant induit qui tout de suite s'affranchit de son inducteur. Ce courant est déjà projet : l'esprit est « lancé » (tout écrivain de bonne foi, je pense, avouera ce mouvement qui est la dynamique même de l'écriture) la force vive ainsi éveillée se heurte au langage, l'utilise, biaise, compose avec lui, mais ne lui appartient plus toute ; adieu la disponibilité, adieu la blancheur !

*

Le goût quasi charnel qu'un écrivain (sinon il n'est qu'à peine un écrivain) a pour les mots, pour leur corpulence ou leur carrure, pour leur poids de fruits ronds qui tombent de l'arbre un à un, ou au contraire pour la vertu qu'ils ont de changer « en délice leur absence », de s'évanouir à mesure au seul profit de leur sillage élargi, il arrive qu'il se transforme peu à peu sans se renier tout au long d'une vie. Quand j'ai commencé à écrire, c'était l'ébranlement vibratile, le coup d'archet sur l'imagination que je leur demandais d'abord et surtout. Plus tard, beaucoup plus tard, j'ai préféré souvent la succulence de ces mots compacts, riches en dentales et en fricatives, que l'oreille happe un à un comme le chien les morceaux de viande crue : un peu, si l'on veut, — du mot-climat au mot-nourriture, le chemin qui peut mener la prose des contrées de la *Chute de la Maison Usher* à celles de *Connaissance de l'Est.*

*

Il m'est arrivé quelquefois, pendant que j'écrivais un livre, de me reprocher — réflexe d'avarice — d'avoir *parlé* dans la conversation une idée que je venais d'y incorporer, agacé après coup dans mon instinct possessif à l'idée d'une divulgation prématurée. En fait, de pareilles indiscrétions ne comportent aucun risque : si l'idée tient vraiment au livre, détachée de lui, elle restera inutilisable et même invisible, incapable qu'elle est par nature d'entrer immédiatement en composition ailleurs. Si elle n'en est que la menue monnaie, nul inconvénient à ce qu'elle aille pourvoir les nécessiteux.

*

Un ouvrage littéraire est bien souvent la mise bout à bout et le tricotage intime dans un tissu continu et bien lié — telles ces couvertures faites de bouts de laine multicolores — de passages appuyés à l'expérience réelle, et de passages appuyés seulement à la conformité au caprice de la langue, sans que le lecteur y trouve rien à redire, sans qu'il trouve même à s'apercevoir de ces changements continuels de références dans l'ordre de la « vérité ».

*

Dans une écriture sensuelle, comme l'est en principe celle d'un artiste, il me semble qu'il devrait passer quelque chose des saisons et des humeurs du corps. Passe encore pour un poète comme Claudel, qui a une vision du monde traditionnelle, et une langue liturgique pour psalmodier cette vision, mais il me paraît toujours singulier qu'un écrivain comme Montherlant, dont la carrière s'étale sur cinquante années, dont la langue est faite et fixée dès son premier livre, qui ne parle que de ses jugements, de ses plaisirs et déplaisirs, de ses dépits et de ses humeurs, ait pu se servir du même instrument exactement pour traduire les foucades grandiloquentes de la jeunesse, l'équilibre de l'âge mûr, l'âcreté de la vieillesse.

*

Écrivain : quelqu'un qui croit sentir que quelque chose, par moments, demande à acquérir par son entremise le genre d'existence que donne le langage. Genre d'existence dont le public est le vérificateur capricieux, intermittent, et peu sûr, et l'auteur le seul garant fiable. Le public est un réseau qu'on peut toujours court-circuiter sans que rien d'essentiel au phénomène littéraire s'annule : le voyant-témoin qui s'allume dans la cervelle de l'auteur est nécessaire et suffisant. Le courant qui passe au fil de la plume ne *va* vers personne ; il faudrait en finir une bonne fois avec l'image égarante des « chers lecteurs » levés à l'horizon de l'écritoire et de l'écrivain, ainsi qu'à celui d'un orateur public la foule dans laquelle il transvase la liqueur enivrante. La littérature va du moi confus et aphasique au moi informé par l'intermédiaire des mots, rien de plus : le public n'est admis à cet acte d'autosatisfaction qu'au titre de voyeur, et généralement contre espèces — et c'est, je le concède, dans cette affaire, le côté peu ragoûtant.

*

Combien il est difficile — et combien il serait intéressant — quand on étudie un écrivain, de déceler non pas les influences avouées, les *grands intercesseurs* dont il se réclame, ou qu'on réclamera plus tard pour lui, mais le tout-venant habituel de ses lectures de jeunesse, le tuf dont s'est nourrie au jour le jour, pêle-mêle et au petit bonheur, une adolescence littéraire affamée : premiers Paris des quotidiens, revues désuètes, auteurs ensevelis que faisait alors verdir un instant, comme une ondée, le goût-du-jour, pièces de boulevard, brûlots parisiens, livraisons du *Magasin des familles*, pamphlets depuis longtemps montés en graine. Le seul écrivain du passé qui nous dise là-dessus par grande exception quelque chose, c'est Stendhal (surtout, il est vrai, pour ses nourritures musicales). La boulimie de lecture caractéristique de l'adolescent, ou de l'étudiant qui va écrire, pareille à celle du ver à soie avant la chrysalide, est telle que la quantité obligatoirement

l'emporte sur la qualité : plus impérieux son appétit, plus
faible l'écart, pour son goût, entre les nourritures vraiment
choisies et celles qui bientôt seront dédaignées lucidement.
Qui est destiné à écrire, il y a un moment — moment décisif pour sa formation — où il lit tout, ou presque, et « tout »
c'est d'abord ce qu'il a sous la main, ce dont « on parle » ce
qui sent encore l'encre fraîche, qui lui fait le même effet
qu'au guerrier la poudre. L'œil vorace qui se colle à la page
fraîchement imprimée ne dégage nullement, à dix-huit
ans, à vingt ans, un paysage littéraire perspectif avec ses
premiers et seconds plans, et ses lointains fondus, mais un
bariolage, un *à plat* juxtaposé de couleurs heurtées et vio-
lentes, qui toutes accrochent une rétine encore toute neuve.

Ce tout-venant où il a barboté s'évaporera-t-il pour
l'écrivain sans laisser de traces ? Ce n'est pas sûr, car c'est à
ce moment de la crue des eaux printanières, des eaux
mêlées, qu'il a aussi essayé, commencé peu ou prou
d'écrire : les tics d'époque, dont il a subi la contagion
naïvement et sans défense, laisseront une marque sur sa
manière d'écrire, remodelés toujours, souvent ennoblis, et
parfois, s'il a du génie, sauvés : Proust, dont on soupçonne
qu'entre tous les écrivains peut-être il a lu très jeune considérablement plus de médiocre que de bon, est plein de ces
rédemptions-là. De telles lectures, profondément incorporées dans les automatismes commençants de la plume,
sont peut-être un peu pour la manière d'écrire ce que sont
les impressions d'enfance pour la couleur, pour l'orient de
la sensibilité : non choisies, souvent banales, toujours
reprises et magnifiées par la maîtrise acquise des ressources de la langue, comme les lointains incohérents de
l'enfance par la chimie savante du souvenir. Et il y a une
énigme de la continuité, du *fondu* étrange de la littérature

d'une période à l'autre par-delà toutes les révolutions et toutes les ruptures qui peut-être s'éclaire là partiellement : par le fait que l'écrivain en formation se nourrit toujours inséparablement, inextricablement, à la fois de la nouveauté pure, qui l'atteint par son extrême pointe, et de ce qui s'écrit et se publie autour de lui au goût du moment : c'est-à-dire de la continuité maintenue avec avant-hier.

Cette réflexion me vint, je me le rappelle, lorsqu'André Breton, dont on sait assez le peu de goût qu'il avait en principe pour les romans, me prêta un jour en me les recommandant des romans de *Jean Lombard*, dont le nom m'était, je l'avoue, inconnu : sortes de *Quo vadis*, mais byzantins de goût comme d'époque, qui me firent tout à coup mesurer quelle place avait pu tenir dans ses premières lectures toute une *queue* exsangue du symbolisme, dépassée par lui depuis longtemps, mais non tout à fait éliminée. Tout de même, ces romans, il les avait gardés.

*

« Si tu savais ce que je jette, tu admirerais ce que je garde » (Valéry).

Non. Une telle ostentation de tes rebuts m'amènerait seulement à suspecter que toute perle à la fin te fait penser d'abord au vinaigre. Et c'est bien ce que je suspecte, quelquefois.

*

« Je pense que tous les gens de lettres sont comme moi, que jamais ils ne relisent leurs œuvres lorsqu'elles ont paru. Rien n'est, en effet, plus désenchantant, plus pénible, que de regarder, après des années, ses phrases. Elles sont en quelque sorte décantées et déposent au fond du livre, et, la plupart du temps, les volumes ne sont pas ainsi que les vins qui s'améliorent en vieillissant ; une fois dépouillés par l'âge, les chapitres s'éventent et leur bouquet s'étiole. » (Huysmans : Préface à *A Rebours* — écrite vingt ans après le roman).

Le passage n'épuise pas, loin de là, toute la singularité du regard de l'écrivain sur ses premiers livres, après que de longues années ont passé. Au mouvement du goût de son époque, dont il est peu ou prou solidaire, et qui l'éloigne d'eux, se superpose l'allergie naturelle à l'âge mûr (ou à l'âge avancé) pour le « portrait de l'artiste en jeune chien », pour la crise d'originalité juvénile. La violence neuve de la poussée, l'*impetus* dont parle Claudel, qui animait ses premiers livres, et que le lecteur vierge ressent parfois encore comme la pesée d'une main sur l'épaule, ne lui sont plus de rien. Tout cela s'est évaporé comme l'emportement de l'amour : il ne reste de positif pour lui que le vieillissement de la forme. Toutes les étapes dépassées de l'immaturité personnelle, que le souvenir chez les autres déforme à plaisir et embellit, ont précipité pour lui l'une après l'autre en cristaux solides aux arêtes coupantes ; à lui seul, s'il se relit, il est donné de se heurter vraiment à ce qu'il a été. De la substance continuellement renouvelée qui fait la trame d'une vie, et dont la loi de nature, bienfaisante, est pour tout être, d'une année à l'autre, l'oblitération et l'oubli, lui, à chaque période, il a prélevé et conservé des échantillons.

*

« Pointe d'un *fin* poison trempée » (encore *Poison Perdu*).

C'est la pointe, et non le poison, qui légalise ce prédicat inattendu. L'adjectif *subtil*, si souvent associé à l'idée de poison, et adaptable à l'idée de « pointe » fournissant le relais occulte qui permet le transfert de l'épithète d'un substantif à l'autre. Bon exemple de ce que, dans la poésie, et dans la prose qui tend vers la poésie, tous les vocables, désenclavés, forment une chaîne solide et soudée, au long de laquelle les valeurs circulent et permutent, et troquent leurs supports, selon un système très ouvert de libre-échange. Pour les exégètes, c'est là le congé donné, — insolemment — à tout mot-à-mot. Chaque vocable vire et se transmue, et fait briller une facette cachée sous l'éclairage de ceux qui vont le suivre, les réfracte l'un après l'autre comme une gemme réfracte une lueur qui lui est extérieure ; le dernier mot de la phrase lui-même peut venir encore exercer un effet rétroactif sur le premier. Et le vers de *Poison Perdu* nous aide à comprendre que le pouvoir d'une phrase bien souvent ne s'explique que quand on lui restitue les catalyseurs (ici par exemple l'adjectif *subtil*) absents du texte, mais rôdant à son arrière-plan et figurant comme son inconscient linguistique — qui seuls ont permis par leur proximité cachée les réactions complexes de sa chimie.

*

La prophétie depuis Nostradamus a disparu de la scène littéraire et même para-littéraire. Elle plonge du côté des « refrains niais, rythmes naïfs » dont parle Rimbaud dans *La Saison en Enfer*. Un instant le ton, de nouveau, en affleure — admirable résurgence — dans quelques-uns des sonnets des *Chimères*. Mallarmé, pour des vers dorés d'une telle espèce, eût disposé d'un instrument incomparable par la frappe impérieuse, la hauteur du ton, l'aspérité ésotérique et le sens de la profération : parfois on est pris du regret qu'il ne se soit pas senti tout à fait Voyant. Un vers comme :

Tison de gloire, sang par écume, or, tempête

pourrait être de Nostradamus, si Nostradamus était quelquefois inspiré. Quel dommage que les poèmes mallarméens, au lieu des devinettes laborieuses et assez pauvrement rationnelles auxquelles ils ont la faiblesse de laisser réduire leurs « sujets » dans les cornues dépoétisantes des chercheurs, n'aient pas choisi de donner uniquement — invérifiables avec superbe et définitivement irréductibles — sur les *noirs vols épars dans le futur* !

Reste Rimbaud, bien sûr, en qui tous les grands laissés-pour-compte de la poésie au cours des siècles passés se remettent à tressaillir si puissamment. Mais ce sont *ses* problèmes, ses impasses, ses fureurs, ses remords et ses mortifications qui font dans la *Saison* ce remue-ménage d'apocalypse, et pour ouvrir tout à fait sur le monde de la vaticination, son *je* ne consent pas encore assez à être un autre.

*

Difficulté (elle reparaît ces temps-ci avec les discussions sur la légitimité d'y inclure les sciences humaines) qu'il y a à délimiter la littérature. Son domaine ressemble plutôt à une tache lumineuse violemment éclairée en son centre (la poésie) et se dégradant peu à peu sur les bords jusqu'à la complète obscurité. Tout comme est peintre seulement quelqu'un qu'inspire le jeu des lignes et des couleurs (et non l'envie de représenter un arbre, une scène de genre, ou un rêve) est littérateur seulement celui que le maniement de la langue inspire peu ou prou. Mais, la part d'inspiration qui vient de la langue admettant dans un ouvrage toutes les proportions, de 1 % à 99 % (la non-littérature absolue restant aussi impossible que la littérature pure) les limites de la littérature se dissolvent en un fondu insaisissable.

Le surréalisme, en y réhabilitant autoritairement le *sujet*, a remis en cause en matière de peinture des critères du même ordre qui vers 1920 étaient en voie de s'imposer absolument. Une bonne part des peintres du surréalisme se situent, du point de vue de la «peinture pure», dans la zone de clair-obscur, très loin du noyau lumineux central : un peintre comme Magritte se situe même à la limite du domaine strictement pictural. Ce qui ne retire rien à la valeur de ses inventions ; seulement, dans ses tableaux où l'«idée» et l'humour tiennent presque toute la place, le pinceau reprend le rôle qui serait dévolu dans un écrit au simple langage d'information.

*

Ce qui reste le plus souvent étranger à un critique, mais

si présent presque toujours à l'auteur : la notion de *dépense vitale* impliquée dans une œuvre, et son évaluation.

*

Lecture

J'ai changé peu à peu d'opinion là-dessus : l'émotion que ressent un lecteur de roman, un auditeur de concert, n'est pas une corde vibrante qui donne la même note quel que soit le moyen de percussion qui l'ébranle : elle est tout entière moulée sur la construction verbale ou sonore complexe qui lui a donné naissance, et en tant que telle n'est échangeable, et n'accepterait d'ailleurs de s'échanger, contre aucune autre. Elle constitue chaque fois non une réanimation d'émotions déjà vécues, mais une expérience neuve, irremplaçable. A la limite, il n'y a pas, en matière d'émotion esthétique vraie, de distinction possible entre l'effet et la cause, et je ne crois pas une seconde qu'on aille écouter *Tristan* pour se souvenir qu'on a été amoureux. A la rigueur, ce serait plutôt l'inverse (La Rochefoucauld le savait déjà) le sentiment de l'« amour » est transposable, comme on sait, d'objet en objet : celui qu'on éprouve à écouter la musique de Wagner, ou à lire *Les Souffrances du Jeune Werther*, ne l'est pas ; il est irrévocablement adhérent à une succession de notes, ou de mots, non substituables. Le mérite insigne de l'art est de tirer l'« émotion » du vague indifférencié où la relègue la psychologie vulgaire, et de la lier chaque fois solidement à une figure individualisée : à cette manière de faire accéder le chaos affectif à une existence distincte, sinon claire, il me semble que Valéry, si hostile à tout art qui se compromet avec l'émotion, n'aurait pas dû être insensible.

*

La lecture d'un ouvrage littéraire n'est pas seulement, d'un esprit dans un autre esprit, le transvasement d'un complexe organisé d'idées et d'images, ni le travail actif d'un sujet sur une collection de signes qu'il a à réanimer à sa manière de bout en bout, c'est aussi, tout au long d'une visite intégralement réglée, à l'itinéraire de laquelle il n'est nul moyen de changer une virgule, l'accueil au lecteur de *quelqu'un* : le concepteur et le constructeur, devenu le nu-propriétaire, qui vous fait du début à la fin les honneurs de son domaine, et de la compagnie duquel il n'est pas question de se libérer. Je suis pour ma part extrêmement sensible aux nuances de cet accueil, au point d'être gêné de bout en bout dans la visite d'une propriété même splendide, si je dois la faire en indésirable ou en indiscrète compagnie. L'accueil d'un Hugo, par exemple, au seuil d'un de ses livres, dédaigne superbement ma chétive personne et s'adresse, plutôt qu'à l'*ami lecteur*, à un collectif respectueux de touristes passant intimidés le seuil d'un haut lieu historique. Celui de Malraux, qui immanquablement me met mal à l'aise, semble toujours agacé et comme impatient de s'adresser à quelqu'un de si peu intelligent que vous. Le compagnonnage amusant, piquant, inépuisable, de Stendhal est celui de quelqu'un avec qui on ne s'ennuiera pas une seconde, mais qui ne vous laissera pas l'occasion de placer un mot. A le relire récemment, dans le loisir forcé de ma chambre déserte, je redécouvre un des charmes majeurs de Nerval : une gentillesse d'accueil simple et cordiale, une sorte d'alacrité vagabonde et discrètement fraternelle, qui jamais n'insiste et semble toujours prête si vous le voulez à se laisser oublier.

Et il y a aussi celui qui vous abandonne en chemin ou refuse de vous prendre en charge (ce n'est pas toujours désagréable) et celui au contraire qui guette le chaland à sa porte, et se met bourgeoisement en vitrine, comme une «respectueuse» d'Amsterdam. Si impersonnel qu'il se veuille, un livre de fiction est toujours une maison vide que tout, de pièce en pièce, dénonce comme encore quotidiennement, désinvoltement habitée, du manteau accroché à la patère à la robe de chambre qui traîne sur le lit, et au désordre de la table de travail — et je suis toujours content quand j'ai l'impression de surprendre l'auteur sur ses traces toutes chaudes, et comme au saut du déménagement.

*

Qu'entend-on — qu'entend l'écrivain quand il parle de *ses lecteurs*? Il arrive couramment qu'on transfère à un nom, sans y réfléchir, l'attachement qu'on a en réalité pour un seul ouvrage. L'admiration, même sans arrière-pensée, vouée à un auteur s'accommode plus d'une fois de la plus complète indifférence pour tel nouveau livre de lui dont la publication est annoncée. L'écrivain est achevé pour nous parce que nous le voulons garder tel ; l'action de la curiosité est éteinte. Certaines lectures proscrivent même d'avance, ou frappent après elles d'interdit, tout ce qui peut venir après elles de la même source : mécanisme d'auto-stérilisation qui fait penser à ces plantes dont la première récolte est luxuriante, mais qui secrètent un toxique rendant pour des années le sol inapte à leur reproduction, et à elle seule. On peut comprendre à la rigueur, en raison du passage de la peinture d'un caractère à l'évocation d'une époque, que les fervents de l'*Éducation Sentimentale* — et vice-versa — ne soient presque jamais ceux de *Madame Bovary*, mais il y a tout aussi peu de lecteurs férus de manière égale de *La Chartreuse* et de *Le Rouge et le Noir*. Disons-le franchement : l'amour qu'on a pour un livre, ce *plus* insubstantiel et énigmatique, mais de toute importance, dont il est marqué pour nous, implique comme tout autre amour un *moins* dans l'intérêt qu'on peut porter à tout ce qui lui ressemble, ou lui est apparenté. Seulement, ce que tout le monde accepte en amour, où l'exclusivité est de mise, est loin d'être pris en aussi bonne part en littérature, où l'auteur est tenu pour le commun dénominateur de tous ses livres, et à cette pression d'une idée reçue nous cédons sans même nous en apercevoir. Si on me questionne, je répondrai sans même réfléchir que «j'aime Balzac». Si je m'interroge plus précisément sur mon goût véritable, je constate que je reprends et que je relis sans m'en lasser *Béatrix* et *Les Chouans*, quelquefois *Le Lys* ou *Séraphita*. Les autres livres de Balzac, s'il m'arrive de les rouvrir, ne donnent lieu le plus souvent qu'à une ratification d'estime un peu distraite : le plaisir, largement commandé par une glorification universelle, qu'ils me dispensent, est celui que pourraient me donner en réalité quinze ou vingt autres romanciers. De même « j'aime Wagner » signifie pour moi en réalité : *Parsifal* et *Lohengrin* ôtés, dont je ne retrancherais pas une note, et partiellement *Tristan*, je n'ai envie que de grappiller ça et là dans le reste quelques motifs, quelques scènes, quelques passages d'orchestre isolés : la *Tétralogie*, son climat, ses héros, son intrigue, me restent aussi étrangers qu'une *saga* traduite du finnois ou du vieil irlandais. Heureux qui, comme Proust, peut réussir la submersion d'un nom et d'une vie, puis leur réanimation, dans une œuvre unique, totalisante et récapitulative. Ou encore Joyce, qui peut se réduire à *Ulysse*, ou Musil. Pour les autres, pour presque tous les autres, être « aimés » signifie en réalité que, de leur substance, qu'ils ont souhaitée indivisible autant qu'incorruptible, le lecteur le plus fanatique — les trahissant intimement — jette autant, et plus, qu'il ne garde.

Et si les manuels de la littérature qu'on enseigne dans les lycées prenaient désormais pour base des livres ou des pièces, et non des auteurs ? Une histoire de la littérature, contrairement à l'histoire tout court, ne devrait comporter que des noms de victoires, puisque les défaites n'y sont une victoire pour personne.

*

Le sédiment pédagogique, le pli de l'enseignement et de la recherche universitaire marquent fortement notre approche de l'œuvre d'art. Avant même que nous l'aimions, on a voulu nous l'*expliquer*. Ce qui occupe l'ensei-

gnant dans une œuvre d'art, pour des raisons professionnelles d'ailleurs valables, ce n'est pas la libre imprégnation
qui permet d'en jouir, ce sont les prises extérieures par lesquelles on peut la saisir : il n'y a pas de discours organisé de
la communication intime avec un livre, et le professeur,
lui, cherche le fil qui dépasse de la pelote et qui va lui permettre ostensiblement de la dévider. Mais le secret d'une
œuvre réside bien moins dans l'ingéniosité de son organis-
sation que dans la qualité de sa matière : si j'entre sans pré-
jugé dans un roman de Stendhal ou un poème de
Nerval, je suis d'abord et tout entier seulement *odeur
de rose*, comme la statue de Condillac — sans yeux, sans
oreilles, sans perceptions localisées — et par là l'œuvre
d'art me livre son caractère opératoire distinctif, qui est
d'occuper immédiatement et sans différenciation aucune
toute ma cavité intérieure, à la manière d'un gaz qui se
dilate. Révélant ainsi sa totale élasticité, et l'immanence
impartagée de sa présence vraie : non subdivisable, parce
que sa vertu réside tout entière dans chaque particule.

Ce qui égare trop souvent la critique explicative, c'est le
contraste entre la réalité matérielle de l'œuvre : étendue,
articulée, faite de parties emboîtées et complexes, et même
si l'on veut, démontable jusque dans son détail, et le caractère rigidement global de l'impression de lecture qu'elle
produit. Ne pas tenir compte de cet effet de l'œuvre, pour
lequel elle est tout entière bâtie, c'est analyser selon les
lois et par les moyens de la mécanique une construction
dont le seul but est de produire un effet analogue à celui de
l'électricité. Et il y a même à pareille méprise une circonstance aggravante : c'est que le constructeur de l'œuvre
d'art, chaque fois qu'il a nourri son travail, chaque fois
aussi qu'il a eu besoin de la contrôler, s'est refait lui aussi

tout entier « odeur de rose », éliminant de son esprit tout
sauf une certaine impression directrice aveugle et quasi
olfactive, qui lui permet seule de choisir entre les pistes qui
s'offrent à lui. Tout l'ouvrage a été conçu et exécuté sous le
contrôle de cette essence pressentie de l'œuvre, qui n'est
peut-être pas celle qui se communique au lecteur (c'est la
profonde équivoque de la transmission dans l'œuvre d'art)
mais dont la nature est identique. Seulement, de ce passage du complexe à l'indivisible, qui est aussi à sa manière
un saut de la quantité à la qualité, quand vous « expli-
quez », quand vous analysez les livres, vous ne dites rien.
Vous démontez des rouages qui s'imbriquent mais comment en sort-il du *courant* ? et pourquoi telle autre
machine, non moins fortement, intelligemment agencée,
n'en produit-elle pas ? Comme l'insuffisance de telles
méthodes éclaterait mieux si, au lieu d'analyser des
œuvres qui fonctionnent, des œuvres déjà triées, vous les
abordiez à la source, là où aucun label de garantie encore
ne les désigne et ne les distingue : prises au hasard dans la
pile des manuscrits qui s'entassent sur la table d'un lecteur,
dans une maison d'édition ! Car la nature de vos méthodes
vous conduirait alors au vu de tous à analyser tout aussi
subtilement, tout aussi brillamment une fausse œuvre
qu'une œuvre vraie, c'est-à-dire non pas à démonter une
machine qui fonctionne mal de la même façon qu'une
machine en état de marche, ce qui n'est que normal, mais
— ce qui l'est moins — à vous affairer exactement comme
s'il jouissait d'une plénitude d'être, autour de ce qui, littérairement, n'existe pas.

*

En matière de critique littéraire, tous les mots qui commandent à des catégories sont des pièges. Il en faut, et il faut s'en servir, à condition de ne jamais prendre de simples outils-pour-saisir, outils précaires, outils de hasard, pour des subdivisions originelles de la création ; que d'énergie gaspillée à baliser les frontières du « romantisme », à répartir les œuvres d'imagination entre les fichiers du *fantastique*, du *merveilleux*, de l'*étrange*, etc ! Les œuvres d'art, il est judicieux d'avoir l'œil sur leurs fréquentations, mais de laisser quelque peu flotter leur état-civil.

*

Ce roman, ce poème que j'ai écrit, et qui est présence pour vous si vous le lisez, mais une présence qui s'évanouit dans sa consommation : un fruit que vous ouvrez, que vous prenez et rejetez selon votre appétit et sa saveur, il est pour moi seul à la fois un présent et un passé, un présent-passé, un passé totalement récupéré dans le présent. Ce que Proust a cherché, il l'a cherché avec une parfaite cohérence la plume à la main ; ce n'était pas l'acuité du souvenir, même toute-puissante, qui pouvait le lui donner, c'était le seul pouvoir de l'art, car la mémoire ne restitue jamais un passé-présent. Le Sésame ne résidait ni dans les pavés, ni dans les madeleines, mais dans le seul privilège de l'écriture, et ce que cette écriture ressuscitait pour lui, ce n'était pas Illiers, les fleurs de la Vivonne, ou le jardin de la tante Léonie, mais le seul présent-passé irremplaçable de la *Recherche du Temps Perdu*.

*

Rien de plus efficace que la relecture d'un écrit polémique, au bout de quelques années, pour déceler le changement à vue accéléré qui décime et repeuple sans arrêt, à défaut de la littérature, la scène littéraire ; le vieillissement des ouvrages de fiction est infiniment plus progressif et plus lent. Comme si le goût réel d'une époque variait au rythme de la lente et insensible oscillation des changements de climat, mais ses enthousiasmes ou ses fureurs conscientes, bien au contraire, au rythme sautillant de la mode. Tout comme les batailles célèbres de l'histoire se livrent par grande préférence autour d'un écart inhabité ou d'un moulin en ruines, les tempêtes littéraires les plus enfiévrées portent à la crête de leurs vagues — hommes ou œuvres — des figurants sans consistance : quelle étrangeté, pour la nouvelle vague d'alors, que de choisir en 1830 de se battre pour *Hernani* ! La myopie congénitale à la polémique fige dans l'instant et fixe caricaturalement ce défaut de perspective : elle charge contre des moulins à vent dont il faut aujourd'hui chercher les noms dans les dictionnaires spécialisés : ainsi Beaumarchais s'en prend au conseiller *Guzman*, Balzac à Gustave *Planche*, et Péguy à M. Fernand *Laudet*.

*

De même qu'on ne se fait plus guère de nouveaux amis

après quarante ans, de même, passé cet âge, on n'a plus dans le «monde des lettres» de cousinage familier, de conversation soutenue et de dialogue vrai avec les ouvrages, même admirés, des générations qui vous suivent. Une famille ainsi s'éteint peu à peu autour de vous, qui n'excluait certes pas, comme toute famille, les mésententes intimes et les brouilles à vie, mais qui, ainsi que l'aïeul voisine au foyer avec le petit-fils, englobait avec la vôtre les deux générations précédentes. Seulement, en matière de filiation artistique, les relations affectives semblent à sens unique : elles vont plutôt en remontant, des descendants vers les ascendants. Ce qui est venu après la génération qui était la mienne, je peux le comprendre, et même vraiment m'y intéresser. Mais il y a une différence d'âge qui interdit en art à l'aîné les transports de l'intime ferveur, tout comme elle ferme dans la vie — en sens inverse, il est vrai — la perspective amoureuse.

*

Armand Hoog soulève la question du *temps* où se place la lecture que nous faisons d'un roman du passé, Balzac ou Stendhal. Il le situe dans une sorte de no man's land non daté ; ni tout à fait l'époque de la création, ni tout à fait celle de la lecture : le passé y est à la fois passé et revécu dans une contemporanéité originale.

Ce qui est subtil, et plausible à première vue. Puis, à la réflexion, on soupçonne que l'accommodation, le réglage temporel qui s'exécute spontanément dans l'opération de la lecture, pourrait bien jouer plus capricieusement. Le terrain de la lecture de *Le Rouge et le Noir* est pour moi un temps strictement millésimé qui ne se laisse à aucun moment perdre de vue, et qui est celui de l'Histoire datée : nul besoin ici du rappel du sous-titre : « Chronique de 1830 ». Celui des *Falaises de marbre* (l'indétermination de l'époque du récit ne fait rien à l'affaire) est de bout en bout la réanimation songeuse et temporellement décloisonnée du souvenir : la couleur affective du passé, rien de plus. Celui d'un roman policier (fût-il aussi daté qu'*Arsène Lupin*) un temps fondamentalement béant sur le possible, un temps qui est celui de la pure expectative — celui du présent déjà en déséquilibre et tout aspiré par l'avenir. Temps de l'histoire — temps du souvenir — temps de l'attente, ou plutôt de l'imminence. Il s'en trouverait sans doute de plus mal définissables et de plus complexes. Il ne serait pas impossible que la première page d'un livre guidât cette accommodation temporelle qu'implique la lecture avec la même autorité que possède une clé musicale en tête d'une partition.

*

Ayant rouvert le carnet de notes d'un écrivain contemporain, je le feuillette un peu distraitement, et je picore çà et là au hasard quelques réflexions. Au hasard ? non, ou du moins pas tout à fait ; quand j'aperçois un nom d'écrivain, je m'arrête un instant pour lire ce qui en est dit : dans la confrérie littéraire, c'est là une des dernières curiosités à s'endormir. Maligne ? bien sûr ! quel écrivain, qui bâille quelquefois à Sainte-Beuve, s'est jamais arrêté dans la lecture de *Mes Poisons* ? Et je ne vois là point de mal. Il y a dans la « rosserie de confrère », si décriée, un agent de décapage salubre. Malraux a raison — cent fois raison — de dire que le *contre* en art n'existe pas. Mais il est tout aussi vrai que la littérature — la littérature fondamentale — ne *tient* et ne se consolide que battue opiniâtrement par l'humeur amère, tout comme les pilotis durcissent dans l'eau salée.

*

Ce que je souhaite d'un critique littéraire — et il ne me le donne qu'assez rarement — c'est qu'il me dise à propos d'un livre, mieux que je ne pourrais le faire moi-même, d'où vient que la lecture m'en dispense un plaisir qui ne se prête à aucune substitution. Vous ne me parlez que de ce qui ne lui est pas exclusif, et ce qu'il a d'exclusif est tout ce qui compte pour moi. Un livre qui m'a séduit est comme une femme qui me fait tomber sous le charme : au diable ses ancêtres, son lieu de naissance, son milieu, ses relations, son éducation, ses amies d'enfance ! Ce que j'attends seulement de votre entretien critique, c'est l'inflexion de voix juste qui me fera sentir que vous êtes amoureux, et amoureux de la même manière que moi : je n'ai besoin que de la confirmation et de l'orgueil que procure à l'amoureux l'amour parallèle et lucide d'un tiers bien disant. Et quant à l'« apport » du livre à la littérature, à l'enrichissement qu'il est censé m'apporter, sachez que j'épouse même *sans dot*.

Quelle bouffonnerie, au fond, et quelle imposture, que

le métier de critique : un expert en *objets aimés* ! Car après tout, si la littérature n'est pas pour le lecteur un répertoire de femmes fatales, et de créatures de perdition, elle ne vaut pas qu'on s'en occupe.

*

En cartographie, le problème insoluble des *projections* naît de l'impossibilité où l'on se trouve de représenter sur un plan, sans la déformer, une surface courbe. Sur toute carte de quelque étendue, une distorsion se manifestera par rapport au réel, soit dans les proportions entre les surfaces, soit dans le dessin des contours. Il n'y a pas à cela de remède, mais il existe un palliatif ; à condition que la surface représentée soit très petite, en deçà d'un certain seuil de grandeur la déformation pourra être tenue pour négligeable.

J'ai tendance à croire, pour un domaine d'étude objective qui m'est accessible comme la littérature, qu'un problème analogue se pose, un problème lui aussi insoluble. Seules, presque toujours, en matière d'analyse littéraire, me convainquent par leur justesse immédiate les remarques qui naissent d'une observation presque ponctuelle (les remarques de Proust sur l'emploi de l'imparfait chez Flaubert, précises quant à leur objet, limitées quant à leur portée, en seraient un bon exemple). Tout ce qui théorise, tout ce qui généralise par trop dans la « science de la littérature », et même dans la simple critique, me paraît sujet à caution. Un impressionnisme à multiples facettes, analogue à ces fragments de cartes à très grande échelle, impos-

sibles à assembler exactement entre eux, mais aussi, pris
un à un, presque rigoureusement fidèles, c'est peut-être la
meilleure carte qu'on puisse dresser des voies et moyens,
des provinces et des chemins de la littérature.

*

Il y a deux types de voix dans la poésie française, aussi
différenciées dans l'émission par une conformation d'organe que peut l'être dans le chant le soprano du contralto.
Celle qui tend au *staccato*, riche en *r*, en consonnes fricatives et dentales, de la profération triomphante ; en elle se
rejoignent par-delà des abîmes Hugo, Mallarmé et Claudel, parfois Rimbaud.

> *Et, tachés du sang pur des célestes poitrines*
> *De grands linges neigeux tombent sur les soleils*
>
> *Ce vieillard possédait des champs de blé et d'orge*
> *Il était, quoique riche, à la justice enclin*
> *Il n'avait pas de fange en l'eau de son moulin*
> *Il n'avait pas d'enfer dans le feu de sa forge.*

Et celle dont tout l'insigne pouvoir consiste à filer sans
la rompre et à boucler l'arabesque d'une cantilène magique : Lamartine, Nerval, Verlaine, Apollinaire :

> *La connais-tu, Daphné, cette ancienne romance*
> *Au pied du sycomore, ou sous les lauriers blancs*
> *Sous l'olivier, le myrte, et les saules tremblants*
> *Cette chanson d'amour, qui toujours recommence*

Vous y dansiez petite fille
Y danserez-vous mère grand
C'est la maclotte qui sautille
Toutes les cloches sonneront
Quand donc reviendrez-vous Marie ?

Qui pourrait départager des ambitions sans commune mesure et aussi radicalement serves de leurs moyens ? La première semble procéder à neuf, sur le mode auguste, à la nomenclature de la création, la seconde reprendre, là où elles s'est arrêtée, la chanson que chantaient les sirènes.

Rimbaud ? Rimbaud a écrit presque à l'âge de la mue, il a eu les deux voix, à la fois exemplairement et successivement. Le cas le plus intrigant, le plus inclassable, reste pour moi celui de Baudelaire : chant d'un naufragé de l'Eden, tellement gorgé de sucs et de souvenirs que plus d'une fois il s'engoue ; la voix la plus mûre, la plus *âgée* de la poésie française.

C'est un vers du *Cimetière Marin* qui m'a fait rêver à ce bipartisme. Les vers — presque toujours de Hugo — que Valéry cite avec admiration dans ses *Cahiers* révèlent plus clairement encore que les siens le côté vers lequel il penche : il arrive plus d'une fois que, chez un artiste, les admirations se montrent plus extrémistes que la production. Jamais une allusion à Nerval, à Apollinaire. Baudelaire lui-même est plus qu'à demi dédaigné — Rimbaud, c'est trop clair, le gêne sur tous les plans. Les *Cahiers*, publiés, ont changé l'éclairage de Valéry ; le premier jet souligne ses refus coupants et son impatience de toute discussion : il dessine la figure d'un sceptique intolérant.

*

« Baudelaire et Rimbaud, Claudel et Valéry, Breton,
Malherbe et Mallarmé ne peuvent avoir raison toujours et
tous ensemble. Ou, s'ils ont raison tous ensemble, comme
nous ne savons comment, ni pourquoi, ni dans quelle
mesure et selon quel accord, de toute façon nous en
sommes toujours à chérir ce qu'un autre — et qui nous
vaut bien — met au-dessous de tout... Oui donc : ou bien la
poésie existe, et il faudra bien qu'on finisse par se mettre
d'accord à son endroit, comme sur la rotation de la terre et
la circulation du sang. Ou bien elle n'est qu'une erreur de
notre esprit, une formulation encore incomplète de quelque chose à découvrir, comme le salmigondis des théogo-
nies pré-coperniciennes. Et nous avons le devoir d'élucider
ce problème » (Georges Mounin : *Avez-vous lu René
Char* ?)

Un tel problème, il nous est toujours désagréable de le
voir poser, tellement l'allergie à Boileau et à tous les arts
poétiques a survécu durablement au romantisme, et constitue même peut-être en fait son legs le plus intouchable. Et
pourtant il se pose, et parfois avec quelle provocante brutalité : comme en témoigne la guerre, tout de suite enveni-
mée, qu'ont engagée entre elles, parfois ouvertement,
parfois de façon larvée, les différentes anthologies poétiques parues depuis la guerre. Là où la pleine lumière de la
poésie vous aveugle, je n'y vois goutte — et même quand
nos goûts s'accordent le plus étroitement, le domaine que
je balise et que j'enclos à mon usage dans le trésor de la
poésie universelle ne recoupera jamais entièrement le

vôtre. Passe encore qu'on ne puisse s'entendre sur les
conditions nécessaires et suffisantes de la poésie, si du
moins il existait quelque test *fiable* quant aux effets qu'elle
produit ; malheureusement il n'y a rien de commun, que
l'emploi évidemment abusif du mot « sentiment de la poésie » entre ce que ressentaient — pour ne pas remonter plus
loin — un lecteur de Lamartine vers 1820 à la lecture du
Lac, et Valéry vers 1890 à la lecture du *Coup de dés.*

Il est admirable, en somme, qu'on ait pu dire et écrire
tant de choses ingénieuses, profondes, belles, et même
quelque chose de plus : indubitablement *justes*, au sujet
d'un phénomène dont on ne peut cerner les causes — sans
d'ailleurs être capable en quoi que ce soit de s'entendre sur
les effets.

*

Quel admirable rendez-vous que cette « première » de
Lohengrin dans la villette goethéenne de Weimar, première que dirige Liszt, et vers laquelle le hasard d'un
voyage en Allemagne a conduit, au moins en imagination,
et jusqu'à en écrire le compte rendu, Gérard de Nerval ! On
voudrait tout revoir, et tout réentendre ; les décors, les costumes, le timbre des voix, l'atmosphère de l'élégante petite
salle, et jusqu'au commentaire du public de l'entracte, jusqu'au cancan provincial de la cité naine. Même si le compte
rendu sans relief qu'en a fait Nerval n'est pas tout à fait, est
loin d'être tout à fait à la hauteur de l'événement. Mais
quoi ! rien ne peut faire que le poète même le plus novateur
de son temps ne retarde le plus souvent d'un ou deux

siècles dans le domaine de la peinture ou de la musique. La musique de Nerval, c'est celle des clavecinistes du temps de Louis XIII, et un abîme, malgré toute la magie des *Chimères*, le sépare ici de Baudelaire, dont la modernité neuve et jusque-là sans exemple tient à ce que, dans tous les domaines simultanément, et pour la première fois, le goût, chez lui, avance de front.

La musique omise, qu'il refusait, une telle progression simultanée de la conscience dans tous les domaines esthétiques à la fois — progression en râteau, et non en pointe — était pour Breton (comme elle l'avait été pour Apollinaire) de plus de prix peut-être, et de plus de signification, qu'une percée vraie effectuée dans le seul champ poétique. En quoi il rejoignait tous les porte-drapeaux de la modernité absolue : Baudelaire et Mallarmé en premier lieu, avant Apollinaire. Exigence œcuménique en matière d'art totalement absente au contraire chez Rimbaud — qui n'a pas un regard pour la musique, la peinture, la sculpture de son temps — comme elle l'est chez Claudel, et qui traduit peut-être, quand elle est portée à l'excès comme chez Cocteau, dont la poésie inconsistante et volatile semble rechercher à chaque instant le fixatif plus robuste de Stravinsky, de Picasso, (ou d'autres) un certain manque de plénitude dans le don singulier : ni Baudelaire, ni Mallarmé, ni Breton, si remarquables par la rare qualité dans le don, ne le sont par sa générosité jaillissante. Dans tous les domaines connexes pour lesquels elle se passionne, une telle modernité cherche, consciemment ou non, le réconfort de chevaucher une vague qui va déferler en même temps sur toute sa longueur.

*

Lectures

« De temps en temps, à d'assez longs intervalles, je rêve d'elle, et ces rêves mettent dans ma vie, pour plusieurs heures après que le travail est venu, un mouvement inusité, comme quand nos soldats passaient près d'un grand feu, à Smolensk ou sur la Bérésina » (Benjamin Constant à Prosper de Barante, quelques années après sa rupture avec Mme de Staël).

De telles lignes, comme si souvent quand je lis Benjamin Constant, font en moi un ébranlement sans violence, mais persistant. Je ne vois à aucun autre cette manière qu'il a, au détour d'une phrase, de se mettre soudain à vous parler de vous à mi-voix, dans une espèce de voyance intimiste et frileuse.

La vie de Constant cesse d'intéresser dès qu'elle est visitée par la réussite publique, qui met sous l'éteignoir toutes ses inquiétudes, toutes ses curiosités. La gloire parlementaire le vieillit brutalement ; elle est chez lui la promotion ironique, *in extremis*, d'un retraité de la vie. Plus d'amours après la Chambre Introuvable : le béquillard déjà sénile qu'acclame la jeunesse des Écoles (dont le séparent des abîmes) fait penser à Béranger au coin de son feu, auprès d'une antique servante-maîtresse qui s'apprête à hériter.

> *Babet, un peu de complaisance*
> *Mon lait de poule et mon bonnet de nuit !*

Et qu'elle est triste aussi, et parodique, cette dernière image de sa carrière politique : la « brouette du député goutteux » sur le perron du Palais Marchand, bénissant le parangon de la Monarchie Tempérée. Il mourut à peu de temps de là, d'un échec à l'Académie : reprise terminale, sur le mode mineur, de ce qui avait été un des leit-motiv de sa vie, familière du puits du jeu de l'oie.

*

Il y a dans Céline un homme qui s'est mis en marche derrière son clairon. J'ai le sentiment que ses dons exceptionnels de vociférateur, auxquels il était incapable de résister, l'entraînaient inflexiblement vers les thèmes à haute teneur de risque, les thèmes paniques, obsidionaux, frénétiques, parmi lesquels l'antisémitisme, électivement, était fait pour l'aspirer. Le drame que peuvent faire naître chez un artiste les exigences de l'instrument qu'il a reçu en don, exigences qui sont — parfois à demi monstrueuses — avant tout celles de son *plein emploi*, a dû se jouer ici dans toute son ampleur. Quiconque a reçu en cadeau, pour son malheur, la flûte du preneur de rats, on l'empêchera difficilement de mener les enfants à la rivière.

*

Le registre des romans de Dostoïevski présente parfois, par rapport à celui des romanciers « psychologues », la

même différence que, par rapport à un jeu de cartes normal, un jeu de cartes dans lequel on a introduit un *joker*.

*

Je me suis demandé plus d'une fois pourquoi Alain,
dont j'ai été deux ans l'élève, que j'ai écouté pendant deux
ans avec une attention, une admiration quasi religieuse, au
point, comme c'était alors le cas des deux tiers d'entre
nous, d'imiter sa façon d'écrire, a en définitive laissé en
moi si peu de traces.

Admirable éveilleur, il avait peu d'avenir dans l'esprit.
Au moment même où nous quittions sa classe, en 1930, un
brutal changement d'échelle désarçonnait sa pensée, un
monde commençait à se mettre en place, un monde
effréné, violent, qui rejetait tout de son humanisme tem-
péré. Les règles de la démocratie parlementaire à dominante radicale lui paraissaient un acquis pour toujours : il
pouvait advenir de *mauvaises élections*, ramenant vers les
portefeuilles-clés les notables conservateurs et les tenants
du cléricalisme, rien de beaucoup plus grave. Ses problèmes politiques étaient ceux de l'électeur français de la
petite bourgeoisie dans une petite ville, tout froncé contre
les empiètements et le mépris des riches, des importants et
des officiels ; avec infiniment plus de culture philosophique, et certes en élevant le débat de plusieurs coudées, l'horizon de son combat de citoyen et la mesure de sa
résistance à l'arbitraire restaient à peu près — à un siècle
de distance — ceux du vigneron de La Chavonnière. Des
questions telles que le colonialisme, le communisme, l'hi-

tlérisme, le destin de l'Europe, l'éruption technicienne, les nouveaux équilibres du monde, dépassaient l'horizon de sa sagesse un peu départementale, et, je crois aussi, le dérangeaient : il les tenait à l'écart. Son antihistorisme était instinctif, et presque absolu ; l'expérience du combisme, qu'il avait soutenu, et celle de la guerre de 14, qu'il avait faite, étaient les seules leçons de l'histoire dont il tînt compte : en 1939, il retrouva automatiquement les positions dreyfusardes et celles d'*Au-dessus de la mêlée*, et s'y tint, sans aucun regard pour les énormes variations de nature et d'intensité ; l'arbre lui cachait la forêt, et Boisdeffre, Hitler ; il ameutait les « républicains » contre le sabre de Gamelin.

On pouvait s'interroger sur ce qu'il pensait du communisme ; faute qu'il entrât dans ses cadres de pensée, je crois qu'il le considérait comme une sorte de radicalisme un peu trop pétulant, un peu trop effervescent, sans nul sentiment de sa spécificité : quelque chose à *ramener au bercail*. L'univers industriel lui restait fermé. Jusqu'au bout, il a voulu continuer de voir le monde qui naissait à travers les lunettes de 1900. Je me souviens d'une boutade sarcastique qu'il lança un jour contre Jean Perrin et la physique atomique alors naissante : « Ils ont *vu* l'atome ! » Ils allaient faire un peu plus...

Il n'aimait ni les situations, ni les caractères-limite. Admirable commentateur de Balzac, de Stendhal et de Dickens, il n'admettait de Claudel que le très cornélien *Otage*, de Dostoïevski que *Crime et Châtiment* : ni *Les Démons*, ni *L'Idiot*. Je ne doute pas qu'il eût rejeté le Malraux de *La Condition Humaine*, ou plutôt l'eût ignoré, comme il devait faire de Bernanos. Je pense qu'il portait sur le surréalisme, s'il l'a connu, le même jugement que Valéry : récupération de déchets.

Sitôt quitté, je me suis défait de lui, dans la vénération et la reconnaissance. Je relis quelquefois ses *Propos* sur la littérature, sur Dickens, qui sont d'un lecteur de très haute classe (il eût été, il est, dans son domaine strictement balisé, un admirable critique littéraire, libre et aéré, et sachant, ô combien ! prendre à chaque instant du recul et de la hauteur). Peut-être lui en ai-je voulu un peu de m'avoir fait prendre pour un éveil intemporel à la vie de l'esprit une pensée étroitement située et datée, et qui reflétait, à travers le déclin encore masqué d'une démocratie rurale et close, la fin d'une période du monde plutôt qu'elle n'en annonçait une nouvelle. Pensée presque anté-copernicienne, comme celle de son ennemi juré Barrès, où le monde gravitait encore autour du couple bourgeois France-Allemagne. Le hasard d'une *Maison de la Presse* peu achalandée m'avait réduit l'autre jour à ouvrir un volume de la série romanesque d'Anatole France : *L'Orme du Mail*. Je ne connaissais rien du livre ; au bout d'une soixantaine de pages, il me vint une réflexion bizarre : « Tiens ! Alain. » Non pas, bien entendu, que rien en lui rappelât l'envergure intellectuelle et les coteaux très modérés du « bon maître » de La Béchellerie. Mais je sentais vivement que ce monde des romans d'Anatole France, avec ses figures emblématiques comme des figures de jeu de cartes : le Général, le Duc, l'Évêque, le Préfet, le Député de la rente foncière, l'Enseignant laïque, c'était tout de même le monde étriqué de sa jeunesse, la *donne* qu'il n'avait pas cherché à changer et dont, pour cadre de sa réflexion pourtant si libre, il avait accepté les limites sans plus guère les remettre en question.

*

Dis-moi qui tu hantes... Je viens de feuilleter un ouvrage consacré à Barrès et illustré de nombreuses photographies de l'époque. Quels intercesseurs il s'est choisi ! quel compagnonnage ! Dans son cabinet de travail, le portrait de Taine, la photographie de Monsieur Renan. Sur les instantanés pris au long de sa vie, des députés moustachus, des quêteuses du Bazar de la Charité, des aumôniers militaires, des bonnes sœurs alsaciennes, des généraux, des missionnaires — Rostand, Déroulède, Anna de Noailles, Maginot, Castelnau, Gyp, Paul Bourget, Jacques Émile Blanche, Marie Bashkirtseff : le dessus du panier de la Belle Époque pour lecteurs de l'*Illustration*, c'est-à-dire le second choix partout... Pas une figure vraiment haute de l'époque avec laquelle — lui devant qui toutes les portes s'ouvraient — il ait lié amitié ou entamé un débat ; on dirait qu'il a employé à les éviter toutes la subtile canne blanche des aveugles. Ni Proust, ni Claudel, ni Valéry, ni Gide, ni Apollinaire, ni Breton n'ont jamais croisé son chemin. Faut-il vraiment croire que pour lui la littérature et la pensée de son temps tenaient dans l'Académie française ? Et que penser d'un esprit qui choisit si bien ses interlocuteurs chez les morts, et si mal chez les vivants ?

*

Il y a dans *le Diable au Corps* deux éléments qui fusionnent incomplètement. D'une part les images concrètes, triées avec une sûreté de coup d'œil impeccable, et dont l'encoche dans la mémoire ne s'effacera plus ; la folle sur le toit, les tilleuls des villas de la Marne, le panier repas dans le buisson, le feu de bois d'olivier, le visage entouré de flammes. Et d'autre part une algèbre psychologique qui viendra prendre presque toute la place dans *Le Bal du Comte d'Orgel*, qui réfrigère le livre par intervalles, et où une forfanterie de sagacité adolescente s'applique à reporter de jour en jour le point sur la carte du Tendre avec l'imperturbabilité d'un vieux cap-hornier.

Mais le genre romanesque connaît la dispense de grâces que la poésie ne connaît pas, grâces qui permettent qu'une grande réussite ponctuelle se répercute quelquefois sur de longs passages plus ingrats et les transfigure à sa lumière. Quelques noyaux radioactifs semés en bonne place peuvent y suffire à dissoudre par rayonnement la totalité des zones d'inertie intercalaires. Dès que la poésie cesse d'être présente, vers après vers, dans un poème, elle cesse aussi de l'habiter, aussi brutalement que le courant un fil électrique, rendant impossible au lecteur de ne pas buter aussitôt sur toute cheville. Mais la vie du roman, elle, tout comme les impressions lumineuses persistent sur la rétine, tient à une survie efficace des images fortes au-delà du bonheur verbal qui leur a donné naissance ; la vitesse acquise, dans l'esprit d'un lecteur de roman, compte pour presque tout ; il arrive que la nécessité des temps morts s'y accompagne du pur plaisir que ressent le cycliste quand il prolonge sa lancée sur le plat en roue libre. Ainsi, quand je lis le roman de Radiguet, ces relais de vigueur que sont les images vraiment *trouvées* me font-ils franchir sans même que je m'en aperçoive les encarts psychologiques où on me dispense

une élucidation trop ingénieuse. Dans toute la première
moitié du livre, tout au moins, où la force de suggestion
concrète reste sans défaillance. Dans la seconde, où ces
recharges énergétiques se font plus rares, on sent un peu
que Radiguet écrit au-dessus de son âge, et que les enfants
prodiges n'entraînent pas tout à fait la même conviction en
psychologie qu'en musique.

Ce qui domine, dans le souvenir que je garde de cette
relecture, c'est l'image du Paris des deux dernières années
de la Première Guerre, et plus encore de sa banlieue, cette
« voluptueuse banlieue » dont a parlé une fois Montherlant. Sans que le livre se donne aucunement pour objet de
la dépeindre, et du seul fait que la scabreuse histoire que le
roman raconte l'atteint de plein fouet dans ses préjugés,
toute une couche de la petite bourgeoisie banlieusarde de
1918 se révèle ici en profil perdu, racinée comme le chiendent, barbelée comme un roncier, plus présente, plus
pesante qu'elle ne le serait dans une œuvre de critique
sociale. Le réseau de surveillance encore à demi villageois
des voisins et des domestiques, du maire et du laitier, de la
boulangère et de la crémière, jeté comme un filet sur ces
mornes villas résidentielles des hauts de Marne. Les
ombrelles et les canotiers des familles de la promenade
dominicale. L'ordre moral dicté par les retraités à cannes
et à barbiches, et par la menue propriété immobilière. Les
lumignons jaunâtres, l'odeur de houille des trains de nuit
de la banlieue. Les salles à manger Henri II dans le quant-
à-soi des pavillons de meulière. Les demoiselles à marier
entre le piano et l'aquarelle, dont le règne finit, tandis que
point celui de l'école Pigier. Toute une frange suburbaine
renclose dans ses murs soupçonneux, calfeutrée sous ses
tilleuls élagués, sans voiture, sans cinéma, sans culture,

sans horizon, détroussée déjà par les emprunts russes comme par les emprunts de la Victoire, soulagée de son or, mais accrochée d'autant plus au *cant* de sa morale mesquine et jalouse, et gardant son rang, et tenant court ses domestiques, pendant qu'elle sent s'écouler peu à peu sa substance entre les visites au cimetière, les visites au notaire, et la lecture des *communiqués*. Et c'est l'encerclement de ce sommeil croupi et hargneux d'une banlieue bourgeoise qui donne aujourd'hui au livre non plus le parfum de scandale de sa parution, mais la déflagration inattendue d'un 1968 en miniature.

*

La levée contre Gide de tous les boucliers catholiques montre combien le catholicisme du début de ce siècle discernait mal ses ennemis vraiment irréductibles. Ce qui ameutait contre lui, c'était l'image ressemblante du diable, de tout temps, comme on sait, spécialiste de « la chair »; derrière ce leurre commode, Valéry leur donnait le change qui, lui, était Lucifer. Il n'y avait pas d'orgueil intellectuel solitaire chez Gide. Un inquisiteur du moyen-âge, même de deuxième ordre, ne s'y serait pas une seconde trompé.

*

A Chartres, où un soleil éclatant m'engage à me rendre pour une visite de quelques heures entre deux trains : l'envie de revoir les vitraux m'est venue brusquement, attisée par la relecture des premières pages de *La Cathédrale*. Quelques touristes allemands (il est six heures de l'après-midi, mais, pour la hauteur du soleil, seulement quatre heures) déambulent dans la nef derrière un guide ; devant la Vierge noire, encadrée de buissons de cierges, un officiant vêtu d'une sorte de burnous cerise (il y a eu de grands changements, semble-t-il, dans le vestiaire liturgique) lit à haute voix des passages de la Bible pour une douzaine de vieillardes endeuillées. Les plus beaux, les plus mystérieux vitraux sont les plus sombres (l'un surtout, vers le fond du chœur, d'un bleu nocturne relevé seulement de quelques éclats de vermillon). Le cousinage avec les tapis d'Orient de ces verrières, que la distance, et l'épaisseur des sertissages de plomb, rendent presque toutes non-figuratives, s'impose à l'œil d'emblée. Les couleurs ont à la fois, pour les bleus et les rouges, plutôt que le feu sec des gemmes taillées, celui des cabochons faiblement brasillants qui se souviennent encore de la gangue, et, pour les bruns et les jaunes, les bruns violets et certains verts presque dorés, une succulence apéritive que je ne me rappelais nullement : coulée de miel, prunes, raisins secs, transparence de grappes mûres. Il me semble que si j'habitais la ville, je passerais là chaque jour, pour satisfaire un appétit de la couleur qui peut s'éveiller et se combler, dans ce lieu seulement, sous deux espèces séparées, aussi différentes de nature que le pain et le vin.

Au reste, il faut décidément la langue fruitée de Huysmans, la matérialité essentielle de ses épithètes, pour parler de ce gemmail non seulement mystique, mais parfois si compactement sensuel qu'il va jusqu'à faire saliver.

Toute la retombée du coteau sur l'Eure, derrière l'abside, m'a fait l'effet d'une sacristie de plein air éparpillée dans la verdure, d'une annexe largement desserrée du temple, éclaircissant les arbres d'un boqueteau sacré. Rue du Massacre, rue de la Foulerie, une ombre portée, cléricale et bénigne, faite de silence douillet, d'un recueillement claustral qui se laïcise à peine, tombe du versant sommé de son énorme vaisseau et flotte jusqu'aux bords de l'Eure courbe, que l'index promené par l'ombre des flèches visite comme un cadran solaire.

Dans aucune ville-cathédrale que je connaisse, ni à Amiens, ni à Bourges, ni à Reims, l'assujettissement de la tenure urbaine au vaisseau central ne se resserre plus étroitement ; à cause de la médiocrité de l'agglomération, à cause aussi du nivellement du plateau bas sur lequel est assise la ville, et qui donne toute son ampleur différentielle à l'élan des tours. On n'a pas le sentiment ici que l'église, selon l'image claudélienne, a levé de la ville, mais plutôt qu'un groupement fonctionnel modeste : hôtellerie, moulins, marché, relais, poids public, s'est blotti à l'abri d'une immunité primitive et monumentale, comme un hameau de colonisation sous les murs d'un château-fort. Huysmans, au travers des pages de son livre, dans le soleil et sous la bise, flâne et vagabonde au hasard des rues : il ne quitte jamais, où qu'il aille, le champ magnétique dessiné par l'aimant central.

*

Lewis et Irène, de Paul Morand, met en scène un capitalisme édénique, un capitalisme d'avant le péché originel.

Le livre par là prend place, bien au-delà du demi-siècle qui nous sépare de sa parution, dans une sorte de paléo-littérature, aussi coupée de l'*intelligentsia* contemporaine que pouvaient l'être des Pères de l'Église les ouvrages païens. Et retrouve en même temps une espèce d'inno-cence piquante : ce dilettante de la prospection minière et cette dame de la haute banque qui n'ont pas encore décou-vert qu'ils font le mal selon Saint Marx sont aujourd'hui pour nous comme pour un chrétien antique Daphnis et Chloé ignorant qu'ils se livrent au *péché de la chair*.

Si singulier que cela me paraisse aujourd'hui, ce livre a compté dans ma vie. A seize ans, qui devaient être l'âge où je l'ai lu, Lewis me présentait l'image même, presti-gieuse, de la *vie inimitable*, modèle 1924. Le cocktail si alambiqué sorti du shaker de Morand : un fond d'affai-risme artistique qui fait songer à Stendhal *P.D.G.* ou à Vaché après une *réussite dans l'épicerie*, le snobisme non conformiste, l'air *sec un peu*, l'aristocratie remplacée par la vitesse, le cynisme érotique pour liant, avec un zeste de culture *up-to-date* (Lewis lit Freud dans l'avion de Lon-dres) m'était monté à la tête : puisque c'était par *les affaires* qu'on abordait à ces formes supérieures de l'existence, va pour les affaires ! Je songeai un moment sérieusement, pour accéder à la poésie de la vie, à me présenter au concours des Hautes Études Commerciales, pour lequel on venait de créer au lycée une classe de préparation.

Relu en 1977, le livre, gâté par quelques enfantillages modernistes qui le datent par trop étroitement de l'ère des *Bugatti* (le jasmin qui fait « retentir son parfum à deux temps ») incorpore à sa date au roman un expédient neuf, le court-circuit, dont malheureusement, à cause du haut risque couru par les fusibles, l'utilisation ne pouvait être que limitée. Si bien qu'il apparaît maintenant, dans la lignée littéraire de l'entre-deux guerres, comme l'équivalence d'une de ces solutions techniques faussement plausibles qui se sont fourvoyées à l'époque dans une impasse : l'hydravion, le zeppelin ou l'hydroglisseur — l'un des secrets les plus impérieux du roman semblant être, au contraire, de pouvoir fabriquer de la lenteur à partir d'une durée matérielle chichement comptée.

*

Rien de plus admirable, dans *La Steppe* de Tchekhov, que la justesse avec laquelle est rendu l'émerveillement passif, sur fond d'insécurité vague, du jeune enfant séparé pour la première fois de sa famille, qui va passant de main en main par le vaste monde, et qui dort dans des lits étrangers. La fraîche violence, la singularité discontinue de toutes les irruptions qui s'échelonnent au long du récit de son odyssée : visages, conversations, maisons, intempéries, paysages, sont presque celles du rêve, mais gardent une nuance d'agressivité à la fois enivrante et inquiétante : le monde s'y jette sur nous à l'improviste, dans cette seconde naissance qui nous arrache, nus et exposés, au cocon familial. Le vieillissement n'est rien d'autre, dans une vie, que l'accroissement continu des constantes sans nouveauté aux dépens de la fraîcheur de l'éventuel : dans *La Steppe*, cet éventuel qui se jette à chaque instant à la traverse domine tout, et dispose encore d'un pouvoir de happement instantané : à chaque instant la conscience est comme engloutie par des images neuves.

*

Rimbaud. Je regarde ses portraits d'adulte, ceux
d'Isabelle, de Vitalie. La marque de famille, les bosses et
les méplats rudes de la souche paysanne, sont là, tout-
puissants, accentués par l'âge, imprimés au nez, au men-
ton, aux pommettes, d'un pouce dur. Comme il appartient, profondément, à sa lignée, à Frédéric comme à
Isabelle, à Vitalie comme à la *mère Rimbe* — comme le
sang tisse serré ce nœud de vipères — comme il est solide,
le fil qui, du bout du monde, le ramène à Charleville, à
Roche. Les *siens* ! Cette traite qu'avait tirée sur lui le lien
du sang, il n'a jamais pu la protester. Comme cette tombe
solitaire de Charleville lui va mal ! et comme au bout des
fugues les plus éblouissantes, toutes ces dures répliques
osseuses de lui-même semblent lui avoir donné rendez-
vous dans la terrible promiscuité du tombeau de famille.

*

De son époque, le filtre de Musset ne laisse passer presque exclusivement que le plus fugitif, le plus volatil : l'air
du temps, le refrain de la rue, la mode de l'année — espa-
gnolades, donjuanisme byronien, « Rhin allemand », gri-
settes de Mürger — tout ce qui saupoudre seulement de
loin en loin les romans de Balzac à seule fin de dater le
récit, et de fixer le ton local.

Mais c'est de cette superficialité sans défaillance qu'il a

tiré justement sa chance et son meilleur titre à ne pas se laisser oublier. Aucun écrivain de son époque ne nous restitue, comme il le fait parfois fugitivement, au coin d'une phrase ou d'un vers, non pas la substance et l'épaisseur de son temps, où il n'a nul accès, mais sa chanson passagère, sa saveur, et, dans ses meilleurs moments, presque son duvet. Pour ce pigment impalpable qui fait l'irisation fragile, unique, d'une époque et qui reste aux doigts de l'historien, à mesure qu'il s'y pose, comme la poussière colorée de l'aile du papillon, il a trouvé parfois, par quelque sortilège, un fixateur.

*

Comme on imagine bien Saint-John Perse protégé de Mécène et *amicus curiae* sous Auguste, célébrant le triomphe de l'Urbs tout comme la lex *Julia de maritandis ordinibus*, ou encore, au siècle dernier, poète lauréat et préludant sur sa lyre au couronnement de l'impératrice des Indes ! Il était fait pour ces dédicaces officielles et ces fêtes jubilaires, et il y a dans le tremblement de mirage de sa poésie consécratoire et fondatrice comme l'empreinte en creux d'un avènement impérial que la Troisième République ne pouvait lui donner à célébrer : il imagine l'*Anabase* faute de s'être pu voir commander le *Recessionnal*. Car le monde qu'il célèbre est un monde arrêté, un monde bloqué pour toujours à l'heure de son solstice — un monde qui passe de l'heure de l'Histoire à celle de la stabilité sidérale, du recensement et du dénombrement.

Cette poésie singulière est un discours sans orientation

et sans pente, une pâte plutôt, une matière verbale fondamentalement exclamative, d'une consistance et d'une saveur absolument *sui generis*, dont l'échantillon le plus exigu n'importe où prélevé suffit à l'identification immédiate, au point qu'elle semble incorporer son propre pastiche. Sa malaxation, indéfinie et ressassée, une fois commencée peut durer indifféremment pendant dix ou deux cents pages : rien dans son mouvement circulaire ne permet au lecteur de se repérer ni de se situer jamais au voisinage du commencement ou de la fin : c'est le déferlement théâtral du ressac sur une plage, une rumeur grandiose qui ne désigne et n'annonce que sa propre réitération. On peut ouvrir le recueil n'importe où, et porter la page ouverte à son oreille comme un coquillage, c'est toujours la même cantilène océanique qui se soude sans effort à elle-même, et se remord à satiété l'étincelante queue.

J'en fais usage, à des intervalles éloignés, un peu comme d'un *chewing-gum* d'où au début à chaque coup de dent gicle une saveur, mais le goût pour moi s'épuise en une douzaine de pages, à mon dépit. N'empêche que je le reprends : le nombre des poètes qu'on rouvre n'est pas si grand.

*

Qui se chargerait de conclure sur la pensée de Rimbaud, qui ne conclut jamais ? éternel insurgent, tout entier en courtes charges furieuses et inabouties. La *Saison* n'est que mouvements de l'âme violents et entre-heurtés, avec quelque chose des interférences échevelées, imprévisibles,

de la grosse houle qui cogne et rebondit contre les quais
d'un bassin ouvert. Elle m'a toujours repris et fasciné, et
gardé, de la même manière que me retient sur mon balcon
pendant des heures un après-midi de gros temps à Sion :
fureur défaite qui se reconcentre aussitôt vierge, inconce-
vable déchaînement d'énergie flouée.

Cela s'est passé : un des mots-clefs de Rimbaud, auquel
on n'accorde pas tout le poids dont il pèse. Comme si quelque chose en lui à un moment donné cessait, avait cessé de
faire rage, inexplicablement. En lui «cela» se passe, cela
ne se résout jamais — organisation superbement électri-
sée, configuration psychique orageuse, assez dynamisée
pour ne pouvoir être que collision, décharge ou sommeil.

Sur le Rimbaud d'après la *Saison*, Yves Bonnefoy fait
dans son très beau livre quelques hypothèses attirantes.
S'est-il drogué méthodiquement ? s'est-il jeté (comme toujours il se jetait) dans de sérieuses études, peut-être initiati-
ques : musique rythmique, alchimie, mathématiques ? a-t-
il cherché quelque secret d'harmonie universelle ? Il y a en
lui, c'est visible dès la *Saison*, une attirance fixe pour la
connaissance efficace, pour la science vraiment opératoire
(«je ferai de l'or, des remèdes» : toujours ce goût enragé
pour le concret). Invérifiable... Mais on devrait accorder
ici un peu plus d'attention qu'on ne le fait au témoignage
indirect de Verlaine (toujours suspecté ou négligé systématiquement) dans la demi-douzaine de *Vieux Coppées*
parodiques qu'il a consacrés à Rimbaud vers 1875-76. Il a
dû recueillir à l'époque des bruits, des témoignages ; il gar-
dait de Rimbaud, pour les y confronter, une image précise
et violente dont l'hostilité ne pouvait que grossir les traits
sans les trahir. Or, que déchiffre-t-on au travers de ce Rimbaud dérisoire (mais dérisoire sans doute véridiquement)

qu'évoquent les *Vieux Coppées*. Le fond d'ennui d'abord,
l'ennui existentiel, chronique, la pérégrination creuse et
incurable. Puis le goût de la science appliquée, pratique et
même militante («J'fonde une nouvelle école») ce que
Verlaine par deux fois appelle la *philomathie* de Rimbaud : étude des langues, brevets d'invention — le mot
même, si expressif ici, de *Polytechnique* est prononcé. On
en retire le sentiment que, dans la bohème de lettres parisienne — apte à caricaturer, mais réceptive à tous les on-
dit — a dû flotter, entre le poète de *La Saison* et le
trafiquant d'Éthiopie, l'image floue, mais qui doit bien
avoir eu quelque répondant, d'un errant exaspéré, qui a
lâché la poésie pour la connaissance et s'est mis en quête,
non sans déployer chemin faisant un certain prosélytisme,
de quelque clé positive du monde réel.

*

Baudelaire est-il un voyant, comme Rimbaud l'a cru et
l'a dit ? C'est la morale qui est sa Muse, et le registre presque entier de sa poésie, ce sont les irisations adorables
qu'un paradis pressenti et presque entr'ouvert fait jouer
sur la seule rétine du pécheur relaps. Deux ou trois fois à
peine (*La Géante*) il a essayé d'émigrer dans un monde lavé
du péché originel ; jamais il n'a pu y respirer avec quelque
continuité. L'innocence radieuse du monde, la note fondamentale que chaque poète émet le plus naturellement, est
presque la seule qui lui manque. Il y a une filiation *Fleurs
du Mal* — *Saison en Enfer* qui est sans analogue dans la
poésie française par l'intime consanguinité, seulement les

mêmes composantes, les mêmes servitudes sensibles
(«Parents, vous m'avez fait esclave de mon baptême») y
sont interprétées par des tempéraments presque antinomi-
ques. Il suffit de les réinsérer tous deux à leur date dans la
chaîne de tout ce qui compte avant et après eux en poésie :
Hugo, Vigny, Nerval, Verlaine, Nouveau, Mallarmé,
Apollinaire, pour que surgisse et se précise l'étrange
microclimat poétique qui les rassemble et les isole des
autres : la présence obsédante du christianisme comme
fatale valeur d'exil, — du christianisme masochiste et
renonçant de Pie IX, qui vomit le siècle, et qui vire en eux
au compte de la poésie tout ce qu'il retire aux possibilités
d'insertion dans la vie réelle.

*

Quand reviennent ces jours de disgrâce où, pour un
moment, les livres, tous les livres, n'ont plus que le goût du
papier mâché, où une *acedia* saturnienne décolore pour
l'âme et dessèche sur pied toute la poésie écrite, il ne reste
pour moi que deux ou trois fontaines — petites, intarissa-
bles — où l'eau vive dans le désert qui s'accroît continue de
jaillir et immanquablement me ranime ; ce sont quelques
Chansons de Rimbaud (Le pauvre songe — Bonne pensée
du matin — Comédie de la soif — Larme — Éternité —
Jeune ménage) un ou deux tout petits poèmes de Musset
(A Saint Blaise, à la Zuecca... — La Chanson de Barberine) et — le plus directement peut-être, le plus naturellement branché sur cette nappe phréatique profonde —
Guillaume Apollinaire. Plus encore que de la *Chanson du*

Mal Aimé (si belle, mais dont le ton est d'emblée celui de la
« grande poésie ») il me suffit de l'*Adieu*, de *Marizibill*, des
Colchiques , de *Clotilde*, il me suffit de me redire la première strophe de *Marie* pour que le monde, instantanément, retrouve les couleurs du matin.

Les couleurs du matin ? oui, mais les couleurs d'un
matin irrémédiablement perdu. Il y a une magie — une
noire magie — embusquée au cœur de la chanson qui jaillit
si fraîche, si insouciante et si légère, magie qu'ignorent (ils
en recèlent d'autres) les grands poèmes élaborés et mûrs de
Baudelaire et de Mallarmé. Il y a là à la fois la spontanéité,
la grâce toute neuve de la vie qui bouge à l'état naissant et
le recul du *jamais plus* inhérent à toute fixation poétique.

Pour le reste, une bonne moitié des poèmes d'*Alcools*
me laissent indifférent, n'était que leur érudition biscor-
nue, qui relève parfois de l'*Intermédiaire des chercheurs et
des curieux*, appâte l'imagination presque à chaque page,
n'était aussi qu'Apollinaire est un admirable inventeur, ou
dénicheur, de noms propres, plus original, de fantaisie
plus aérienne que Hugo lui-même, le seul en tout cas qui
sur ce terrain puisse rivaliser avec lui. *Zone* est un poème
majeur, dont le pouvoir, justement salué par Breton, tient
à une combinaison infiniment séduisante de l'éloquence
romantique avec la morsure acide de la modernité (la
modernité — qui ne ressuscite pas, comme on croit, neuve
et changée, avec chaque époque, mais qui n'a connu qu'un
seul vrai printemps, entre Wilbur Wright et l'assassinat de
Sarajevo — a respiré surtout, l'espace de quelques années,
dans les vers et parfois la prose d'Apollinaire). Parmi les
autres recueils, je place au-dessus de toutes les pièces la
carte postale envoyée à Lou : « Mourir et savoir enfin l'irrésistible éternité... », formulaire de haute conjuration,

phylactère entièrement magique qu'une amante aurait dû conserver toute sa vie entre chair et chemise comme Pascal le manuscrit de la Sainte Épine.

J'ai peu de goût pour les œuvres en prose, et l'*Enchanteur Pourrissant*, longtemps introuvable, et que j'ai alors tant souhaité lire, m'a beaucoup déçu.

La grâce de la poésie d'Apollinaire, qui est un peu celle d'une goélette sous voiles, roulant et tanguant dans le grand frais, et de temps en temps embarquant un coup de mer, fait d'elle, avec le verset de Claudel, un des rythmes poétiques les plus spontanément contagieux qui soient pour le lecteur qui est en même temps un apprenti écrivain. Et il est peu d'influences qui soient à la fois plus propices et moins pesantes à porter que la sienne. Que serait la poésie d'Aragon sans Apollinaire? et pourtant que d'espace libre sa présence visible ménage encore à Aragon.

*

On ne remarque guère, il me semble, l'étrangeté de la vision du monde qui est celle de Rimbaud : monde totalement unifié où l'espèce humaine bouge et ondule en masse parmi les autres à la manière d'un peuplement d'orties ou d'asphodèles. Nulle rencontre qui soit une aventure individuelle : chaque Être qui surgit ou apparaît — de Beauté, de Puissance ou de Damnation — aussitôt devenu emblématique renvoie sans intermédiaire à quelque Genèse : on dirait que l'individualité n'est pas née, et n'a pas plus cours qu'elle ne pouvait en avoir dans le jardin d'Éden. Aucune différenciation sociale qui soit jamais significative. D'ins-

tinct la vision se réfère, non pas théoriquement, comme
font les philosophes des Lumières, mais concrètement, à
une époque adamite préexistante à l'organisation des
sociétés. En ce sens, encore adossé de toute sa stature au
monde du septième jour, il est l'ultime maillon d'une
chaîne dont Proust, chez qui l'homme est entièrement saisi
dans le réseau de la signalisation sociale, pourrait représenter l'extrémité opposée.

*

Une rhétorique impeccable, un vif sentiment de la musicalité propre au langage, une aptitude hors de pair à gor-
ger de sens, jusqu'au seuil de l'éclatement, les mots de son
vocabulaire, l'alliance de l'éloquence réglée de l'ode classique avec la condensation mallarméenne ne sont pas *toute*
la poésie : si la poésie millionnaire de Valéry fait aujour-
d'hui à beaucoup d'entre nous l'effet d'une splendide et
assez froide déclamation, si la mixité de ses composantes
nous semble parfois la disloquer intérieurement, c'est que,
quelques années à peine après *La Jeune Parque*, qui venait
apparemment à la fois couronner et achever la poésie française, le surréalisme allait projeter la lumière la plus vive
sur une poésie d'une tout autre espèce : une poésie à basse
teneur en calories. La simple saveur originelle des mots
(j'allais dire des mets, comme la gastronomie moderne)
sans plus rien du gavage sémantique congestif propre à
Mallarmé. Non plus la poésie de *l'Après-midi d'un faune*,
mais celle de Rimbaud et d'Apollinaire (Baudelaire étant à
l'origine de l'une et de l'autre branche) et pour celle-là

Valéry (je reprends la belle expression de Mozart que me citait un jour Robert Bresson) manquait de pauvreté, comme il manquait dans l'image d'ouverture native à tout l'éventuel. Brusquement sa poésie — poésie d'au-delà de Mallarmé — se mettait à faire surtout figure de poésie d'avant Rimbaud. Bref, il semble aux lecteurs de 1977 que la poésie se soit un peu vengée de Valéry pour s'être cru par sa condition si au-dessus d'elle — pour l'avoir traitée comme une maîtresse au bras de laquelle on a honte de se montrer en public.

*

Je suis toujours curieux de lire les réactions qui nous ont été conservées toutes fraîches des contemporains d'une œuvre capitale, tutoyant irrévérencieusement des ouvrages dont ils ne savent pas encore qu'ils feront un jour ployer le genou. L'histoire littéraire gomme invariablement les témoignages d'une promiscuité infantile aussi familière et aussi inconvenante, comme l'histoire tout court ignore que ses grands hommes au b-a-ba ont échangé des horions avec vingt garnements dans les cours de récréation. Cela ne retire rien à la solidité des chefs-d'œuvre, mais nous aide à en enlever par grattage ce que le temps, moutonnier, leur a concédé abusivement de *valeur ajoutée*.

« Relu le *Faust* de Goethe. C'est une dérision de l'espèce humaine et de tous les gens de science. Les Allemands y trouvent une profondeur inouïe. Quant à moi, je trouve que cela vaut moins que *Candide* ; c'est tout aussi immoral, aride et desséchant, et il y a moins de légèreté, de plaisanteries ingénieuses, et beaucoup plus de mauvais goût » (Benjamin Constant : *Journal*).

Un tel jugement ne porte pas tant témoignage d'une déficience du goût chez son auteur que de la persistance, pendant des années ou pendant des dizaines d'années, d'un état vulnérable de tout chef-d'œuvre, avant que vienne le revêtir cette carapace de la gloire qui ne le défend pas absolument des coups, mais presque immanquablement les désajuste et les dévie. On peut trouver le jugement pauvre : il passe tout au moins dans cette critique de Constant une fraîcheur irrespectueuse du coup d'œil qui est encore celle du *vernissage*. La consécration viendra, les couches d'enduit cireux d'une vénération séculaire communiqueront à l'œuvre ce brunissement noble qui est la patine des musées ; pour converser avec elle, la même difficulté partielle s'établira qu'avec quelqu'un qui n'apparaît plus désormais que sous l'uniforme.

*

Je n'ai jamais pris grand goût à lire *Don Quichotte*. Mais je suis sensible, s'il m'arrive de rouvrir le livre, à l'éloignement quasi-fabuleux pour nous des objets qui le peuplent, de son mobilier spécifique qui semble tellement plus reculé dans le temps et dans la légende que (par exemple) celui de Rabelais, aîné de Cervantès d'un demi-siècle. Anes et âniers, caravanes à l'étape, moulins, jarres à l'huile, ce n'est pas la vie marchande déjà éveillée des campagnes de la Renaissance qui surgit ici, c'est le fonds sans âge des contes arabes. Et la réussite du livre tient pour beaucoup à ce décalage. L'arrièration africaine des steppes de la Castille dote les exploits du Chevalier de la Manche d'une crédibilité que n'obtient pas au même degré *Picro-chole*, fourvoyé sans vraisemblance dans l'économie de marché réaliste et roublarde des campagnes du Chinonais.

*

Écrivains, de densité faible, qu'on *voit*, quand ils ont écrit trois volumes, et qu'on ne discerne plus quand, pour avoir voulu couvrir trop de champ, ils en ont publié qua-rante. Il y a une pesanteur spécifique de la littérature, quand elle n'est pas tyranniquement *signée*, qui la pousse à rentrer dans l'indistinction anonyme d'un moment du monde et d'une période de l'art, tout comme le mimétisme des espèces chétives les conduit à se fondre dans leur milieu jusqu'à l'invisibilité. L'art médiocre est en effet *res-semblant* et tendance passive à la ressemblance, non pas à la ressemblance conquise du portrait original avec son modèle, mais à la ressemblance subie du pigment de la raie avec ses fonds sableux.

Parmi ces œuvres conçues surtout pour couvrir le ter-rain littéraire disponible, je n'hésiterais qu'à peine — dans la catégorie magistrale — à ranger deux ou trois œuvres de Goethe, où la nécessité intérieure ne fait guère entendre son timbre, mais où une exigence de jardinier paysagiste habille vaille que vaille en parterre ce qui pourrait laisser autrement l'idée d'une friche abandonnée à son sort. Comme tel plat adjectif vient rempailler tant bien que mal un vers dans un poème, il y a chez certains écrivains des livres entiers qui figurent les *chevilles* de leurs Œuvres Complètes. Ce sont les œuvres bouche-trou, qui viennent punir avec le temps l'impérialisme artistique, la volonté d'annexion et de conquête appliquée à des territoires qui ne relèvent pour leur mouvance que des affinités électives.

*

Huysmans. Il est difficile de trouver un écrivain dont le vocabulaire soit plus étendu, plus constamment surprenant, plus vert, et en même temps plus exquisement faisandé, plus constamment heureux dans la trouvaille et même dans l'invention. La substance de la langue, et surtout l'adjectif, qui surgit chez lui non pas colorié, mais imbibé de couleur dans toute sa masse, à l'éclat, l'épaisseur de matière et le feu sourd des émaux cloisonnés.

Et il est difficile d'en trouver un dont la syntaxe soit plus monocorde, plus ressassante, plus indigente et comme délabrée. La phrase procède par à plats d'éblouissantes touches au couteau juxtaposées, que nul lien de relation ou de subordination sérieusement ne cimente. Plus pauvre encore, et comme ataxique, est le cheminement du paragraphe, gauchement scandé par la ritournelle des *Puis... Enfin... Et c'était... En somme...* qui reviennent concasser le texte de page en page comme les coups de marteau d'un jacquemart. Tout le mouvement lié et souple du discours qui anime un livre, lui donne une pente, un étagement de plans, une perspective, s'est chez lui figé ; ses livres ressemblent à un édifice de pierres rares fracassé par un séisme ;

les moellons luxueux, et tout ce qui a pour destination de s'arcbouter pour s'étager en hauteur, gisent à terre côte à côte, comme s'ils ne rêvaient que de retourner à la carrière originelle. Ce sont de somptueux éboulis de livres.

*

Le rejet à terme du naturalisme était, chez Huysmans, dès le début inscrit dans son style : en littérature, comme en politique, les *moyens* subvertissent immanquablement les fins.

*

Je ne voulais relire que la préface à retardement de *A Rebours*, mais je me laisse aller à relire tout le volume, entraîné par un style (superlativement indéfendable devant tous les professeurs de rhétorique) qui m'amène, presque à chaque page, à rouvrir le Littré avec une sorte de pourlèchement linguistique. Au surplus, ce livre d'humeur, ce pot-pourri de foucades, trie et reclasse la littérature de son temps aussi supérieuremeñt que vingt ans plus tard Félix Fénéon fera de la peinture.

« Baudelaire avait déchiffré dans les hiéroglyphes de l'âme le retour d'âge des sentiments et des idées... » : comme c'est précis, et, malgré la brutalité de l'expression, comme c'est perspicace ! Je me souviens d'un entretien que j'avais à la radio en 1968, et où le journaliste qui m'interviewait, encore sous le coup des barricades estudiantines, me demanda, comme on demande pour la forme de confirmer une évidence, si la poésie n'avait pas par essence partie liée avec la jeunesse. Ma réponse assez sèche fut : « Et Baudelaire ? » — et j'ajouterais même aujourd'hui à la réflexion : « Et Mallarmé ? ».

*

Littérature et histoire

Plus d'une fois, l'œuvre de Georges Bataille renvoie au paysage spirituel du christianisme aussi fidèlement que le relief de la médaille au creux du moule. La religion de Jésus — et son climat affectif surtout — fût-elle oubliée, qu'on s'en ferait encore quelque idée d'après le négatif que sont ses livres, tout comme on peut esquisser la carte des anciens glaciers rien qu'au relevé des portions de continent qui se soulèvent. L'après-christianisme ne pourrait commencer vraiment qu'après la fin de ces mouvements que les géophysiciens appellent *eustatiques*, presque aussi lents que les pesées séculaires qu'ils tendent à compenser. Même si Nietzsche a raison, un Dieu mort règne longtemps encore par les contre-poussées équilibrantes dont il impose et règle la distribution.

*

Baudelaire se moque — avec mille raisons — du récit *pompier* que fait Villemain de sa soirée chez la duchesse de Duras, sur la terrasse de St-Germain-en-Laye, la veille de la disgrâce ministérielle de Chateaubriand. Il y a là lord Stuart, Pozzo di Borgo, Capo d'Istria, Humboldt, Rému-sat, Delphine Gay. Transposons la scène en 1978 : bavar-dages mondains, cancans politiques et littéraires du *beau linge* parisien sur les pelouses ombragées d'un soir d'été, pendant que se consomme à la cantonade un naufrage ministériel sans grandeur : c'est l'insignifiance même. D'où vient que par la seule vertu du recul dans le passé ce *raout* suburbain que rien, absolument rien, à travers la prose sirupeuse de Villemain, ne recommande à l'attention ou au souvenir, se farde soudain pour nous d'une espèce de poé-sie ? C'est tout le problème de l'irritante, de l'injuste séduc-tion de la plongée dans l'histoire qui ressurgit, dépouillé. de cette page de journal d'un académicien laideron et snobinard.

Je me souviens du temps — si lointain déjà, me semble-t-il — où Sartre faisait triomphalement la leçon à Mau-riac : « Voulez-vous que vos personnages vivent ? Faites qu'ils soient libres » (sans que personne osât d'ailleurs à l'époque relever cette inconséquence de fort calibre). Il y a bien des raisons au prestige qui vient parer, après quelques décennies, même les figurants de l'Histoire les plus margi-naux ; mais il y en a une, entre autres, qui leur est com-mune avec les personnages de romans : c'est justement qu'ils ne sont *plus* libres, c'est l'éclipse définitive devant eux de tout avenir indéterminé. A ce qui vit encore, à ce qui a pour essence le flou sans contours du possible, l'imagi-nation ne s'accroche pas, ou mal ; la flexibilité excessive du support la rebute ; un certain déficit d'être constitue le passif poétique de la liberté.

*

Blanqui, au soir du 29 juillet 1830, quand l'insurrection a triomphé, entre le fusil à la main dans un salon ami et, cognant contre le parquet du talon de la crosse, s'écrie : «Enfoncés, les romantiques !» Cri du cœur typique d'un pays — le seul sans doute en Europe — où littérature et politique ne manquent guère, chaque fois que reviennent les moments de fièvre, de se tenir de nouveau étroitement la main.

«C'est la faute à Voltaire — c'est la faute à Rousseau» : réflexe intellectuel maintenant bi-séculaire d'un pays où l'écrivain est recruté par les partis au besoin à son corps défendant, comme les mauvais sujets de l'Ancien Régime dans les armées du roi. Ainsi pour Balzac, engagé volontaire, mais muté d'autorité à titre posthume du parti blanc au parti rouge, ainsi pour Baudelaire et Flaubert. Et voici maintenant ce pauvre Mallarmé sac au dos et promu clairon dans les troupes du progressisme métalinguistique.

*

Si l'Histoire était aussi fausse, aussi irréelle, aussi vicieusement déformante qu'un Valéry, qui la charge de tous les péchés, veut bien le dire, il me semble qu'une expérience familière en avertirait chacun de nous. Car, s'il atteint à une longévité moyenne — et surtout à notre époque, où les *époques* se succèdent et se remplacent si vite — chaque

homme a le temps de voir les trois quarts au moins de ce
qu'il a vécu se sédimenter en histoire, nourrir déjà toute
une bibliothèque à laquelle bien souvent il demandera de
pimenter les années de sa vieillesse. Il ne semble pas que,
superposant directement à ce qu'il lit le souvenir de ce qu'il
a pu voir, le scandale pour lui soit si grand. L'expérience
donne plutôt à penser que, très généralement, il « s'y
retrouve » et s'y retrouve parfaitement. Le plus solide
garant de l'Histoire, ce n'est pas l'appareil orgueilleux de
ses documents, de ses fiches et de ses témoignages, c'est
le fondu-enchaîné qui soude consciemment à elle chaque
biographie pour la majeure partie de sa durée. Sur l'époque où j'ai eu mes vingt, mes quarante ans, je pourrais sans
doute ajouter des nuances, quelques jugements person-
nels, le rehaut d'un détail significatif ; mais ce que je lis sur
elle, c'est bien, je n'en puis douter, grosso modo *ce qui
était*. Dans la coulée sans fissure des générations antérieures à la mienne qui se soudent à elle, et où le mort a
saisi le vif à chaque instant sans solution de continuité, où
donc trouver en amont la rupture — analogue au passage
de la veille au rêve — qui d'un coup de baguette transfor-
merait en fantasme pur ce qui m'a tendu toute ma vie un
miroir en somme si peu déformant ?

*

L'absence de mémoire historique qui nous rend si étrangère la civilisation hindoue, le fait que les chercheurs bri-
tanniques seuls lui aient restitué un passé défini, et qu'à
cinquante ans de distance à peine les événements concrets

et leur chronologie soient déjà pour elle mangés, dissous
par la brume du mythe, n'est faite pour surprendre qu'un
Européen des temps modernes. Le Moyen Age occidental
n'avait pas de son passé une conception différente : Dante
en est le témoin. L'absence totale d'échelonnement chronologique et de vue perspective de l'Histoire qui marque
d'un bout à l'autre la *Divine Comédie* est due, sans doute,
à ce que le flot vif des événements y vire à l'état de passé
sans profondeur qui est celui des archives du greffe. Mais il
est clair aussi que le recul du regard historique n'a pas plus
de réalité pour Dante que n'en ont la perspective picturale
et le point de fuite, qui seront bientôt ceux de Léonard,
pour les fresques de son contemporain Giotto. Les temps
écoulés siègent en cercle autour de lui, et lui parlent moins
par leur succession et leur enchaînement que par la seule
émergence intemporelle de leurs figures les plus emblématiques, ainsi que la Gloire déléguait auprès de Plutarque
ses hommes illustres sous le seul critère de l'exemplarité.

*

Ce que j'ai cherché à faire, entre autres choses, dans *Le
Rivage des Syrtes*, plutôt qu'à raconter une histoire intemporelle, c'est à libérer par distillation un élément volatil,
l'« esprit-de-l'Histoire », au sens où on parle d'esprit-de-
vin, et à le raffiner suffisamment pour qu'il pût s'enflam-
mer au contact de l'imagination. Il y a dans l'Histoire un
sortilège embusqué, un élément qui, quoique mêlé à une
masse considérable d'excipient inerte, a la vertu de griser.
Il n'est pas question, bien sûr, de l'isoler de son support.

Mais les tableaux et les récits du passé en recèlent une teneur extrêmement inégale, et, tout comme on concentre certains minerais, il n'est pas interdit à la fiction de parvenir à l'augmenter.

Quand l'Histoire bande ses ressorts, comme elle fit, pratiquement sans un moment de répit, de 1929 à 1939, elle dispose sur l'ouïe intérieure de la même agressivité monitrice qu'a sur l'oreille, au bord de la mer, la marée montante, dont je distingue si bien la nuit à Sion, du fond de mon lit, et en l'absence de toute notion d'heure, la rumeur spécifique d'alarme, pareille au léger bourdonnement de la fièvre qui s'installe. L'anglais dit qu'elle est alors *on the move*. C'est cette remise en route de l'Histoire, aussi imperceptible, aussi saisissante dans ses commencements que le premier tressaillement d'une coque qui glisse à la mer, qui m'occupait l'esprit quand j'ai projeté le livre. J'aurais voulu qu'il eût la majesté paresseuse du premier grondement lointain de l'orage, qui n'a aucun besoin de hausser le ton pour s'imposer, préparé qu'il est par une longue torpeur imperçue.

*

Quel gâchis qu'une génération littéraire si comblée de dons, si bien pourvue de tout le nécessaire pour qu'un homme puisse se dire averti, si remarquablement douée pour la liberté, pour la méfiance stendhalienne, et même pour l'insolence, et courant à qui mieux mieux, en toute naïveté, s'ébattre dans la politique comme de petits chaperons rouges chez la Mère Grand — au moment juste où il lui pousse de si grandes dents !

*

Ce n'est pas la violence dans la dénonciation et le rejet
qui me frappent le plus dans Soljénitsyne, à travers des
livres comme l'*Archipel du Goulag* et *Le Premier Cercle* :
c'est la croissance presque végétale d'un livre comme
Août 1914, aussi naturelle que celle d'un arbre qui pousse
librement dans tous les sens ses branches et ses racines.
Comme si rien n'avait changé sérieusement depuis Tolstoï
dans le tuf où il s'est implanté — comme si soixante
années d'acculturation à une manière de théoriser plutôt
qu'à une manière de sentir se décollaient et tombaient de
ce livre à la manière d'un greffon où la sève n'a jamais
monté.

*

Il y a dans Tacite un beau sujet pour un *peplum* à la
manière de Flaubert : Cecina, légat sous les ordres de Germanicus, au temps de Tibère, se voit cerné avec ses légions
par Arminius dans les marécages boisés des *Longs Ponts*
en Germanie. Au milieu de la nuit, Varus, couvert de sang
et sortant des marécages, lui apparaît en rêve et tend les
mains vers lui, mais il le repousse effrayé. Les Romains
échappent par miracle à l'encerclement, trempés, boueux,
décimés, affamés, ayant perdu chevaux et bagages.

On lit partout entre les lignes des *Annales* que cette
guerre des confins en Germanie, guerre enlisée des fon-

drières, des forêts, de la boue, des marécages, informe, interminable, impossible à gagner, dut créer à la fin, à Rome comme parmi les légions, le même genre de fatigue sacrée, maudite, que chez nous et plus tard en Amérique la *sale guerre* d'Indochine. Dien-Bien-Phu, même après Varus, y menaçait à chaque instant, et, pire encore, la mutinerie des «auxiliaires» locaux peu sûrs et même des vieilles troupes. Seules les querelles des tribus germaines permirent à la fin de ramener sans catastrophe le *limes* sur le Rhin; on ne le franchit plus jamais; le tabou fut mis sur la Teutonie mangeuse de légions, ses tourbières insondables et ses «forêts horribles».

Ce qui approfondirait indéfiniment la perspective d'un tel sujet, c'est que, sous les traits de Varus, ce ne sont pas seulement les fantômes tragiques d'un passé récent qui ressurgissent : c'est la fin de Rome qui apparaît à Cecina trois siècles à l'avance. Sa mort surgira un jour de ces marécages. Les forêts retrouveront leur silence, la garde au Rhin sa tranquillité somnolente, au moins pour de longs intervalles. Mais c'est là, dans ces bauges impossibles à nettoyer, que s'amassera pour en jaillir un jour la grande ruée barbare. Allons, nous voici revenus dans les parages familiers des *Falaises de Marbre*.

Avant cet épisode, les troupes romaines, qui voulaient rendre les honneurs funèbres à l'armée de Varus, ont suivi à la trace sur le terrain les étapes de son extermination.

« L'on s'avance dans ces lieux sombres, pleins d'images et de souvenirs affreux. Le premier camp de Varus, par sa vaste enceinte et l'étendue de sa place d'armes, annonçait le travail de trois légions; plus loin, des retranchements à moitié détruits, un fossé peu profond, faisaient reconnaître l'endroit où s'étaient arrêtés les débris de l'armée décimée ; au milieu de la plaine, des ossements blanchis, épars ou amoncelés, selon qu'on avait fui ou tenu ferme, gisaient à côté de débris d'armes, de membres de chevaux ; à des troncs d'arbre, étaient clouées des têtes. Dans les bois voisins s'élevaient les autels barbares près desquels avaient été immolés les tribuns et les centurions de premier rang. »

Ici on retrouve l'éclairage de peste qui baigne chez Jünger la clairière du Rouissage, avec ses guirlandes desséchées de bras et de têtes, et, derrière, le rideau baissé de la forêt où retentit l'appel insultant du coucou.

Tibère, écrit Tacite, désapprouva Germanicus pour ce pélerinage funèbre, soit par malveillance, « soit que l'image des cadavres des guerriers privés de sépulture lui parût propre à refroidir l'armée pour les combats et à lui rendre l'ennemi plus formidable. » Peut-être y a-t-il pour une armée qui revisite ainsi les débris d'un ancien désastre quelque chose de pire que la vue des cadavres : l'image du *sauve-qui-peut*, de l'ordre militaire blessé à mort qui répand partout ses entrailles confusément. Pire que l'image de son anéantissement possible, qu'elle a bien dû envisager de toujours : celle de la dissolution préalable de son lien constitutif.

*

Joachim Fest : *Hitler*. Le seul mot vraiment expressif (mais il l'est !) qu'il cite du *Führer* est celui qu'il a prononcé en 1941, à la veille de l'invasion de la Russie : « Il me semble que je vais pousser une porte sur une pièce obscure et encore jamais vue, sans savoir ce que je vais trouver derrière. »

La lecture de ces deux tomes compacts ressuscite tout à coup si brutalement l'ancien cauchemar que je n'ai pu me résoudre à sortir ce soir pour aller au théâtre, comme j'en étais convenu ; je suis resté rencoigné chez moi, l'esprit flasque et frileux comme un linge mouillé, le cerveau assiégé du volètement des larves et des lémures. J'avais vingt ans quand l'ombre du mancenillier commença de s'allonger sur nous : c'est cette année-là que le nazisme explosa et projeta d'un coup cent-dix députés au Reichstag ; la signification du fait — c'est bien rare — fut comprise et évaluée sur le champ, et son *aura* immédiatement perceptible à presque tout le monde. La montée de l'orage dura neuf ans, un orage si intolérablement lent à crever, tellement pesant, tellement livide à la fois et tellement sombre, que les cervelles s'hébétaient animalement et qu'on pressentait qu'une telle nuée d'apocalypse ne pouvait plus se résoudre en grêle, mais seulement en pluie de sang et en pluie de crapauds.

Puisqu'on parle (avec raison) d'influences qui s'exercent sur les écrivains — on a écrit là-dessus sur moi comme sur les autres — je propose celle-là ; il arrive qu'en cette matière la seule chose qu'on ne voie pas est celle qui crève les yeux. Il y a dans l'Histoire un poète puissant et multiforme, et la plupart du temps un poète noir, qui à chaque époque prend pour l'écrivain un visage neuf, mais qu'aucune majuscule ne désigne, afin d'alerter le critique en mal de sources : il faut savoir le détecter parmi, et au-dessus de tant de souvenirs de lecture actifs, qui n'ont eu parfois pour lui qu'une saison.

*

Allemagne

Moins fasciné peut-être que ne l'était Breton par les *Contes bizarres* d'Achim d'Arnim, j'aime pourtant relire le meilleur d'entre eux à mon goût : *Les Héritiers du Majorat.* Parce qu'il y flotte l'odeur entêtante d'une Allemagne médiévale conservée presque intacte en plein dix-huitième siècle, avant de crouler d'un coup en poussière comme le corps de M. Valdemar. Avec ses *grotesques* surannés, sa défroque féodale, ses nécromants, ses juiveries (même dans Hoffmann on ne retrouve pas cette odeur *sui generis* de siècles moisis sur pied). Mais, plus encore, j'y suis sensible à la singularité du fantastique autour duquel toute la nouvelle est bâtie : celui de la « scène d'intérieur surprise d'une fenêtre en vue plongeante », qui autrefois me retenait, comme par un charme, accoudé de longs moments à mon balcon de la rue Gay-Lussac. La barrière de la rue, moins symbolique que celle de la rampe, moins essentiellement magique aussi, confère pourtant aux scènes muettes qui se déroulent dans un appartement inconnu (scènes muettes auxquelles l'ouïe hallucinée de l'héritier du Majorat superpose dans la nouvelle une sorte de doublage vocal artificiel et mécanique) à la fois une privauté fascinante, dévoilée sur le mode de l'exclusion, et une nuance d'étrangeté très rare, en ce sens qu'au lieu de s'écarter insidieusement du normal, elles semblent en le singeant chercher plutôt désespérément et vainement à le rejoindre. En regardant à travers leurs fenêtres sans rideaux les cinq ou six habitants de l'appartement qui me faisait face passer de pièce en pièce, se regrouper, se séparer incompréhensiblement, mimer soudain tout seuls un aparté fantomatique, j'ai eu souvent le sentiment que la suppres-

ion d'une des manifestations constitutives de la vie (ici la
voix et le son) livrait le théâtre humain à une sorte de
dérive pathétique, contre laquelle ses acteurs luttaient,
comme on lutte parfois en rêve, à la poursuite vaine d'une
rationalité perdue, soudain infiniment plus fragile qu'on
ne l'imagine communément. C'est ce désarroi onirique en
quête d'un ordre intelligible hors de sa portée (contaminé
malheureusement ici par des procédés de terreur plus tra-
ditionnels) qui fait pour moi tout le pathétique glacial des
Héritiers du Majorat : j'y suis rendu sensible non à ce
qu'on s'y éloigne peu à peu, comme dans le fantastique traditionnel, des chemins coordonnés du réel, mais plutôt au
fait qu'à peine quittée par accident la grand'route de la vie
normale, il apparaît brusquement impossible de la rejoindre.

*

Idées et roman : un tel alliage, la littérature allemande
semble avoir plus de peine qu'une autre à l'opérer. Les
réflexions théoriques de Thomas Mann, dans *Tonio Kröger* comme dans *La Montagne Magique*, déchirent le tissu
romanesque et s'épanchent sous forme de hernies disgra-
cieuses — la composition formaliste et démonstrative des
Affinités électives évoque davantage celle de la *Critique de
la raison pure* que celle de la *Chartreuse de Parme*. L'Angleterre proscrit très généralement un pareil alliage ; chez
Dostoïevski se laisse pressentir une réunification révolutionnaire d'un tout autre ordre : c'est l'appareil tout entier
de la fiction romanesque qui bascule chez lui du côté de la

seule aventure des idées déchaînées dans une cervelle.
fusion de la pensée réfléchie et de la pression imagi
tive romanesque, aussi impossible sans doute en derni
analyse que celle de l'huile et de l'eau, c'est dans le s
roman français qu'elle étale toute la variété, toute la sub
lité de ses problèmes et de ses solutions. Et, de ces so
tions, plus que chez Balzac et chez Flaubert, c'est ch
Stendhal et chez Proust qu'on trouverait les p
originales.

*

Une des singularités qui me rebutent dans les romans
Goethe (*Werther* excepté, que j'ai relu sept ou huit fo
c'est la qualité abstraite du tissu du récit, qui traite presq
toujours le monde extérieur comme une épure (on peut l
presque d'un bout à l'autre *Les Affinités Électives*, qui
passent à la campagne, sans y trouver une seule notati
de couleur). Guère de grands écrivains qui soient plus pa
vres que lui, dans la fiction, en *petits détails vrais*. Tout
concret des occupations, des gestes, des attitudes, se for
à peine esquissé, dans un *sfumato* généralisateur et déc
ratif.

J'entends bien qu'il en va de même dans *La Princesse*
Clèves, dans *Adolphe*. Non pas tout à fait, cependa
Dans le roman psychologique à la française, la conventi
initiale est de mettre le monde matériel entre parenthès
purement et simplement. Voilà qui est clair. Mais les *A*
nités Électives viennent après Rousseau et s'en souvi
nent : c'est bien plutôt du côté de la *Nouvelle Héloïse*,

l'écheveau sentimental est tout emmêlé à l'économie domestique, que se situe le roman de Goethe. On ne s'y occupe que de planter, d'aligner, de greffer, de bâtir, de viabiliser, et les passions ne cessent d'y mettre la main à la pâte comme dans un phalanstère fouriériste. Je refuse dès lors qu'on me laisse sur ma faim, qu'on me présente des mains aussi ouvrières s'affairant frénétiquement à des occupations en pointillé, et d'un bout à l'autre du livre je ne vois s'agiter dans leur éprouvette — savamment — que des idées en quête d'incarnation. Il y a dans *Wilhelm Meister* un chapitre qui s'intitule *Saint Joseph II*, et ce nom me semble être un nom symbolique pour maint personnage des romans de Goethe : on voit bien qu'ils se réclament du nom de charpentier, mais ils ne charpentent jamais.

Peut-être ce flou décevant que Goethe organise autour du détail romanesque est-il un réflexe de défense contre la curieuse maladresse qu'il porte dans l'invention concrète, laquelle a toujours chez lui quelque chose d'empesé. Le moindre feuilletoniste a souvent ici une légèreté plus grande. Rien de plus saugrenu et de plus parodique, dans les *Affinités Électives* (quand par exception Goethe se risque à les préciser) que les « activités fécondes » (sic) auxquelles s'adonnent de concert, sans discontinuer, Édouard et le Capitaine : par exemple l'organisation de la mendicité dans le village, avec son bureau d'octroi des aumônes à l'entrée et à la sortie, ou leurs plans d'aménagement raisonné de la nature, qui font songer à Bouvard et Pécuchet devenus jardiniers-paysagistes.

*

Werther. L'efficacité du livre, tout comme le naturel plein de charme où il nous maintient d'un bout à l'autre, tient pour beaucoup à l'atmosphère de bonhomie si *gemütlich* de Noëls en famille, de bals blancs et de tartines de quatre heures où se développe cette passion en vase clos, si éloignée de tout ce qui peut ressembler à un ensorcellement fatal. Point d'autre objet de dilection ici que *l'aînée de la famille*, en laquelle se distille et se concentre le meilleur de ce qui peut fleurir de décence, de gaîté, de prudence, de bienveillance, d'autorité modeste, dans une douce et naïve maison bourgeoise allemande (c'est de sa mère même qu'elle a reçu son fiancé : ainsi se referme hermétiquement autour de Charlotte sa maison-coquillage). L'exclusivisme de la passion ne vient pas se heurter, comme dans le trio classique des drames d'amour, au seul lien trop convenu du mariage, mais à quelque chose qui de naissance nous apparaît ici comme infiniment plus enraciné et plus profond : les crampons, les griffes, les suçoirs, les adhérences par lesquelles la plante humaine en grandissant s'accroche de toutes parts à ses supports naturels. Ce n'est pas seulement, pour que Werther fût comblé, le seul lien des fiançailles avec Albert qu'il faudrait rompre : c'est toute une touffe inextricable de nature sociale qui se trouverait avec le rapt de Charlotte déracinée et arrachée, et telle que rien de ces liens tranchés ne pourrait plus refleurir. Car ce dont Werther est amoureux, ce n'est pas d'une figure féminine idéale et isolée, c'est de Charlotte-au-foyer, éclairée, étayée, étoffée par tout le réseau naturel des liens de naissance et d'habitudes. Ce qui le désespère en elle, ce n'est pas l'être de fuite féminin et insaisissable (Goethe prend bien soin de ne le faire apparaître jamais) c'est le fragment de création indivise qu'on ne peut isoler, qu'on ne peut s'approprier : non pas la tyrannie des règles sociales rebelles aux exigences de la passion : mais la seule loi de nature. Et c'est par là que le panthéisme naturaliste à peine dissimulé qui fait le climat du livre donne un retentissement, une profondeur admirable à ce fait-divers bourgeois d'une petite campagne.

*

Écrivains et penseurs — Spengler en reste pour moi le type — dont on a parfois le sentiment que les ont lus exclusivement ceux qui les ont pillés, et que leur vertu se fait surtout connaître dans le surcroît de vigueur de tout ce qui a fait d'eux sa pâture. Il existe des espèces végétales dont les noyaux ne germent que dans les déjections des frugivores qui s'en sont nourris.

*

La construction du *Tonio Kröger*, de Thomas Mann, reproduit en miniature celle de la *Montagne Magique* : deux segments où la vie narrative circule, séparés par une stase idéologique de fortes dimensions (ici le monologue de Kröger sur l'art, là les interminables discussions théoriques de Settembrini et de Naphta). Il y a une anomalie germanique dans la manière de conduire un récit qui ne me frappe pas moins chez des classiques de tempérament comme Thomas Mann que chez des romantiques comme

Jean Paul. Chez le lecteur exercé comme chez l'écrivain, au-delà du tympan ultra-sensible que sollicitent sans cesse les rythmes courts du vers ou de la phrase, il existe une oreille plus profonde, moins vibrante et plus sommeillante, réglée sur les seules cadences à grande longueur d'onde qui animent et structurent la masse entière d'une nouvelle ou d'un récit. Et tout se passe un peu comme si le don d'une oreille naturellement musicale était compensé chez les Allemands par le retrait d'un autre : celui de l'oreille romanesque. Même chez Jünger, après la merveilleuse justesse de rythme obtenue dans *Les Falaises de Marbre*, le tempo du récit s'enlise dans le magma densifié — mais si riche —d'*Héliopolis*.

*

L'imprécision décorative continue, et une décence bourgeoise appliquée à gommer tous les angles vifs, tout ce qui ferait saillie d'une manière trop énergique, me gâtent *La Vocation théâtrale de Wilhelm Meister*. On dirait que le livre est écrit à distance de son sujet, à cette distance où les plans se fondent les uns dans les autres, et où une vapeur bleuâtre commence à embuer tous les contours. Remarquable est la tendance de Goethe à résorber les noms, avec tout ce qu'ils comportent d'individualité crue, derrière les fonctions, les métiers, les attributs ou les numéros d'ordre de la hiérarchie sociale : « le vieillard », « le directeur », « le comte », « la baronne », « le secrétaire », « le prince », « l'aubergiste », « le magistrat ». Mignon, et un peu Philine, sont les seuls êtres animés qui crèvent la gangue, la croûte rigide dont le commerce social a enrobé et stéréotypé chacun de ceux qui méritent vraiment ici d'être appelés les *personnages* du roman — solennelles, importantes et roides marionnettes dont l'auteur tire les ficelles sans souplesse et sans rien dissimuler de leurs mouvements anguleux.

O Pédagogue des Allemands ! pédagogue que Richard Wagner, trois quarts de siècle plus tard, a voulu être à son tour, le retard incurable de l'Allemagne à rassembler un territoire et une culture a coûté cher à ses artistes les plus grands. Heureusement, pour Wagner, l'instinct tout-puissant du musicien n'était en aucune circonstance décidé à céder le terrain à ses foucades didactiques. Mais rien n'arrête un instant Goethe — Maître Jacques de la culture allemande en gestation — sur le chemin scabreux qui va de l'artiste ultra-sensible de *Werther* à la pesanteur du dernier *Meister*, en passant par la froide épure des *Affinités Électives*. Cas singulier d'un génie contemporain de Napoléon, non pas bénéficiaire, comme lui, mais plutôt victime de la conjonction exceptionnelle des possibles et de l'immensité du terrain à occuper : là où des chances d'expansion individuelle incomparables excitent le conquérant et le politique à tirer le meilleur, et presque l'impossible, de ses facultés, on dirait qu'elles frappent au contraire plus d'une fois l'artiste d'une insensibilité ruineuse à ses dons les plus irremplaçables. Il est rarement avantageux qu'un état d'urgence appelle un écrivain à être à la fois au four et au moulin.

*

Je poursuis distraitement la lecture du *Wilhelm Meister*, roman cotonneux et si excessivement convenable qu'il semble être venu au monde tout langé déjà des brumes de la pudeur. Tout ce qu'il y a de manqué dans *Ofterdingen* vient de ce livre-mancenillier, dont j'enrage, et qui a injecté pour des décennies au récit allemand le ton prudhommesque et parodique des cours lilliputiennes du Saint Empire dans son ultime décrépitude. Sans compter — et cela, c'est à plus longue portée — le legs empesé et indigeste du *roman de formation* dont Flaubert lui-même (mais non Stendhal) a pâti : une de ces tartes à la crème dont il a fallu attendre les films de Mac Sennett pour discerner le bon usage.

Quel beau roman de littérature-fiction il y aurait à écrire : le jeune Goethe précocement attaqué de la poitrine et, au lieu du congélateur de Weimar, s'aiguillant directement sur l'Italie ! Et — *Werther* tout de même et *Goetz* en sont garants — toute l'œuvre du Père Fondateur des lettres allemandes débarrassée par là d'un coup de son arrière-goût de *veau froid mayonnaise*.

*

Il y a dans l'attitude de Wagner vis-à-vis de l'argent quelque chose de Dieu le Père redescendant sur terre pour *faire la manche* en arguant d'une rallonge au sixième jour. Tirer de l'argent des poches où il s'en trouve, comme on met en perce des futailles, de plus en plus d'argent, enfin énormément d'argent, est la forme galopante qu'a prise chez lui la malédiction de l'or. Le goût des robes de chambre en soie de Chine, puis des meubles et des domestiques, puis des palais vénitiens, puis des sanctuaires dramatiques « personnalisés » a certes sa logique de progression propre, mais on sent qu'il a aussi pour fonction cachée de remonter chaque fois la mécanique (si balzacienne) de la fuite en avant, la course de lévrier enragée qui découple en même temps et tient en respect la meute créancière. Un roi de conte de fées qui tombe dans son jeu par magie n'y change rien, que d'élever brutalement le niveau des relances : il y avait là une de ces plaies d'argent qui passent pour non mortelles, sans doute parce qu'elles ont les meilleures raisons du monde de ne mourir qu'avec vous.

Certes, tout n'est pas limpide dans cette vie, il s'en faut. Mais les griefs les plus durs qu'on lui fait sont les moins établis. Son antisémitisme musical, né si longtemps avant l'affaire Dreyfus, ne tirait guère alors à conséquence : vers 1925, il se trouvait des compositeurs pour déclamer contre la musique « nègre » qui n'ont jamais pour autant été interdits d'opéra. Jamais Wagner ne s'est séparé d'un collaborateur ou d'un ami parce que juif : le choix obstiné de Lévi pour conduire son testament musical : *Parsifal*, choix maintenu malgré pressions et lettres anonymes, qui accusaient le chef d'orchestre de coucher avec Cosima, est plutôt noble. Sa culpabilité *par contact* avec Hitler, fanatique de ses œuvres, ne supporte même pas l'examen. Il a signifié le premier, plutôt impérieusement, que le génie avait le droit de formuler certaines exigences matérielles : qui s'en plaindrait ? Et fait monter à des taux inconnus le chiffre des réquisitions de la gloire : infiniment moins tout de même que Picasso.

*

Farci de bizarreries, il faut que le *Second Faust* renferme beaucoup de vers sublimes pour combler à ce point une oreille allemande. Qu'importe ! congestionné de sève, difforme, un peu monstrueux, il croît sur un terrain où il s'établit seul, où toute rivalité s'écarte de lui : non pas un géant qui s'élève au milieu d'une futaie, mais plutôt un baobab isolé dans la steppe. Ainsi font ces plantes (le lin en est une) dont la racine sécrète une toxine expulsant après elles leurs congénères du sol qui les a engraissées. Chefs-d'œuvre de la catégorie hors rang, qui s'accroissent de nous priver de tout élément de comparaison, tout comme ils sont partis à l'aventure sans aucun modèle. La voix des autres grandes œuvres est réverbérée sur elles-mêmes par un écho, parce qu'elles font société avec des œuvres parentes ; c'est alors que leur cri est *répété par mille sentinelles.* Mais ici c'est plutôt le voyage de découverte égoïste qui détruit derrière lui ses repères et redresse ses brisées. Chemins murés, sitôt leur inauguration, de la littérature et de la poésie, coupes à blanc que nulle jachère ne répare, et derrière lesquelles même l'herbe ne repousse pas : dès avant Faust, la *Divine Comédie.*

*

Littérature et cinéma

La part de remplissage neutre, inactif et insignifiant (le

Q.S. d'eau distillée des préparations pharmaceutiques) nulle en principe dans un tableau, dans un poème, et même dans un roman, atteint dans le cinéma à son maximum. Dans l'image la plus rigoureusement composée et expurgée, la plus purement significative, la caméra, dans le cadre de son rectangle, accueille un fouillis d'objets ; bric-à-brac de décorateur, détails paysagistes, scintillements d'eaux, ombres portées, nuages, mouvements de feuilles, qui sont de trop, qui sont seulement *là*, capturés en état de totale non-participation par la pellicule sensible, pareils à ces personnages de Piero della Francesca, souverainement non-concernés, qui tournent le dos à la scène capitale (la couleur, et le goût assez récent du décor naturel, accroissent dans le film considérablement cette part du lion prélevée par la contingence pure, qui nous semble malgré tout plus réduite dans un film de Dreyer ou de Murnau. En ce sens, l'expressionnisme allemand, avec ses décors vigoureusement simplifiés et stylisés — je songe par exemple au *Cabinet du Dr Caligari* — représentait une tentative sans lendemain, mais intéressante, de reconquête de la préméditation plastique sur la saisie à l'aveuglette, le colin-maillard de l'instantané livré à ses hasards).

Le personnage de cinéma, pris dans la gelée de la pellicule, comme l'insecte dans son morceau d'ambre, pêle-mêle avec des feuilles, des grains de sable, des écailles de bourgeons, des fragments d'écorce. Dans cette collision continuelle qu'est un film entre la ligne d'une action dramatique réglée et le donné inerte et sans cohérence d'un morceau de nature brute, ou bien celle-ci, fragmentée et marginale, de *milieu* qu'elle est se trouve réduite à l'état de médiocre faire-valoir, de musique d'accompagnement désaccordée, ou bien, au contraire, ce sont les héros déper-

sonnalisés qui s'avancent submergés de verdure et de branchages comme la forêt de Dunsinane.

Il ne s'agit pas — ridiculement — d'argumenter contre le
cinéma, où j'ai pris et où je continue à prendre de si vifs
plaisirs. Des corrections de lecture, une élision instinctive,
l'habitude prise par le regard de ressouder automatiquement en un seul bloc une image hétérogène dans ses composantes, viennent masquer la contradiction
fondamentale — en tant qu'art — du film, qui est de
dérouler une action humaine prédéterminée (plus rigidement que dans n'importe quel autre art) dans un environnement objectif et sur un fond naturel qui ne le sont pas,
ou, si l'on veut, de juxtaposer à chaque instant et d'emmê-
ler en chaque image deux séries sans affinités entre elles :
celle de la contingence naturelle et celle de la cohésion
impliquée par l'art. Ces deux séries, qui n'entrent pas plus
en combinaison que l'eau et l'huile, le film, qui est mouvement, les brasse et les maintient unies de façon instable, à
l'état d'émulsion. Mais cette union n'est jamais une unité,
et, de temps en temps, même dans les films les plus réussis,
elle se rompt pour quelques instants, chaque fois que
l'image atteint par elle-même à un sommet remarquable,
et remarqué, qui signifie moins une réussite de tournage
qu'une victoire passagère du chasseur d'images sur le metteur en scène. Car, un instant, le courant du récit alors se
fige (dans un roman, il n'y a jamais, *jamais* d'images capables de se fixer sur la rétine, et moins encore qu'ailleurs
dans les descriptions) et c'est la singularité du monde brusquement captée qui émerge seule, étrangère et toute-
puissante, interposant dans la dynamique du récit un
point d'orgue, une cassure moins brutalement dissonante,
mais tout aussi inharmonieuse que le fameux coup de pis-
tolet tiré dans un concert.

*

Malraux se demande dans un de ses livres s'il pourra
exister un jour une culture basée sur la cinémathèque,
comme la culture traditionnelle l'est sur la bibliothèque.
La réponse à cette question dépend sans doute d'un seul
problème : le souvenir qu'on a d'un film peut-il — pourra-
t-il ? — se mêler naturellement à titre de commentaire, de
stimulant, de contrepoint, à notre « vie intérieure », à nos
rêveries, à notre fabulation, à notre théâtre intime, sous la
forme infiniment souple de l'allusion, de l'extrait ou du
comprimé ? Le goût profond qu'on a d'un film se traduit
par le besoin de le revoir, mais celui qu'on a pour un livre
n'est pas lié, on ne l'est qu'épisodiquement, au besoin de le
relire. Quand il s'agit d'un grand livre, beaucoup plus aisément que lorsqu'il s'agit d'un grand film, pour la mémoire
affective la partie — et même une minime partie — évoque
le tout, et le tout est présent dans la partie. Car le style de
l'écrit est une voix, le style dans un film plutôt une certaine
constante personnelle dans la conception, puis dans l'as-
semblage (il n'y a pas un seul élément de son art, ni visuel,
ni auditif, ni même rythmique, dont le cinéaste soit maître
au premier degré, comme l'écrivain l'est de ses mots, et le
musicien de ses notes).

Tout film, si magnifique soit-il, garde ainsi, à la sortie de
sa chaîne de production, le caractère d'un objet manufac-
turé, à prendre ou à laisser tout entier ; non soluble dans le
souvenir ou la rêverie, cerné du contour net et isolant de
ses images péremptoires et de ses cadrages rigides, il est —
si j'ose risquer cette expression — *non psychodégradable*,

« un bloc » qui peut certes s'enkyster dans le souvenir, mais qui ne s'y dilue, ne l'imprègne et ne l'ensemence pas. Peut-il y avoir culture là où il y a seulement kaléidoscope de la mémoire, et non pas travail actif de l'esprit sur l'objet qui l'a requis — travail actif, c'est-à-dire digestion, assimilation, incorporation finale ?

*

La transcription cinématographique d'un roman impose brutalement au lecteur, et même à l'auteur, les incarnations pourtant très largement arbitraires qu'elle a choisies pour chacun des personnages ; ce n'est qu'avec le temps que le texte éliminera les visages trop précis que le film lui surimpose, et qui ne sont pas de sa substance. Comme elles sont fragiles, les défenses que la fiction écrite oppose à ces images substituées qui la violent — et combien leur résistance, pour s'organiser, a besoin d'abord, très largement, de céder du terrain ! Les droits de l'image cinématographique, par rapport au texte littéraire, sont à peu près ceux que la présence « qui ne laisse jamais proscrire ses droits immenses » exerce dans la vie aux dépens des irréels à la fois flous et tenaces que sont l'anticipation, le regret et le souvenir. Puis, une fois que le film s'est absenté, le peuple des mots, peu à peu, comme le travail d'une fourmilière, revient ronger et digérer les images péremptoires et périssables qui l'offusquaient. Je me souviens d'avoir vu autrefois au cinéma *Le Rouge et le Noir* et *La Chartreuse de Parme*. Dans les deux adaptations jouait Gérard Philipe, et, pendant quelques semaines, bon gré

nal gré, en dépit du génie stendhalien et de la médiocrité
des films, son image vint se superposer au texte, inexpulsa-
ble. Puis une séparation peu à peu s'opéra ; il m'arrive
encore à l'occasion, distraitement, d'évoquer Gérard Phi-
ipe «dans La Chartreuse», mais je ne le vois plus que
comme un jockey démonté qui tient en mains devant les
balances, emblématiquement et un peu dérisoirement, ses
étriers et sa selle. Le livre s'est secoué de lui, et, libre, il
galope bien loin.

*

Quand on compare un film tiré d'un roman au roman
lui-même, la somme quasi-infinie d'informations instantanées que nous livre l'image, opposée à la parcimonie, à la
pauvreté même des notations de la phrase romanesque
correspondante, nous fait toucher du doigt combien l'efficacité de la fiction relève parfois de près des méthodes de
l'acupuncture. Il s'agit en effet pour le romancier non pas
de saturer instantanément les moyens de perception,
comme le fait l'image, et d'obtenir par là chez le spectateur
un état de passivité fascinée, mais seulement d'alerter avec
précision les quelques centres névralgiques capables d'irradier, de dynamiser toutes les zones inertes intermédiaires.

*

La transposition d'un roman à l'écran, quand elle est par exception minutieusement fidèle, pourrait figurer un jour parmi les scalpels les plus acérés dont dispose pour sa dissection la critique littéraire, au même titre presque que la radiographie des toiles de peintre pour la peinture. Tous les effets que j'appellerai « de majoration par omission », si fréquents dans le roman (par exemple l'attention braquée par le texte, dans une scène à multiples personnages, sur un ou deux seulement des protagonistes) y sont mis en relief par contraste avec un grossissement de microscope. Car la caméra centre bien, elle aussi, l'attention du spectateur et la circonscrit comme le cercle lumineux d'une lampe, mais, à l'intérieur de ce cercle, ou plutôt de ce rectangle, elle n'élide rien, tandis que la plume, elle, y promène capricieusement au gré de l'écrivain un de ces *spots* punctiformes, à luminosité concentrée, qui servent aux démonstrateurs à souligner sur l'écran aux images un détail ou une particularité significative.

Sur un autre plan, la transposition à l'écran peut permettre de serrer de plus près le rôle multiforme que joue la description dans le roman. Il y a dans l'image photographique une franchise sans détours (elle ne *gomme* rien) qui proscrit — et par là dénonce — un des procédés descriptifs les plus retors de la fiction, qui est le détail, allusif ou révélateur, glissé furtivement dans la description comme la fausse carte par la main de l'escamoteur. Si on filme *La Chute de la Maison Usher*, la fissure qui zèbre la bâtisse du haut en bas s'exhibera aussi innocemment sur l'écran que le nez au milieu du visage, tandis que la plume de Poe en laisse négligemment zigzaguer le sillage en fin de phrase : ce n'est plus un constat de décrépitude, c'est la flèche du Parthe, un aiguillon urticant qui se fiche dans l'esprit.

Tous les signes qui figurent dans l'image parlent directement, disposés qu'ils sont d'entrée sur un même plan, et
parlent ,net ; ils décèlent par là d'autant plus clairement
dans le langage du romancier, toujours par contraste,
l'usage non seulement de plusieurs clés, comme dans le
langage musical, mais encore d'un chromatisme continuel,
sans compter, pour chaque signe séparé, l'usage de dièses,
de bémols et de bécarres que la syntaxe répartit à l'envi. Il
existe une musicalité du texte — l'art visuel qu'est le
cinéma en fournit la preuve par défaut — mais elle ne
consiste pas en une lutte avec la richesse et la plénitude
inégalable de l'art des sons et des timbres ; elle existe plutôt
à l'état latent dans son aptitude aux accords complexes
entre les différents plans de l'écriture qui, pour être successifs au lieu de simultanés, ne s'en superposent pas moins
l'un à l'autre comme fait une construction sonore.

C'est l'inexistence de la simultanéité formelle dans le
texte, où tout est successif, qui écarte d'habitude un rap-
prochement de cet ordre entre la musique et l'écriture ;
mais c'est faire là bon marché d'une propriété remarquable de l'écrit. La possibilité de la littérature, et particulièrement de la poésie et de la fiction, repose sur une persistance dans l'esprit des images et des impressions mises en
branle par les mots infiniment supérieure en durée à la
persistance des impressions lumineuses sur la rétine, ou
sonores sur le tympan. Quelquefois j'ai rêvé d'une machine
qui pourrait mesurer, dans l'esprit d'un lecteur, la persistance d'une image forte *sur sa lancée* : nul doute qu'elle
révèlerait que, pour certaines, le lecteur les a gardées jusqu'au bout de sa lecture « entreposées dans les caves de son
esprit, où elles s'améliorent. »

Il se créerait donc, dans l'esprit du lecteur de roman et

pendant sa lecture, toute une stratification du souvenir, l'opération de la lecture consistant peut-être d'abord à replier en plans superposés, comme une pièce d'étoffe, tout ce qui est fourni de matériaux le long d'une série linéaire. Même les voix et les mimiques de deux interlocuteurs qui dialoguent, si naturellement inséparables à l'écran, font l'objet dans la lecture d'un réassemblage, d'une synchronisation *a posteriori* qui est une opération complexe de l'esprit, et qui d'ailleurs, ici, contrairement à ce qui passe pour la description, fait que le roman cède le pas au film pour tout ce qui concerne l'efficacité dramatique.

Quand je vois se dérouler sur l'écran une histoire que j'ai connue d'abord par la lecture, ce qui m'apparaît le plus clairement, c'est que les images, contrairement à celles qui naissent des mots et des phrases, n'y sont jamais affectées de coefficients de valeur ou d'intensité : cadrées et circonscrites par l'écran, de façon à ce que les rayons lumineux qu'elles émettent frappent l'œil à peu près à la perpendiculaire, la règle qui préside à leur distribution sensorielle est strictement égalitaire. Il suffit, pour cerner cette singularité, d'imaginer un cinéma où, à côté de la scène qui se déroule au droit du champ optique, d'autres scènes ou d'autres paysages, voisins ou différents, seraient perçus vaguement et simultanément à la dérobée ou en profil perdu, du seul coin de l'œil — tantôt anticipant sur l'avenir, tantôt revenant vers le passé, et toujours nuançant, colorant, contestant, neutralisant ou renforçant les scènes qui se jouent sur le seul écran prioritaire. Ce domaine des marges, distraitement mais efficacement perçues, ce domaine du *coin de l'œil*, c'est — pour compenser d'autres infériorités, telles que la moindre efficacité dramatique directe, le moindre sentiment de présence, le flou élastique propre aux images qui naissent de la littérature — presque toute la supériorité de la fiction écrite. L'écran ne connaît ni le signe *plus* ni le signe *moins*, il ne se sert que gauchement, par des ruptures de plans brutales, du signe *ailleurs*, et il est beaucoup plus malhabile que la littérature à affecter les images qu'il déroule du signe de l'*in*-fini.

*

Quand je relis *Les Chouans*, à côté de beaucoup d'autres prestiges qui renaissent intacts de cette lecture, je suis sensible, plus que je ne l'avais été jusque-là, à la qualité panoramique tout à fait singulière qui distingue le livre. Plus d'une fois, en le lisant, on a l'impression qu'on observe à la verticale un district entier, avec ses bourgades et son réseau de chemins, du haut d'un de ces hélicoptères qui surveillent le dimanche les courants de la circulation. Ainsi toute la première partie se déroule-t-elle comme un *travelling* aérien spacieux où, par un mouvement continu, on passe de la cuvette du Couësnon, en franchissant la crête de la Pèlerine, à un autre compartiment de terrain ample et isolé où — le champ visuel se doublant d'un contre-champ sonore particulièrement expressif — s'annonce dans le lointain de la route la *turgotine* qui vient d'Ernée, cependant que résonnent encore derrière la Pèlerine les tambours de la garde nationale retournant à Fougères. Plus d'une fois, le point de vue surplombant où se place ici presque constamment Balzac lui permet de surprendre et de faire vivre dans leur simultanéité les mouvements coordonnés ou contrariés qui sont le flux même et le reflux de la guerre des haies, et d'animer de part en part ce coin de Bocage aussi intensément que les abords d'une fourmilière. La singularité panoptique que présentent les scènes de plein air ne comporte guère d'exceptions : que ce soit la route de Fougères à Ernée du début, qui paraît être observée du haut d'un ballon captif ancré au sommet de la Pèlerine, l'assaut de Fougères contemplé par Marie de Verneuil du haut des rochers de Saint-Sulpice, ou l'épisode final, non seulement totalement cerné par le regard circulaire de l'auteur, mais encore observé à la fois de haut en bas et de bas en haut (de nouveau, plongée et contre-plongée !) presque tout, dans le livre, annonce une prescience, et déjà une utilisation littéraire efficace, de l'ubiquité mécanique des points de vue qui sera un des apports du seul cinéma. Les paysages contemplés d'un lieu élevé sont, on le sait, une des obsessions de Stendhal, mais il ne s'agit chez lui que d'observatoires fixes : le travelling aéropanoramique, c'est Balzac qui a eu le mérite de l'inventer, dans *Les Chouans*.

*

Tout est bloqué, tout est inhibé, quand je vois projeter un film, de mes mécanismes d'admission et d'assimilation, d'autorégulation mentale et affective : ma passivité de consommateur atteint à son maximum. Ni du détail infime de la plus fugitive image il ne me sera fait grâce, ni d'un quelconque raccourci, fût-il de quelques secondes, dans le rythme selon lequel le film m'est administré. Pour

mesurer le total refus de collaboration qui m'est signifié
quand j'entre dans une salle obscure, il faudrait imaginer
en musique (et la musique est de loin l'art où la passivité
requise de l'auditeur atteint son comble) une œuvre qu'on
ne pourrait entendre que dans un enregistrement unique.
Cette liberté, si essentielle pour faire vivre la relation de
l'amateur à l'œuvre d'art : la liberté de choisir, puis de faire
varier à volonté l'angle d'attaque d'une œuvre sur une sensibilité, le septième art, le dernier venu, n'en laisse plus rien
survivre. Tous les appareils délicatement actifs et régla-
bles, par lesquels j'ai coutume d'appréhender le monde
extérieur, le film, d'autorité, les met au *point fixe*, immobi-
lisant mon œil comme le pavillon de mon oreille, me blo-
quant dans mon fauteuil : le spectateur des salles obscures
est un homme amputé de tous ses mécanismes physiques et
mentaux d'accommodation. Il y a dans l'intimation que le
cinéma adresse à ses adeptes : *Fixez l'écran, nous nous
chargeons du reste*, un excès de prévenance, méprisante et
aliénante, qui fait les quatre cinquièmes du chemin au-
devant de l'usager.

Le film est, de toutes les œuvres d'art, celle qui laisse le
moins de carrière au talent de ses consommateurs (la prin-
cipale différence qu'il tolère entre eux est la facilité de lecture plus ou moins grande apportée à son écriture
elliptique — facilité purement mécanique qui naît de l'habitude, comme pour la lecture de la sténographie).

Un grand roman, un grand poème, comme un col alpes-
tre dans une course cycliste, égrène pour commencer le
peloton de son public (mais un jour viendra où les attardés
rejoindront) un film rassemble plutôt le sien d'emblée
(mais seulement pour le laisser maigrir peu à peu). Le phénomène, classique en littérature, de l'accès progressif,

ménagé par le temps, du public à un chef-d'œuvre, ne joue guère pour le cinéma : pour lui ni *Livre de Poche*, ni *Classiques Garnier* : les années qui passent n'apportent pas de nouveaux points de vue sur lui, n'amènent pas au jour des virtualités inaperçues ; elles le démodent ; ce à quoi une cinémathèque ressemble le plus, c'est certes par un côté à une bibliothèque, mais par un autre aussi à un musée de l'automobile. Dans un tel musée, on admire çà et là de merveilleux modèles, dont les formes et les trouvailles techniques semblent même parfois enjamber les années et pressentir l'avenir, mais l'admiration qu'on leur accorde reste serve de la chronologie : ce qui est venu ensuite, même moins réussi, les déclasse formellement ; s'installer à leur volant ne peut relever que du travestissement et de la parodie : tout en eux ressuscite autour d'eux agressivement leur époque en tant qu'elle est différente de la nôtre et à jamais datée, alors que le lecteur d'un roman de qualité gomme automatiquement par sa lecture de tels anachronismes. On peut certes admirer en 1977 (et j'admire, ô combien !) le *Cuirassé Potemkine*, *Nosferatu* ou *La rue sans joie* — nul ne peut nier que le charme — puissant — qu'ils dispensent a quelque chose de celui d'un petit monde d'autrefois et de ses robes surannées. Nul ne peut se vanter d'avoir à eux aujourd'hui le même accès de plain-pied qui nous est accordé chaque fois que nous rouvrons un des grands romans du siècle dernier. Et qu'on retrouve même dans un musée de peinture en face d'un primitif.

*

Le massif romanesque du dix-neuvième siècle, tel qu'on en découvre en 1978 le panorama, avec ses trois sommets neigeux : Balzac — Stendhal — Flaubert, et, un peu inférieur en altitude, le pic Zola, n'avait pas tout à fait, au temps de mes études, la même configuration (Stendhal n'y prenait place que pour les yeux exercés, et Daudet y figurait presque). Il n'est pas impossible, loin de là, qu'il change encore sensiblement d'aspect dans les vingt années à venir. L'intronisation, aujourd'hui acquise, de Tolkien comme de Simenon dans le tableau de la littérature contemporaine, en élargissant brusquement les limites du roman « noble », va amener rétroactivement dans celui du XIXe la promotion de Dumas comme elle a amené celle de Jules Verne (pourtant presque aussi impensable à sa manière, il y a trente ans encore, que l'était pour le siècle dernier la réintégration de Sade dans la littérature du XVIIIe). Cette promotion brusque et massive, dans la littérature, de toutes les variantes de sa marginalité, est une des nouveautés du regard critique contemporain : le pouvoir égalisateur du cinéma, qui va puisant ses scénarios indifféremment, et avec des résultats équivalents, dans l'une et l'autre catégorie, n'y joue pas un rôle mineur. Le roman populaire qui trouve accès au cinéma ou à la télévision n'y gagne pas exactement, certes, des lettres de noblesse ; il y acquiert du moins le genre de promotion que valent des relations occasionnellement égalitaires avec le *gratin*. Un terrain maintenant existe, avec l'écran, où, sous un uniforme inattendu, des genres se tutoient qui ne se *parlaient* jamais, et la littérature en est changée en profondeur, comme la société s'est trouvé l'être le jour où le service obligatoire a expédié tous les Français à la caserne.

Car toujours l'adaptation à l'écran dessert les grands

livres, mais la pure ingéniosité dans l'invention romanesque, qu'un style et qu'une vision originale du monde ne soutiennent pas dans l'œuvre écrite, acquiert parfois dans sa transposition en images une vigueur décisive, qui vient en régénérer après coup la lecture : plus d'une fois la bonne fée de la caméra, rien qu'en mettant en congé l'écriture, a conduit Cendrillon au bal. Et le cinéma, qui dévore les livres sans les trier, change un peu, quoi que nous en ayons, par sa boulimie sans discernement notre approche de la fiction écrite : l'efficacité d'une structure inusable, qui ne perd rien, au contraire, à passer du monde des mots à celui des images, raccourcit le temps de purgatoire auquel le goût lettré condamnait *Les Trois Mousquetaires*, rend un prestige nouveau aux œuvres un peu grosses, mais *bâties à chaux et à sable*, qui peuvent changer d'élément sans cesser de fonctionner. Avec notre époque, où toute conception d'art est sollicitée par une incarnation double, triple, et peut-être bientôt quadruple (Mme Marguerite Duras déjà tire d'un même sujet couramment un roman, une pièce de théâtre et un film) je crois parfois voir s'annoncer le temps où un *plus* décisif s'attachera aux œuvres migrantes, à celles qu'une forme d'expression unique ne suffira plus à emprisonner. *Le Trompeur de Séville*, modèle initial de *Don Juan*, conçu à l'époque du cinéma, aurait conservé à Tirso de Molina une paternité éminente dont il a été dépouillé intégralement par Molière et Mozart. Il y a dans la littérature classique une spoliation abusive de l'inventeur par l'artiste achevé qui s'institue son usufruitier : cette spoliation, le temps du septième art ne la permet plus.

*

Surréalisme.

Rêve et mémoire. La nature volatile des rêves fait que
pour eux, comme pour l'électricité, c'est : sitôt produit,
sitôt consommé ; leur longévité au réveil dépasse à peine
celle de l'image du fil incandescent sur la rétine, quand on
abaisse l'interrupteur. S'il existait une vraie mémoire onirique, capitale serait leur fonction dans notre vie, dont ils
polariseraient l'affectivité, fixeraient d'un jour à l'autre au
réveil la tonalité dominante, comme une toute-puissante
clé musicale. Mais cette mémoire n'existe pas, sinon
comme la carcasse noircie d'une pièce d'artifice mise à feu ;
les récits de rêve, dont le surréalisme commençant a beaucoup usé, et dont Marguerite Yourcenar a donné autrefois
un recueil estimable dans *Les Songes et les Sorts*, décri-
vent de l'extérieur une chaîne de *conducteurs* que le courant, d'une fantastique instabilité dans le voltage, ne
traverse plus. Le surréalisme n'a pu prendre les rêves pour
guides que parce qu'il a toujours tenu, sans le dire, la
mémoire en haute suspicion : obstacle à la disponibilité
totale de l'être, dont il souhaitait qu'à chaque instant il pût
se laisser ouvrir jusqu'au fond ; il fallait de moment en
moment tout brûler, même les meubles, *surtout les
meubles.*

*

Histoire-et-Géographie : le lycée (il arrive qu'une simple alliance de mots toute faite, stéréotypée au point d'en devenir invisible, vous renseigne sur vous-même) a lié pour moi ce couple de bonne heure, presque aussi solidement que le couple de l'espace et du temps. De l'espace et du temps, ils ont été pour moi, de manière élective, le vrai contenu émouvant, le seul qui, inépuisablement, m'apprêtait à rêver. Libéré à la fois de toute chronologie vraie, comme de toute morphologie géographique orthodoxe, c'est leur *continuum* épuré, réduit à ses purs linéaments dramatiques, qui sert de substrat au *Rivage des Syrtes*, tout comme il emprisonne *La Route*. A côté de tant de manières de sentir que j'avais en commun avec lui, l'exigence de ce qui est resté pour moi les vraies «formes a priori de la sensibilité» m'écartait intimement du monde de Breton, pour qui la Terre était une arche de Noé inépuisable en prodiges naturels, pour qui l'histoire «*tombait* au dehors comme la neige». Comme la Terre et comme l'Histoire ont peu compté pour Breton, pour Gide, pour Valéry, pour Proust — sans parler de Claudel, qui ne connaît que la planète sans rides de la Genèse, et que la politique tirée de l'Écriture Sainte ! Il n'y a qu'avec le seul Malraux, que je n'aime guère, qu'on peut se trouver là-dessus quand on le lit en terrain de connaissance.

*

Ce qu'il y avait de vibrant — pour reprendre son vocabulaire — dans les refus de Breton, venait, j'en ai eu souvent le sentiment, de ce qu'ils étaient conquis plus d'une fois sur une secrète complaisance, non tout à fait abolie, à ce qu'il refusait, ou plutôt se refusait. Plus que son opposé Valéry, si dédaigneusement étranger à ce qu'il rejette, il était riche, comme presque tous les bons gouvernements de combat, de quelques utiles et secrètes intelligences avec l'ennemi.

*

Chez André Breton. Les deux pièces, décalées en hauteur par un court escalier, même par les jours de soleil et malgré les hauts vitrages d'atelier, m'ont toujours paru sombres. La tonalité générale, vert sombre et brun chocolat, est celle des très anciens musées de province — plus qu'au trésor d'un collectionneur, le fouillis, impossible à dépoussiérer complètement, des objets aux reliefs anguleux, objets presque tous légers : masques, tikis, poupées indigènes où dominent la plume, le liège et le bouchon de paille, fait songer à première vue, avec ses armoires vitrées qui protègent dans la pénombre une collection d'oiseaux des tropiques, à la fois à un cabinet de naturaliste et à la réserve, en désordre, d'un musée d'ethnographie. Le foisonnement des objets d'art cramponnés de partout aux murs a rétréci peu à peu l'espace disponible ; on n'y circule que selon des cheminements précis, aménagés par l'usage, en évitant au long de sa route les branches, les lianes et les épines d'une sente de forêt. Seules certaines salles du Museum, ou encore le local sans âge qui hébergeait la Géographie dans l'ancienne faculté de Caen, m'ont donné une telle impression de jour pluvieux et invariable, de lumière comme vieillie par l'entassement et l'ancienneté sans date des objets sauvages.

Rien n'a changé ici depuis sa mort : dix ans déjà ! Quand je venais le voir, j'entrais par la porte de l'autre palier, qui donnait de plain-pied sur la pièce haute. Il s'asseyait, la pipe à la bouche, derrière la lourde table en forme de comptoir sur laquelle le fouillis des objets déjà débordait — à sa droite, alors au mur, le *Cerveau de l'Enfant* de Chirico — peu vivant lui-même, peu mobile, presque ligneux, avec ses larges yeux pesants et éteints de lion fatigué, dans le jour brun et comme obscurci par des branchages d'hiver — figure ancienne et presque sans âge, qui siégeait devant sa table d'orfèvre et de changeur, semblant appeler autour d'elle les lourdes pelisses qui peuplent le demi-jour des tableaux de Rembrandt, ou la simarre du docteur Faust : un docteur Faust toujours à l'écoute passionnée de la rumeur de la jeunesse, mais seulement jusqu'au pacte — exclu — et tous les soirs faisant retraite entre ses tableaux, ses livres et sa pipe, après le *café*, dans le capharnaüm peuplé de nécromant qui était son vrai vêtement, au milieu du sédiment accumulé et immobile de toute sa vie. Car tout, dans l'*intérieur* — et une seule visite suggérait de laisser au mot toute sa force — de ce fanatique de la nouveauté, parlait d'immobilité, d'accumulation, de la poussière ténue de l'habitude, du rangement maniaque et immuable qu'une servante hésite à troubler. J'ai quelquefois cherché avec curiosité à m'imaginer (mais Élisa Breton, qui seule pourrait le faire, ne lèvera pas ce voile) les soirées, les matinées de Breton chez lui, de Breton seul — la lampe allumée, la porte close, le rideau tiré sur le théâtre de *mes amis et moi*. Bien des raisons me laissent croire (dernièrement un petit carnet qui renferme des dessins, de autoportraits, des adresses fantaisistes de lettres, des phrases qu'il notait au réveil) que c'est à ces heures supposées du travail solitaire qu'il accueillait de préférence les riens charmants de la vie, crayonnant, musant, butinant dans les taillis de son musée, et toujours prêt à retarder souverainement le moment peu ragoûtant d'écrire. Ce goût qu'il avait de la vie immédiate jusque dans ses dons les plus ténus, jusque dans ses miettes — goût toujours neuf et renaissant, toujours ébloui, même dans le grand âge — rien ne me le rendait plus proche ; rien n'était plus propre que cette attention inépuisable donnée aux *bonheurs-du-jour* à faire vraiment avec lui à tout instant fleurir l'amitié. Je songe aux farouches et arides élucubrateurs qui sont venus après lui, dérisoirement occupés à refaire sur concepts — comme on achète sur plans — un monde préalablement vidé de sa sève et qu'ils ont commencé par dessécher sur pied, justiciables par là du mot de Nietzsche : « Le désert s'accroît. Malheur à celui qui porte en lui des déserts. » C'est quand la luxuriance de la vie s'appauvrit que montrent le bout du nez, enhardis, les faiseurs de plans, et les techniciens à épures ; après quoi vient le moment où il ne reste plus qu'à appauvrir la vie davantage encore, pour en désencombrer la planification. Il y avait ici un refuge contre tout le machinal du monde.

*

C'est la violente antinomie entre la nature des moyens intellectuels et littéraires de Breton et le contenu de son esthétique qui fait souvent le pouvoir de ses livres. Chez

Péret, où la *voix surréaliste* ne se heurte à aucune structure acquise, et semble parler dans sa langue originelle, cette voix ne fixe pas l'attention, mais la prédication de Breton dispose, paradoxalement, de ce supplément de vigueur impérieuse et presque anxieuse qui s'ajoute d'habitude à la voix des convertis. Il fait l'effet bien souvent — dans ses intransigeances, ses surenchères, la roideur fulminante de son orthodoxie — d'être le Saint Paul du surréalisme plutôt que son fondateur. Et il ne laisse jamais oublier qu'il y a eu dans sa vie la césure fondamentale d'un Avant — Après — un « vieil homme » à conjurer, toujours renaissant, toujours présent dans ses lectures, ses goûts, ses amitiés. Sa manière d'être, si ostensiblement tout d'une pièce, tenait à une reconquête sourcilleuse et toujours recommencée : « D'un système de pensée que je fais mien, auquel je m'adapte tant bien que mal, et qui s'appelle le surréalisme, s'il reste, s'il restera toujours de quoi m'ensevelir, tout de même il n'y aura jamais eu... »

*

Passé la période de révélation et d'enthousiasme de ses débuts, le surréalisme était destiné, inéluctablement, à entrer en composition avec les manières de sentir, les façons de vivre, les façons d'écrire préexistantes, parce que toute sa mise initiale était placée sur des conjonctions d'une rareté exceptionnelle, presque aussi lentes à se reproduire que des conjonctions d'étoiles, et qu'il ne pouvait à la longue prétendre lire dans le livre de la vie à la seule lueur des éclairs (le mérite singulier de *Nadja* est de parvenir presque à faire croire, par le charme puissant d'une écriture, que de telles conjonctions peuvent être d'une fréquence assez serrée pour former le tissu d'une vie). Mais, entrer en composition, c'est ce que Breton n'acceptait pas, n'accepta jamais. Son problème, dans la mesure où il a voulu instituer le surréalisme comme une manière de vivre autonome et close, a été de faire fonctionner à plein temps un mode de vie qui en dernière analyse ne reposait que sur le miracle, par définition plus qu'intermittent. De là tout ce qui, dans le surréalisme de groupe, nous apparaît avec le recul du temps, selon qu'on est bien ou mal disposé pour lui, soit comme succédanés ingénieux, soit comme activités bouche-trou : jeux, enquêtes, scandales, expériences variées, expéditions punitives, adresses, papillons, cadavres exquis, etc. En ce sens, l'entrée de « la Révolution », vers 1925, dans la vie surréaliste, apparaît après coup inévitable : elle seule pouvait d'une façon stable, dans l'intervalle des miracles, alimenter une température d'exaltation dont Breton se berça longtemps de l'illusion qu'elle était du même ordre, et peut-être la même, que celle que provoquaient, quand ils voulaient bien se démasquer, les feux du Graal surréaliste. En fait, le surréalisme ne fut jamais mis au service de la Révolution (ici le parti communiste ne se trompait pas) ce fut l'inverse : la Révolution politique resta un ersatz pour les jours *sans*, pour les jours ouvrables, et il demeura toujours au fond parfaitement clair pour Breton qu'elle ne serait jamais admise à empiéter sur les vrais dimanches de la vie.

*

Langue

J'ai quelquefois le sentiment que, si la langue française continue à évoluer de façon naturelle (ce que je crois peu probable, à cause de la contamination anglo-saxonne toujours croissante) elle tendra vocalement à se rauciser. Le *r* est sa consonne la plus originale, et, peut-être, de tout son registre, le son secrètement préféré par ses usagers. Aucune ne donne à la phrase prononcée des appuis et des étais plus assurés — aucune ne consolide mieux l'articulation du français : l'envie nous vient instinctivement de la prodiguer. Je suis bien souvent frappé par l'usage préférentiel qu'en fait Claudel, par exemple, dans le tri de son vocabulaire (« Et le fleuve... n'arrose pas une contrée moins déserte que lorsque l'homme, ayant perforé une corne de bœuf, fit retentir pour la première fois son cri rude et amer dans les campagnes sans écho » — *Connaissance de l'Est*). J'ai plus de plaisir à prononcer *tartre* que *tarte*, *martre* que Marthe. Et ce n'est pas le Père Ubu — grand expert en matière de déformation spontanée de la langue — qui me démentira.

*

J'ai toujours eu tendance, quand j'écris, à user de l'élasticité de construction de la phrase latine, ne me souciant que de façon très cavalière, par exemple, de la proximité du pronom relatif et du substantif auquel il renvoie. Et guère davantage du certificat d'état-civil, au sens étroitement grammatical, qu'on exige du pronom personnel *il* ou *elle*. C'est le libre mouvement orienteur de la phrase qui me guide, et non les solides sutures de la syntaxe française, qui veut qu'on rapproche toujours étroitement les deux bords avant de coudre. Le puriste a le droit de faire la grimace, mais il me semble que le lecteur ne manque pas de s'y reconnaître. C'est pour certains le génie de notre langue de n'ajuster sa phrase que par boutons et boutonnières, et de traquer à mort l'amphibologie, avant tout à titre de *laisser-aller*. Et si ma pente naturelle est de donner à chaque proposition, à chaque membre de la phrase, le maximum d'autonomie, comme me le signale l'usage croissant des tirets, qui suspendent la constriction syntaxique, obligent la phrase à cesser un instant de tendre les rênes ? Proust ici a fait beaucoup pour nous, en œuvrant pour un *continuum* de prose débarrassé de l'obsession de la suture, plus soluble dans l'esprit, et où la différence de valeur et même de sens entre les signes de ponctuation tend à s'amenuiser. Mais son merveilleux travail au crochet, où chaque maille se lie souplement, non seulement à la précédente et à la suivante dans l'ordre de fabrication, mais aussi transversalement, au-dessus et au-dessous d'elle, à toute la texture du tissu dans sa masse, retire en même temps quelque chose à la temporalité dramatique, au mouvement d'écoulement sans retour de la prose, lequel rejette au fur et à mesure à la solidification inerte le *vient d'être dit*, et ne vit plus à chaque instant que par la pointe décisive de sa tête chercheuse.

*

Le langage : véhicule antédiluvien, surtout dans ses vocables abstraits, jamais révisé dans son ensemble, rafistolé au long des siècles de bric et de broc, toujours farci de pièces détachées d'importation qui s'ajustent plutôt mal que bien avec sa structure générale. Immense potentiel artistique — irremplaçable — à cause de l'ancienneté de son usage, des multiples connexions internes et anastomoses nerveuses délicates qui s'y réveillent au moindre attouchement un peu sensible, et en font une texture fondamentalement vibrante, un instrument à harmoniques : la connaissance de son maniement, produit d'un long usage, d'une passion invétérée et d'un instinct alerté de ses automatismes cachés, de ses *liaisons enterrées*, a plus d'une chose à voir avec la patiente et lente science érotique, la patiente et lente science médicale de la Chine. Des questions théoriques qu'il soulève, contrairement à presque tout le bel air de la littérature d'aujourd'hui, je me suis peu préoccupé, non que je croie le moins du monde à la validité de son ajustage au réel, mais pour la raison pragmatique qu'il s'agit là d'un « problème » ne promettant à l'usage que je suis aucune « solution » qui porte conséquence en quoi que ce soit. Pourquoi donner l'envol à une grue métaphysique de plus ? Nul moyen de communication autre que la langue qui m'est donnée — sinon peut-être un jour par la lente érosion, surrection et sédimentation du temps — n'est concevable qui n'augmente la cacophonie mentale et ne se prive en même temps faute de long usage (comme l'espéranto) de tout le caprice et de tout le moelleux de ses harmoniques : je fais avec ce que j'ai.

*

Ce qui commande chez un écrivain l'efficacité dans l'emploi des mots, ce n'est pas la capacité d'en serrer de plus près le sens, c'est une connaissance presque tactile du tracé de leur clôture, et plus encore de leurs litiges de mitoyenneté. Pour lui, presque tout dans le mot est frontière, et presque rien n'est contenu.

*

Je n'ai jamais perdu le souvenir de ma première classe de français, quand j'entrai en rhétorique. Notre professeur, qui s'appelait Legras, maigre et long comme un échalas, féru de poésie, comme on disait alors, et sachant la faire comprendre, nous donna à décortiquer pendant une bonne demi-heure, pour nous faire les dents, une phrase de La Bruyère qui m'est restée en mémoire : « A mesure que la faveur et les grands biens se retirent d'un homme, ils laissent voir en lui le ridicule qu'ils couvraient, et qui y était sans que personne s'en aperçût. » Nous y mordillâmes comme de jeunes chiens sans y mettre à nu, embusquée comme le profil du chasseur des devinettes dans la frondaison des mots, l'image sous-jacente de la marée qui successivement couvre et découvre. Il m'est resté, de ce qui fut alors une petite révélation, le sentiment et le goût de l'image larvée, que met en route une seule indication dynamique (A mesure que...) sans que rien vienne la préciser ou la cerner si peu que ce soit. Le style de Benjamin Constant est plein de ces images-là, à la fois visibles et invisibles, selon l'angle de lecture, et qui communiquent un peu à la prose ce que la moire donne à une étoffe : le sentiment le plus économique du mouvement.

*

Dans le groupe des signes de la ponctuation, il en est un qui n'est pas tout à fait de la même nature que les autres : les *deux points*. Ni tout à fait ponctuation, ni tout à fait conjonction, il y a longtemps qu'il me pose des problèmes d'écriture. Tous les autres signes, plus ou moins, marquent des césures dans le rythme, ou des flexions dans le ton de voix ; il n'en est aucun, sauf lui, que la lecture à voix haute ne puisse rendre acceptablement. Mais dans les deux points s'embusque une fonction autre, une fonction active d'élimination ; ils marquent la place d'un mini-effondrement dans le discours, effondrement où une formule conjonctive surnuméraire a disparu corps et biens pour assurer aux deux membres de phrase qu'elle reliait un contact plus dynamique et comme électrisé : il y a toujours dans l'emploi des deux points la trace d'un menu court-circuit. Ils marquent aussi, à l'intérieur du discours lié, un début de transgression du style télégraphique ; une étude statistique révélerait sans doute le peu d'usage qu'en ont fait les auteurs anciens (jusqu'où d'ailleurs son usage remonte-t-il ?) tout comme sa fréquence grandissante dans les textes modernes. Tout style impatient, soucieux de rapidité, tout style qui tend à faire sauter les chaînons intermédiaires, a spécialement affaire à lui comme à un économiseur, péremptoire et expéditif.

*

Œuvre et souvenir

« Je frémis à songer que, plus tard, quelque Taine jugera notre société d'après les pièces de Bernstein et de Bataille, d'après les procès de Malvy, Steinheil, etc. » (Gide : *Journal*).

Mais non ! il la jugera plutôt d'après Gide, Proust et Valéry, et selon le miséricordieux principe « De mortuis nil nisi bonum ». Et même s'il en pense du mal, reste que la médiocrité du moins s'évacue de toute époque devenue historique, comme la lie d'un vin qu'on laisse reposer — reste que, couleur de l'ivresse ou couleur du poison, il s'établit dans toute période qui n'a plus pour éclairage que l'éclairage du souvenir une transparence étrange. Ne serait-ce que par l'élision automatique de tout ce qui fait la trivialité d'une époque : du quotidien, de tous les éléments de répétition par lesquels le vécu grisaille. Toute cette érosion de la matière interstitielle et conjonctive qui fait du Temps le poète des événements.

*

Médiocre valeur du coup d'œil rétrospectif que l'écrivain jette sur ses livres : leur contenu, trop remâché en cours de confection, ne lui est plus de rien ; s'aiguise au contraire chez lui exagérément au fil des années la sensibilité aux mutations de la forme (« Je n'écrirais plus ainsi aujourd'hui »). Tous les signes de mûrissement, ou de vieillissement, qu'apporte un simple intervalle de quelques années, sont perçus, enregistrés par lui avec une subtilité en alerte.

Le lecteur, lui, a une tendance inverse à ramener les parties successives de l'œuvre sous un éclairage uniforme et intemporel ; sa préférence va au constat réitéré de l'identité, acquiesce avec délectation à la tyrannie unificatrice de la signature (« c'est bien *de lui* ! »). L'écrivain, devant ses livres, est sensible surtout à son évolution, le lecteur à ses constantes. Un auteur est toujours, il me semble, naïvement surpris quand il constate l'aisance d'un lecteur sans expérience critique particulière à le détecter derrière un fragment de quelques lignes pris au hasard dans ses livres. Il ne se savait pas si ressemblant à lui même, parce que ses propres livres n'ont jamais pu vraiment lui tendre un miroir ; s'il les rouvre, il voit bien en eux ce qui les embue, les raye ou les écaille, non ce qu'ils réfléchissent d'indéformable.

*

La mythomanie de Malraux me glace, moins parce qu'elle est mythomanie que parce qu'elle est gravité calculée, et quelquefois spéculation payante, parce qu'il a tiré sur elle bien d'autres traites que des traites littéraires : songeons à l'incroyable bluff chinois, auquel même Trotsky se laisse prendre, et qui lui permet de traiter avec le Russe de pair à compagnon (chez Chateaubriand, même quand il raconte sa fausse visite à Washington, la mythomanie reste toujours bon enfant et cligne de l'œil au lecteur, mais, hélas ! Malraux lorsqu'il fabule ne s'amuse que bien rarement).

Quand je réagis contre mon irritation, je m'accuse de

mesquinerie biographique, et je me dis qu'en somme Malraux n'a fait qu'étoffer sa vie des *addenda* qui lui semblaient dus, qui la prolongeaient organiquement, et dont
seul le cadre trop étriqué d'une existence individuelle au
vingtième siècle l'élaguait. L'Orient l'a fasciné, comme il a
fasciné Napoléon, non parce que l'Europe est devenue une
taupinière, mais parce que l'Asie demeure le continent où,
contrairement à notre civilisation archiviste, l'histoire
devient légende à peine l'événement consommé (toujours
Alexandre ! comme le tombeau de Bucéphale, et les cava-
leries de bronze verdissant dans les steppes touraniennes
l'ont envoûté ! comme il est bizarre qu'il ait pu mouler un
moment sur les schémas marxistes abstraits son projet de
vie, qui était plutôt celui du Macédonien devant le tombeau d'Achille !). Pourquoi l'histoire personnelle (l'éloignement dans l'espace remplaçant le recul dans le temps)
ne deviendrait-elle pas légende elle-même avant de finir ?
Le flou artistique des fonds des *Antimémoires* marque à la
fin de sa vie le rejet formel de l'état-civil et du matricule, un
rejet plus systématique que dans les *Mémoires d'Outre-
Tombe*, où Chateaubriand retouche seulement le détail de
sa biographie, tandis que Malraux dans ses écrits traite
hardiment sa vie entière comme une structure gonflable,
capable d'expansion indéfinie, mais toujours selon sa
forme empreinte. Pourquoi lui reprocher, après tout,
d'avoir introduit, et en somme avec succès, un peu de jeu,
et plus libre, entre l'existence telle qu'elle est vécue intimement, c'est-à-dire à demi conduite, à demi rêvée, et le *curri-
culum vitae* trivial qui lui correspond dans les fiches d'état
civil et les sommiers de police ? Il proteste à sa manière, qui
n'est pas illégitime, contre une réduction de l'homme —
corseté dans une armature de données objectives étouf-

fante — que le vingtième siècle rend insupportable à tous
ceux que l'imagination surtout fait vivre. Il y eut un temps,
qui n'est pas si éloigné de nous, où la représentation que
l'homme avait de sa vie, chronologiquement, flottait dans
l'indéterminé autant par la date de sa naissance que par
celle de sa mort, et, spatialement, n'était bornée que par les
limites, élastiques et déplaçables, de la mémoire à éclipses
et de la fantaisie individuelles. Il était moins difficile alors
de satisfaire — et plus d'une fois on lui faisait droit sans
façons pour soi-même — à la parole de Rimbaud : « A chaque être, plusieurs *autres* vies me semblaient dues. »

*

　　Les plaisirs dont on est redevable à l'art, c'est, pour les
neuf dixièmes, au cours d'une vie, non le contact direct
avec l'œuvre qui en est le véhicule, mais son seul souvenir.
Comme on s'est peu préoccupé pourtant de la nature différente, de la fidélité différente, de l'intensité différente des
formes que revêt ce souvenir, selon qu'il s'agit d'un
tableau, d'une musique, ou d'un poème ! Pour ce dernier
seul, le souvenir est présence absolue, résurrection intégrale, et peut-être même — c'est assez singulier — davantage encore : seul contact véritablement authentique,
puisque l'aptitude à la mémorisation entre comme consti-
tuant essentiel dans le poème, par l'entremise du mètre et
de la rime, lesquels font que, même entendu pour la première fois, réglé qu'il est sur un rythme et des retours de
sonorité de nature mnémotechnique, il revêt déjà la tonalité propre au ressouvenir : c'est en quoi toute poésie, seule

parmi les productions des muses, peut être dite *fille de mémoire*. Le souvenir d'un tableau est le souvenir d'une émotion, d'une surprise, ou d'un plaisir sensuel, rapporté mécaniquement, mais non lié affectivement, à la persistance dans la mémoire d'une vague répartition des masses et des couleurs à l'intérieur d'un cadre. En somme, aussi privé de vie, ou peu s'en faut, que le souvenir qu'on garde de l'ameublement d'une pièce. Le souvenir musical a presque la précision du souvenir d'un poème, mais ne conserve ni le volume et l'intensité sonore, ni la vigueur des timbres instrumentaux ou vocaux inséparables de la seule exécution.

Il est singulier qu'un art existe, la poésie, dont la substance est soluble tout entière dans la mémoire, et ne réside véritablement qu'en elle, auquel aucune réalisation, aucune exécution, aucune matérialisation ne peut ajouter quoi que ce soit. Car le poème, dont la lecture par un acteur sur une scène de théâtre a quelque chose, nécessairement, de grossier, et même de caricatural, parce que de superflu (lire un poème, c'est déjà à demi le mimer, c'est sortir entièrement du *medium* qui lui est propre) le poème, qui déjà s'épure et gagne en puissance de suggestion s'il sort de la bouche d'ombre anonyme de la radio, n'atteint à toute sa plénitude expressive que lorsqu'il remonte à la conscience porté par la voix — même pas murmurante, même pas silencieusement mimée par la gorge, mais abstraite et comme dépouillée de toute sujétion charnelle — du seul souvenir.

Il y a des conséquences à cette inégalité des différents arts devant la mémorisation. Elle retire toute consistance réelle à une culture qui prendrait pour base les seules œuvres plastiques. Une culture purement musicale, au contraire, apparaît possible, sans grandes fenêtres sur l'extérieur, étroitement bornée et liée à une imagination de l'oreille très rarement dispensée — de là la clôture presque complète à l'égard du profane des véritables cercles de musiciens. La dominante « littéraire », fondamentale dans toutes les cultures modernes de type occidental, tient sans doute certes à ce que la langue s'est constituée le véhicule privilégié de la pensée, mais presque autant peut-être au caractère éminement intériorisé et entièrement portatif de sa production de base, qui a été d'abord la poésie lyrique, épique, ou gnomique, apprise par cœur.

*

Demeures de poètes

Du château de Ferney, je n'ai entrevu qu'un coin de mur à travers les frondaisons grillagées : on ne visite que le samedi après-midi. Entre deux des ormes centenaires de l'avenue qui y mène, le Mont Blanc s'encadre spectaculairement, illuminé par le soleil bas : le roi Voltaire a emprunté à Jean-Jacques son paysage domestique, qui ne lui ressemble pas.

Ici a vécu, un peu parodiquement, *Nobel* hors concours jouant au *squire* de village et au bureau de bienfaisance, le plus volumineux des hommes de lettres de tous les temps, mais il n'y a aucun grand écrivain avec lequel le nom de « génie » tel que nous l'entendons jure davantage. La situation de Voltaire est singulière ; c'est celle d'un contenant dont les dimensions insolites font époque, et d'où s'échappe une grenaille d'œuvres dont aucune ne fait le poids (je n'en excepte pas *Candide*, qui doit trop à l'adulation stylistique de la France pour les accomplissements de la *plume élégante*). Il avait la faiblesse de croire à ses tragédies : hélas ! la place *Mérope*, à Ferney, fait sourire : quel fretin d'œuvres, pour un nom aussi phénoménal ! Mais, après tout, un banc de sardines arrive peut-être à peser aussi lourd que *Moby Dick*.

Ce qui nous éloigne de lui tellement, c'est que tout ce qu'il a écrit, en dehors de ses tragédies mort-nées, a passé, et était fait pour passer, pour être consommé, dans la communication immédiate et intégrale : transparence pure qui ne laisse place à aucune résurgence, aucune réinterprétation posthume, et qui est celle du journalisme élevé à son degré d'excellence. « J'appelle journalisme tout ce qui sera moins intéressant demain qu'aujourd'hui » disait Gide. La remarque vient frapper en Voltaire le centre même de la cible.

*

De la fenêtre de ma cuisine, que le soleil dès midi inonde, et qui est la gaîté de mon petit appartement parisien, l'œil plonge sur la cour de la fontaine des Quatre Saisons. A gauche et à droite de cette cour sont des maisons-applique de deux étages, sans épaisseur, adossées au pignon des immeubles voisins qui les surplombent ; barrant le fond de la cour pavée, la maison sans faste que le poète des *Nuits* a habitée avec ses parents pendant les années du milieu de sa vie : une bâtisse provinciale de deux

étages elle aussi, crépie d'ocre, et jusqu'à ces dernières
années coiffée de tuiles. C'est là que Musset recevait clandestinement, de très bonne heure, la visite d'Aimée
d'Alton :

Petit moinillon blanc et rose...

Une lettre du poète qu'on a conservée indique à son
amie les précautions à prendre pour ne pas réveiller les
parents dont il fallait traverser la chambre. Je ne passe
guère devant le haut porche en plein cintre qui donne seul
accès dans la cour sans qu'y flotte un instant pour moi la
silhouette au capuchon blanc si hardi, que j'imagine char-
mante — sylphe du petit matin sous la laine rêche mouillée
comme une prairie — image légère d'un caprice amoureux
où rien ne pèse, et qui, sur le pavé fait pour le fracas des
diligences, glisse pareil à une matinée d'avril.

*

Milly-Lamartine est un hameau moribond d'une vingtaine de feux, étagé en espalier sur la pente des monts du
Mâconnais, et desservi, plutôt que par des rues, par un
lacis d'étroites sentes asphaltées. La moitié des maisons
sont abandonnées ou à-demi ruinées, comme dans un
« bout du monde » des Corbières, mais les moëllons de la
belle pierre calcaire, chaude et dorée, qu'aucun crépi ne
dissimule, les ennoblissent encore ; la chaleur sèche, la
végétation crépue et frisée du midi se glisse au long de cet
étroit balcon de pierres rôties, où seule une route abrupte
et minuscule donne accès, comme aux niches habitées
qu'on voit à l'adret des alpages. C'est un rucher qui prend

le soleil, qui lézarde et s'éveille encore à la seule vibration de la chaleur sur les pierres, longtemps après que l'essaim est parti. Encastrée au milieu du hameau, et de sa sécheresse caillouteuse, derrière sa grille, au fond d'un jardin ombragé vert et frais, la demeure du cygne de Saint-Point n'est qu'une maison de famille carrée, solidement et confortablement bâtie en belle pierre du Mâconnais : une de ces propriétés de bonne bourgeoisie, en retrait sous leurs ombrages abaissés comme des cils, et qui n'aiment pas se laisser dévisager de la rue : le panonceau discret d'une opulence notariale peu soucieuse d'alerter le fisc ne surprendrait pas à la grille de cette demeure où rien ne parle du gentilhomme. C'est une maison de maître toute balzacienne, une enclave bien rentée, née après le cens et la dîme, au temps du trois pour cent, et qui se moque du pigeonnier, du chenil et de la tourelle. C'est le village qui est noble, non la maison ; ce n'est pas le poète qui a pris l'essor dans cette maison de campagne cossue qui congédie sèchement le romantisme : tout y fait rêver — si rêve ici il y a — au député de la Monarchie Tempérée.

*

Roche, qu'un bref écart de ma route à partir d'Attigny me permet de visiter. De la ferme où fut écrite la *Saison en Enfer*, rien ne subsiste, qu'un pan de mur. Mais pour tout le reste, «c'est certes la même campagne.» Un lavoir envahi par les conferves, où on a dû battre le linge bien avant la venue au monde de l'auteur des *Chercheuses de Poux*. Cinq ou six maisons rurales ou fermes, semées lâchement autour d'un carrefour de chemins vicinaux, prises dans un lacis de vergers et de haies. Rien ne marque cet *écart*, d'une totale insignifiance, ce paysage d'ennui et de sommeil rural épais : ni une colline, ni une rivière, ni une forêt. Comment a-t-il pu revenir ici, y revenir encore et encore, rejoindre si obstinément les figures de famille ? C'est ici, et non au Harrar, que l'acharnement à mourir à soi-même éclate ; c'est ici qu'il est revenu — «féroce infirme retour des pays chauds» — avec sa jambe coupée et sa ceinture pleine d'or, non point *mourir aux fleuves barbares*, mais vraiment *aller où boivent les vaches*.

*

Roche encore, qui m'a frappé tellement que son image m'obsède après des semaines. «L'homme aux semelles de vent» c'est trop vite dit. Même au fond de l'Éthiopie, même par un long, très long filin, il est resté amarré à ce *corps mort*, à cette bauge de campagne en forme de caveau de famille, à cette tenure inamovible et à ses serfs : la *mère Rimbe*, le conducteur d'omnibus, la cervelle d'oisillon de Vitalie qu'il a dû, on le devine, protéger comme une infirme. Et, au-delà de cette chétive délégation, on dirait qu'il a chéri le fardeau, la croix héréditaire, la verge de fer des ancêtres qui *redoublent de férocité*.

> *Nous sommes tes grands parents*
> *Les Grands...*

En vérité, jamais enfant prodigue n'a été plus chargé de famille, comme on est chargé de malédictions, que ce forçat intraitable, cet évadé qui a soif de son bagne. A Roche, l'optique bascule, et c'est Lawrence d'Arabie qui devient un peu le frère de Rimbaud par la Mer Rouge : affranchi fasciné par la haire et la discipline, et comme lui inventeur éperdu d'expiations.

*

> *Enfance au bord d'un lac ! Angélique tendresse*
> *D'un azur dilaté qui sourit, qui caresse*

ces seuls vers peu remarquables me sont restés en mémoire de la lecture au lycée des *Morceaux choisis* de la comtesse de Noailles, dont je longeais l'an dernier, entre Évian et Thonon, la propriété d'Amphion en espalier au-dessus du Léman. En fait, après la première impression, paradisiaque, de ciel intercalaire, qui naît de l'apparition du lac de montagne, c'est le sentiment de confinement qui en vient à dominer : confinement douillet, ouaté, protégé, qui parle presque toujours pour moi à la fois de la convalescence, du retirement et de l'exil ; plus que partout ailleurs l'ombre portée du temps qui s'écoule vient s'incorporer ici maté- riellement à l'eau stagnante, comme à celle qui entoure chez Poe l'*Ile de la Fée*. C'est cette connivence intime du paysage et de la pente du sentiment qui fonde — à peu près seule, mais efficacement — le pouvoir du médiocre *Lac* de Lamartine, tout comme son absence retire une bonne part de leur réalisme aux récits vaudois et paysans de Ramuz, allégories plutôt qu'images du travail, plaquées en trompe l'œil sur la vacuité vaporeuse d'un lavis chinois.

Toutes les pentes ramènent à cet œil d'eau inoccupé, sans rides, comme à une ataraxie centrale et finale, qui éponge tout. C'est ici seulement, et véritablement, que l'âme penche vers la tombe « comme un bœuf ayant soif penche son front vers l'eau ». Jardins publics de Vevey, de Montreux, au bord du Léman, leurs bancs de peinture blanche si proprets sur l'herbe verte, leurs grappes de retraités, assis les coudes aux genoux, si immobiles qu'ils semblent déjà tenir leur obole entre leurs dents, la noria lente des vieux petits vapeurs à aubes, aux couleurs d'ambulance, qui sans trêve, à chaque embarcadère, passent silencieusement charger des ombres. J'ai retrouvé dans un bref récit de Patrick Modiano, qui s'intitule *Villa Triste*, ce climat recueilli et paisible de deuil blanc — ces mails frais râtissés chaque matin de leurs feuilles mortes, ces tilleuls, ces hôtels en crème fouettée : Bellerive ou Beaurivage, au ras de l'eau plate contre le mur glauque de la montagne, ces bourgades thermales fantômes de l'automne où les passants semblent à la fois plus légers et moins bruyants qu'ailleurs. Et c'est un beau livre.

*

Ce qui ne paraît jamais dans les *Amours Jaunes* de Corbière, que j'aime tant, c'est la douceur particulière à Roscoff ; rarement l'heure vide du dîner sur les plages évacuées, alors que le soleil brille encore assez haut dans le ciel, m'a paru aussi délicieuse, aussi intime pour le promeneur attardé, aussi tendre de couleur et de silence, entre le ciel qui jaunit au ras de l'horizon et la couleur déjà bleu ardoise de la mer. Et tendres aussi, au long de ses sentiers, l'herbe et les buissons de mer d'un vert éteint, pelucheux comme la coque de l'amande. J'y marchais le soir au long de l'étroit pré de mer décoloré, entre le vert bleu de la mer, cotonné de blanc à tous les beaux écueils de la côte, et la verdure frisée, ciselée, délicate comme l'acanthe, des champs d'artichauts. Le soir était si calme, dans la fin de saison d'une station alors à peine fréquentée, que j'entendais chaque fois, où que je fusse, sonner l'*angelus* à la jolie et basse église où la Bretagne, un instant, s'italianise. Je longeais le figuier géant, les épaisses maisons de granit de la place, maisons de notaires, chagrines et cossues, sises entre jardin et mer, dont les vagues, par derrière, venaient battre à marée haute la porte de service. Je ne passais jamais devant le modeste et attirant laboratoire de biologie marine sans songer avec jalousie que les naturalistes de l'École Normale, où j'étais alors, avaient la possibilité de se faire détacher pour une année dans cette grotte bleue ; il me semblait qu'affecté là, captif une fois pour toutes de cette mer à sirènes, j'aurais pour toujours planté ma tente entre aquarium et artichauts.

J'ai retrouvé seulement à St Cast, autour de la pointe de la Garde, cette netteté mordante des lignes qui est celle d'un jardin après l'arrosage du soir, ce ciselé japonais où la mouillure du feuillage et du roc ne se laisse embuer d'aucun atome de brume, et qu'ont certains matins de Roscoff après la pluie de la nuit.

Mais quel regret de n'avoir pas connu le Roscoff de Tristan Corbière ! le Roscoff d'avant le chou-fleur et l'artichaut, et d'avant cette bourgeoisie de grossistes, de pépiniéristes et de grainetiers, de correspondants des Halles et de marchands d'engrais qui empâte les rues de St Pol, et

qui colonise déjà le petit port léonard. Je rêve quelquefois
autour du beau nom de *Coatcongar*, la terre morlaisienne
où Corbière est né : il devait y avoir encore dans cette campagne, aujourd'hui rasée de frais par l'horticulture, des
malouinières payées sur les rapines de mer, tapies au creux
de chênaies frisées, détrempées par les pluies de novembre,
où des capitaines bretons sans lèvres, visages de vieux cuir
entre les favoris en poils de cochon, végétaient sur leur dernier échouage, en regardant devant un verre de rhum, à
travers les bouillons de la vitre, ruisseler le déluge des *mois
noirs*. On entrevoit à travers les vers de Corbière un Roscoff disparu, à-demi pirate, encore peuplé partout de
retraités de mer grands ou petits, cap-horniers ou *patrons
au bornage*.

> *Tu dors sous les panais, capitaine Bambine
> Du remorqueur havrais l'Aimable-Proserpine*

que la terre désempare et qu'on voit derrière leur bicoque
de la côte cracher leur jus de chique sur les plants de
pomme de terre, ou bien, dans quelque noir petit appartement de la ville, *s'ensevelir*, comme disait Montesquieu,
dans une putain.

J'ai relu, il y a quelques jours, *La Rapsode foraine*, le
seul long poème de Corbière qui soit admirable de bout en
bout. Particulièrement admirable en ceci que son sujet
n'est qu'une « scène de genre », une fantaisie à la manière
de Callot, un sujet pour petit-maître hollandais ou fla-
mand, et que la matière en est, d'un bout à l'autre de ses
cinquante strophes, distillée, transmuée, et recristallisée
en une substance qui ne tolère aucune scorie. C'est peut-
être le seul exemple que je connaisse dans notre poésie
d'une sublimation intégrale du *pittoresque*.

*

Siècles littéraires

Comment se comprendre, comment s'entendre avec ces docteurs ès-musique qui parlent hébreu à mon entendement des sons resté en friche, rendent à Mozart, Bach et Beethoven un culte idolâtre, et sourient de dédain devant Wagner ? Alors que pour moi le Titan de la musique, qui en est aussi le Victor Hugo, est aussi nettement et brutalement déclassé par Bayreuth (ce qui ne lui retire rien de sa gloire) que le grand'père sublime s'est trouvé l'être par les *Fleurs du Mal* (et Wagner n'est pas seulement Baudelaire — le Baudelaire d'*A Rebours* — c'est un Baudelaire qui serait aussi.Claudel, c'est-à-dire la puissance de l'encolure jointe au timbre d'un langage musical inconfondable dès qu'on en entend trois mesures). Peu m'importe qui est le plus « grand » : ce qui est sûr pour moi, c'est qu'il y a dans Wagner un au-delà de Beethoven (resté d'ailleurs ancré formellement à la symphonie, alors que dès sa maturité Hugo lui-même a déjà dépassé l'ode de sa jeunesse) tout aussi évidemment qu'il y a un au-delà des *Rayons et des Ombres* dans les *Illuminations*. Alors qu'il n'y a pas un manuel de littérature aujourd'hui en usage en France qui n'historicise spontanément l'œuvre de Chénier ou de Lamartine, il existe dans la structure régressive du Panthéon musical de mon époque quelque chose qui heurte à la fois indirectement mon idée du devenir en art, et directement ma sensibilité.

Certes, il n'y a pas de raison de croire au « progrès » en

matière d'art. Si d'ailleurs on remonte de quelques siècles
dans le temps, il apparaît que l'homme n'y a jamais cru que
peu sérieusement et très passagèrement (en revanche, pendant de longues périodes, et de toute son âme, il a cru à la
réalité et presque à la fatalité de sa régression). Seulement
voici : dans la longue histoire de la création esthétique s'insère une période à laquelle presque aucune autre n'est
comparable, une période d'un peu moins d'un siècle, qui
s'étend, très approximativement, entre 1800 et 1880. Là se
succèdent, très particulièrement dans la poésie, à des intervalles très brefs, une série de créateurs de premier plan
chez qui, de l'un à l'autre — toute question de prééminence
mise à part — un gain supplémentaire qui ne se laissera
plus dilapider, un *plus* engrangé presque sans contrepartie
est chaque fois perceptible. Ce *plus* consiste, non en un
supplément de génie libéralement accordé, mais en une
acquisition au moins en partie transmissible de moyens :
précisément en une très rapide augmentation du pouvoir
séparateur de l'œil et de l'oreille de l'artiste, de sa sensibilité à la nuance, au timbre, à la modulation la plus exté-
nuée, bref en un recul continu et victorieux du seuil de
l'infiniment petit séparable et *réalisable*. (Il est d'ailleurs,
pour moi du moins, non sans signification que le tact posi-
tionnel ultra-subtil qui est celui d'un champion d'échecs
contemporain, par un progrès rapide et continu, ait été
acquis tout entier dans cette seule et même période, entre
Philidor et Lasker, c'est-à-dire entre 1780 et 1895). Qui
peut nier que, de Parny à Lamartine, de Lamartine à
Hugo, de Hugo à Baudelaire, de Baudelaire à Rimbaud et
Mallarmé, il s'institue un type de succession artistique tout
à fait différent de celui des siècles passés : non plus une
calme et linéaire passation de sceptre, mais un mode de

transmission cumulatif où le capital reçu en hoirie semble
chaque fois aux mains du légataire avoir fait exemplairement boule de neige ?

Ainsi pour moi en musique de Beethoven à Wagner,
dont Nietzsche a perspicacement localisé la supériorité
réelle et neuve non dans le « souffle » et l'aptitude aux
grandes machines, mais bien dans le miniaturisme musical : la capacité de faire « tenir en quelques mesures un
infini de nostalgies ou de souffrances. » Ainsi en eût-il pu
être, et presque dû être, de Wagner à Debussy, dont le for-
mat trop modeste semble marquer comme en pointillé la
place du Rimbaud ou du Mallarmé terminal qu'il eût pu
être, qu'il n'a pas été, et que Proust sera un peu plus tard
pour le roman. Après Debussy, comme après Mallarmé
(et comme en peinture après Cézanne) la ligne conquérante qui a été la plus continue et la plus fortement ascen-
sionnelle de tous les temps modernes se rompt sur une
césure capitale : une autre ère commence, le dépaysement
supplante l'approfondissement ; un métissage artistique
composite envahit l'Occident : il y a du *tiers monde* incorporé déjà à la musique de Stravinsky, comme au cubisme
d'Apollinaire et de Picasso.

*

Jamais n'exista en littérature gaufrier plus terrifiant que
la tragédie classique en cinq actes. Pour distinguer par le
style les moutures successives des divers épigones de Corneille et de Racine, il faudrait un flair professionnel aussi
affiné que celui de ces vieux juristes qui sont capables quel-

quefois d'identifier une plume derrière le jargon liturgique d'un arrêt de la Cour de Cassation.

Certes les règles du genre étaient tatillonnes. Mais, strictes sur la construction, sur les « unités », elles laissaient en principe libre jeu à l'écriture, elles n'impliquaient en rien la stéréotypie qui fige, dès le début, l'alexandrin de tragédie, et qui fait, du genre littéraire le plus prisé de l'époque, un fastidieux, un interminable *à la manière de*, qui n'en finit pas de mourir. Le coup de maître des fondateurs, Corneille et Racine, n'explique pas tout. En réalité, il s'agit avec la tragédie, sorte de gala *habillé* de la littérature qui s'institue en même temps que le cérémonial de cour du Roi Soleil, du seul cas dans l'époque moderne où une étiquette rigide se soit imposée d'emblée à l'écriture, régentant les courbettes du style, ses génuflexions, ses métaphores, ses périphrases, ses circonlocutions, son phrasé même et le rythme d'enchaînement des parties du discours. Ce n'est pas seulement l'horaire, le lieu et le costume, qui sont fixés ici par le protocole, c'est la démarche même, le port de tête et les inflexions de voix, la manière de questionner ou de répondre qui sont pris dans le coup d'œil implacable d'un maître des cérémonies.

*

La focalisation, propre à notre époque, qui concentre depuis plusieurs décennies tous les regards sur le dix-huitième siècle des *Liaisons Dangereuses*, les détourne en même temps de *Manon Lescaut*, vedette oubliée, non moins représentative du cynisme élégant de l'époque, mais mêlée de sentimentalité, et par là écartée du *type* qui nous fascine en littérature, type dont un écrivain comme Beckett aujourd'hui tente par élimination progressive de réaliser dans son domaine la pureté absolue.

La réduction immédiate au type, recherchée volontairement, a compté pour beaucoup dans l'autorité avec laquelle les ouvrages existentialistes se sont imposés dès le lendemain de la guerre. Cela, par où ils nous semblent aujourd'hui grimacer un peu ; l'émergence d'un pur roman de métaphysicien, validait au contraire en 1947 leur passeport pour la gloire. De même la maigreur caractéristique de *L'Étranger* de Camus assurait la sécheresse de son coup de poing, en faisait un manifeste à peine romancé de la philosophie de l'absurde. La nouveauté, qui ne venait au monde autrefois, et qui même n'était acceptée, que traînant encore collés à elle les débris de la coquille de son œuf cassé, semble ne s'imposer aujourd'hui que si, rejetant tout ce qui n'est pas de son espace et de son domaine, elle arrive du premier coup à sa forme de cristallisation. Et, cette exigence, nous la projetons rétrospectivement dans l'histoire de la littérature, privilégiant — au détriment des œuvres de transition et des œuvres inconsciemment grosses de l'avenir — toutes les formes clairement agressives de la rupture.

*

« Le tableau littéraire d'une époque ne décrit pas seulement un présent de création, mais un présent de culture » écrit Jakobson — pertinemment. Et toute école littéraire se caractérise, certes, autant que par son apport créateur, par le filtrage neuf qu'elle opère des œuvres du passé (le surréalisme, qui semble avoir plus clairement que les autres discerné et employé les moyens de pouvoir par lesquels s'impose un « mouvement », a pris grand soin, avant même presque de commencer à produire, de publier son Index : *Lisez – ne lisez pas*, et sa généalogie idéale : Nouveau est surréaliste dans le baiser, etc.). Mais la proportion entre ce que chaque école apporte d'inédit, et ce qu'elle se borne à déclasser et à reclasser dans les œuvres antérieures n'est pas constante. Si on considère les grands mouvements qui ont marqué la littérature française depuis quatre siècles : le classicisme du 17e siècle — le mouvement philosophique du 18e — le romantisme du 19e — le surréalisme du 20e, il est clair que chaque fois la part de remise en ordre du passé va grandissant aux dépens de l'apport original (Boileau liquide avec placidité tout ce qui précède Malherbe — le surréalisme, autant sans doute que par ses ouvrages, s'impose à l'histoire littéraire pour avoir bouleversé de fond en comble, à sa lumière, l'antique bibliothèque poétique.) Comme si, dans le déclin graduel de pouvoirs créateurs d'une civilisation, un principe d'entropie était à l'œuvre, et comme si, pour tout nouveau changement, l'appoint d'une énergie de récupération devenait de plus en plus nécessaire.

*

Ce qui donnait le ton jusqu'ici à une époque d'art c'était, fondamentalement, la combinaison d'une poési d'une musique et d'une peinture : Racine — Lulli — Le Brun en sont l'exemple, tout comme Hugo — Delacroix — Berlioz, ou même encore Baudelaire — Manet — Wagner.

Depuis 1940, et même, à y bien regarder, presque depuis 1930, la poésie et la musique se sont souvent absentées du domaine de la créativité — depuis deux ou trois décennies, la peinture. Toute transfiguration artistique s'est éclipsée : l'époque tente de se saisir telle qu'elle est, directement, par l'essai, le témoignage, la philosophie appliquée, le roman de reportage. Les époques à venir, qui tenteront de retrouver cette essence subtile qu'était pour la nôtre l'« air du temps », ne disposeront que de matériaux bruts, ou tout au plus semi-ouvrés. Rien que de notre regard direct sur nous-mêmes, qu'aucune transmutation expressive n'aura vraiment suivi. Pas un portrait même de nos artistes et de nos écrivains : rien que des photographies.

Il existe dans l'Université, depuis longtemps, un département des littératures comparées. Il y manque un département des relations entre les arts, un département des Neuf Muses, dont l'objet serait, pour chaque époque, d'étudier non seulement les influences réciproques de la littérature, de la musique, de la sculpture, de la peinture, de l'architecture et aujourd'hui du cinéma, mais encore la hiérarchie secrète qui présidait, dans l'esprit des artistes et du public, à ces influences respectives. Car il y a pour chaque époque une hégémonie mal avouée, mais effective, qui passe d'un art à l'autre capricieusement, tout comme l'hégémonie politique en Europe est échue successivement à une demi-douzaine de puissances. Il est difficile, par exemple, avec le compartimentage de l'enseignement, de se faire une idée de la dominante musicale décidée qui présidait au romantisme, non seulement à cause de Beethoven, Weber, Chopin, Liszt et Berlioz, mais à cause de l'imprégnation de la vie sociale par l'opéra, dont les ouvrages de Stendhal demeurent d'un bout à l'autre obsédés. Tout autant que de sentir clairement la montée foudroyante, en influence et en prestige, de la peinture à l'époque d'Apollinaire, alors que, vingt ans auparavant, Wagner avait littéralement écrasé le symbolisme sous sa masse sonore. Et la folie bâtisseuse de Louis XIV est bien loin d'avoir abandonné sans contesta-tion, comme on aurait tendance à le penser, la première place à la littérature classique, que l'énorme complexe de Versailles équilibrait comme réalisation à lui tout seul.

*

Il y a une qualité de la production d'un écrivain impossi-ble à évaluer objectivement, parce que non seulement cha-que lecteur isolé, mais encore chacune des époques successives dans l'histoire de la littérature en juge à sa manière. Il s'établit pourtant à son sujet, le temps aidant, une sorte d'accord qui ne laisse plus place qu'à des varia-tions limitées.

Il y a aussi un « volume » de l'écrivain en son temps, pen-dant la durée de sa vie et même sensiblement au-delà, qui interfère de manière complexe avec cette notion de qua-lité. Influent sur ce volume, et parfois dans une proportion très large, la quantité de sa production, son rythme, l'éten-due de son public immédiat, l'image globale que se fait ce public de l'écrivain, et qui dépend souvent, largement, de facteurs extra-littéraires : prestige physique ou moral, appartenance à un groupe, amitiés, amours, éclat de la biographie, rôle historique ou politique.

Ce volume, dans la mesure où il est lié à des facteurs non directement artistiques, se résorbe avec le temps : à des titres différents, le sort posthume de Voltaire ou de Lamartine, d'Edmond Rostand ou de Béranger, en témoigne. Mais, du vivant d'un écrivain, nul n'est en mesure d'évaluer, et éventuellement de retrancher, cette part « non-fonctionnelle » de sa situation. Ni ses amis, ni ses ennemis, ni ses lecteurs, ni l'écrivain lui-même. Soit qu'il essaie honnêtement, comme l'a tenté de son vivant Camus, de défalquer de son actif exceptionnel l'apport des chances extra-littéraires, soit, beaucoup plus souvent, que, se jugeant méconnu, il tente plus ou moins orgueilleusement de réévaluer lui-même ce qu'il juge être sa vraie place. Je ne pense pas une seconde que Nerval ait jamais cru que la postérité, un jour, nierait tout écart entre Hugo et lui quant à la qualité poétique, et je ne crois même pas qu'il l'eût trouvé légitime. Pas une seconde non plus que Hugo ait pu pressentir sérieusement un rival, et bientôt heureux, dans le marginal et confidentiel Baudelaire. La hiérarchie objective, dans laquelle il est intégré, s'impose bon gré mal gré à l'écrivain de son vivant : il ne peut opérer sur elle que des corrections relatives, comme un nageur pris dans le courant d'un fleuve nage à contre courant sans vraiment le remonter. Il y a dans chaque époque, même lorsque l'ordre de ses préférences doit être plus tard bouleversé de fond en comble, un consentement plus large qu'on ne le pense de ses laissés-pour-compte à la hiérarchie qui les pénalise : Baudelaire, Nerval — pour reprendre l'exemple déjà utilisé — se plaignaient sans doute (et pour Nerval, c'est même loin d'être sûr) mais se plaignaient moins

que nous ne le faisons de la situation où les reléguait leu
époque. Ils se connaissaient, certes. Mais, comme tou
autre artiste, ils se voyaient aussi par les yeux de leu
temps.

*

Ce qui m'intéresse surtout dans l'histoire de la littéra
ture, ce sont les clivages, les filons, les lignes de fracture qu
la traversent, en diagonale ou en zigzag, au mépris de
écoles, des «influences» et des filiations officielles
chaînes souvent rompues de talents littéraires singulie
qui se succèdent ou qui apparaissent discontinûment, ma
reviennent, aussi différents entre eux et pourtant aus
mystérieusement liés que ces visages féminins, aux résu
gences chaque fois imprévisibles, dont l'amour exclus
que leur vouent certains hommes révèle seul et fait saisir
conformité occulte à un type.

*

Quand le jeune Hugo s'écrie «Être Chateaubriand
rien!» il ignore tout à cette date, et pour cause, d
Mémoires d'Outre Tombe comme de la *Vie de Rancé.*
qu'il ambitionne, c'est la «surface» que donne (parfois)
génie, plus encore que sa substance. Tous les génies reco
nus de l'époque, Goethe en Allemagne, Byron à trave
l'Europe, comme Chateaubriand en France, jouissai

d'une immense position, où la littérature était loin de tenir toute la place; et le magnifique ministre des Affaires Étrangères était sans doute encore le plus gueux des trois et le moins solidement établi. Tous trois donnaient l'image de poètes «arrivés» par la littérature, mais non pas — il s'en fallait de beaucoup — en littérature seulement. Il n'y a pas de royauté des lettres concevable en 1820 sans l'appoint et le faire-valoir d'une grande naissance, de grandes charges, ou de relations intimes avec des *royalties*, et ceci vaut déjà pour Voltaire. Singulière aventure : c'est justement ce Hugo, à l'ambition si balzacienne, et qui à vingt ans n'aurait sans doute pas rêvé une seconde d'être Rousseau dans son ermitage, qui sera le premier littérateur à se hisser au rang d'un des puissants de ce monde par la vertu exclusive de sa plume, sans jamais troquer la gloire littéraire contre d'autres valeurs. Mais, si ses moyens sont autres, c'est la même image de la haute réussite qu'il a devant les yeux, et qu'il va matérialiser : pour ruiner l'image du génie *en majesté*, il faudra attendre jusqu'après Baudelaire, Flaubert, Rimbaud et Mallarmé.

*

Il est remarquable que, dans cette fin du vingtième siècle, nous nous nourrissions souvent par préférence, chez les grands écrivains du passé, de ce qu'ils auraient regardé comme les miettes de leur table. Chez Gide, plutôt de son *Journal* que de tout le reste, et souvent même, chez Hugo, de ses *Choses Vues*. Des *Conversations avec Eckermann* plus que des *Affinités Électives*, et davantage souvent aujourd'hui de la *Correspondance* de Flaubert que de l'*Éducation Sentimentale*. Ce sont les *Cahiers* posthumes de Barrès, plus que tout autre livre, qui ont prolongé sa présence parmi nous. Et qui peut dire que Chateaubriand lui-même, n'avait pas compté davantage, pour vivre auprès de la postérité, sur le *Génie* et *Les Martyrs* que sur ses *Mémoires* ? Comme si la masse d'une œuvre consacrée et, avec le temps, un peu désertée, servait surtout aujourd'hui de laisser-passer pour l'indiscrétion intime, pour le tout-venant, le primesaut du premier jet ? Ce que nous voulons, c'est la littérature qui bouge, et saisie dans le moment même où elle semble bouger encore, tout comme nous préférons une esquisse de Corot ou de Delacroix à leurs tableaux finis. Ce que nous ne voulons plus, c'est la littérature-monument, c'est tout ce qui a senti le besoin de se mettre en règle avec les permis de construire de son époque.

Ainsi se vérifie par ce biais le retour en force, dans la littérature, de la marginalité sous toutes ses formes, qui marque notre époque beaucoup plus que la nouveauté ou la vigueur de son apport. Réintronisation au cœur de la littérature de tous ses anciens laissés-pour-compte. Délaissement du *chef-d'œuvre* au profit de tout ce qui, de l'écrivain, babille et jase encore autour de lui en liberté (il suffirait, pour en apporter la preuve, d'établir la balance de tout ce qui se publie ou se réédite de *Carnets*, de *Cahiers*, de *Journaux*, de *Mémoires*, de *Correspondance*, des grands écrivains, de *Souvenirs* grappillés sur eux, et en regard, des rééditions parcimonieuses de leurs livres-clefs). Ce que j'écris ici ne doit être pris à aucun titre pour un désaveu de mon époque : je penche moi aussi — je m'en aperçois sans cesse au choix de mes lectures — du côté où elle penche.

*

Il y a eu un mythe de Paris, un mythe à la vie tenace, mais qui s'est effondré brutalement dans les trente dernières années. Il est né après 1789, et surtout après 1830 (avant 1789 « la Ville » n'était qu'une ombre portée de Versailles et de « La Cour ») sous une forme politique et belliqueuse, celle de Paris-lumière-des-révolutions : à cette époque, c'est le *pavé*, le brûlant pavé de Paris, toujours prêt à se soulever en barricades, qui est le symbole dynamique, explosif, de la ville. La Commune prolongera ce mythe jusque sous la Troisième République ; sa récurrence fera pousser encore, comme une parodie tardive, les barricades de 1968. Le relaie à partir du Second Empire, en coexistant un moment avec lui, le Paris de la *Vie Parisienne*, le Paris des petits théâtres et des petites femmes, bordel du monde et Mecque de la haute couture, avec son doublet populaire à la Goldoni : *Paname*, la ville des *titis* (le passage du Gavroche de Hugo au titi parisien illustre excellemment le changement de contenu du mythe) des manilleurs de café, des rentiers à guêtres et du petit vin blanc. Ses *Marseillaises* se chantent maintenant au Moulin Rouge : «Paris reine du monde» — «J'ai deux amours» — «Tu reverras Paname» — «Paris sera toujours Paris» (déjà on cherche à se rassurer). Après 1940, c'est fini : Paris, provincialisé lui-même à l'échelle mondiale, et qui a cessé d'éblouir les provinces, n'est plus qu'un problème d'urbanisme et de démographie.

Il y aurait le sujet d'une étude universitaire de quelque intérêt (mais puisqu'elle vient à l'esprit, elle doit être déjà en train, ou déjà faite) dans le passage du premier mythe au second, du Paris des barricades au Paris du Moulin Rouge. Ses causes, ses modalités. Il est singulier que ce mythe qui, sous sa première forme, occupe tant de place dans *Les Misérables* de Hugo, n'en tienne aucune dans *La Comédie Humaine*, peut-être (mais non pas seulement) à cause des convictions monarchiques de l'auteur. Toutes les hyperboles auxquelles donne lieu le gigantisme ténébreux de la ville sont, chez Balzac, purement psychologiques et matérielles : à l'opposé de ce que sentent d'instinct Hugo comme Michelet (et même encore Rimbaud) il n'y a pas pour lui de *numen* de Paris, rien qu'un Béhémoth social, un monstre invertébré et aboulique, auquel la connaissance de ses ressorts secrets et compliqués, et parfois certaines pratiques magiques, permettent de passer le mors, avec Rastignac comme avec Vautrin ou Ferragus.

Il serait d'ailleurs instructif de cerner de plus près la figure de Paris telle qu'elle se dessine chez les grands romanciers. Chez Zola : un catoblépas sans muscles et sans squelette (il n'y a plus aucune trace du mythe révolutionnaire de Paris chez ce romancier de gauche) tout en viscères, tout entier bâfrant et digérant, déféquant et copulant. Chez Stendhal, c'est « la Ville » du 18e siècle qui reparaît, une pléiade de salons où l'on brille, où l'on brigue et où l'on intrigue, tous pourvus d'une porte de communication directe avec le théâtre, comme dans le *Don Juan* de Hoffmann. Chez Flaubert, — on en est surpris quand on relit l'*Éducation Sentimentale* — il n'y a pas de *vision* de la capitale, rien de cette caisse de résonance énorme et magnifiante qui exalte la voix et le timbre de tous les personnages parisiens de Balzac, et qui est à elle seule une moitié du roman de Hugo. Un peu à la manière de l'espace einsteinien, le Paris de Flaubert n'est que l'espace social neutre et englobant qui moule son volume sur les déplacements des seules figures romanesques qui l'habitent.

*

Il est extrêmement curieux que la Révolution de 1789 se soit déroulée sous vide littéraire quasi absolu, au moment où tous les grands écrivains du siècle, sans exception, avaient disparu, cependant que leurs successeurs étaient encore au biberon (Chateaubriand n'a que vingt ans et ne verra presque rien ; quant à Sade, la Révolution n'est pour lui qu'un bref entre-deux séparant l'*in-pace* de l'asile psychiatrique). De 1789 à 1799, il n'y a pas un seul *grand témoin* de référence en exercice, pas le moindre « contemporain capital. » La seule parole d'envergure, douée de hauteur et de recul, qu'on puisse citer d'un contemporain de 92, c'est chez Goethe qu'il faut aller la chercher.

Il n'est pas exclu que les grands ancêtres y gagnent en prestige. Imaginons Saint-Simon — ou même simplement Barrès — auditeur des séances de la Convention...

*

Ce qui m'ennuie, dans la lecture marxiste de l'histoire, malgré les étincelantes brochures du maître, écrites dans le vif du sujet (La lutte de classes en France — Le 18 bru-

maire de Louis Bonaparte) c'est le sentiment de voir le
rideau s'ouvrir, au lieu de Shakespeare, sur une pièce à
thèse, d'aussi bonne qualité qu'on voudra — disons une
pièce de feu Ibsen. A peine la toile se lève, voilà que les
trois coups se prolongent, interminablement ; on entend
venir du fond des âges le prolétariat en marche, avec ses
gros sabots : fini le *suspense*.

Mozart : comment ne pas lire, à travers sa musique si
policée, si mesurée, de si tendre et élégante compagnie, les
guerres en dentelles du dix-huitième siècle, où on menait
encore les compagnies au son du violon, où les officiers à
jabot, à l'instant d'engager leur affaire, puisaient une pin-
cée de tabac dans leur tabatière à musique ? Wagner, né à
Leipzig l'année même du *Völkerschlacht* : les sombres
batailles de peuples du dix-neuvième et plus encore du
vingtième siècle à venir sont le bruit d'océan qui monte, en
même temps que les premiers accords de l'ouverture, du
fond de son *abîme mystique* ; ce qui le sépare de Mozart,
c'est aussi, c'est d'abord une brutale rupture d'échelle et de
volume, c'est la fin de la gentille musiquette de l'Histoire.
Elle sépare aussi Laclos de Balzac, mais non de Stendhal,
qui a été à Moscou, qui a vécu cette fin de plus près que
quiconque, mais qui ne l'a jamais vraiment reconnue, ni
comprise.

*

Quel taux de mortalité élevé parmi ce qu'on a considéré,
du vivant des grands écrivains, comme leurs chefs-
d'œuvre ! Bien souvent, ceux de leurs livres qui restent

vivants pour nous semblent se ranger, à la manière d'un bord de cratère, autour d'un effondrement central. O tragédies de Voltaire, ô *Natchez* et *Martyrs*, *Nuits* de Musset, *Girondins* de Lamartine, vous n'avez guère davantage survécu que les neiges d'antan ! ô *Burgraves*, *Hernani*, *Cromwell* et *Ruy Blas*, vous subsistez certes, mais non pas à la manière de Racine dans le théâtre, plutôt à celle des *Trois Mousquetaires* dans le roman. C'est ici, peut-être, que les classiques font preuve, non d'une supériorité, mais d'une stabilité d'assiette plus grande : ni Racine, ni Corneille, ni Molière n'ont changé de monture au relais des siècles.

La pleine et longue vitalité d'un genre littéraire de forme définie et fixe (la tragédie du dix-septième siècle) et non une quelconque supériorité du goût de l'époque, doit sans doute être tenue pour la cause qui fait que les mêmes *performances* que les contemporains tenaient pour les meilleures en chaque auteur classique le sont restées pour nous : jugement d'excellence en fonction de normes définies qui tient du classement scolaire, et même, au fond, de la compétition sportive. Les périodes de mutation littéraire accélérée rendent compte, au contraire, de ce « qui perd gagne » si souvent observable chez les grands écrivains : c'est qu'il est impossible, sur le vif, de juger de la puissance du mouvement ascendant, encore à l'état naissant, qui porte les œuvres que prisera l'avenir, tandis qu'un retard du goût, phénomène d'inertie inévitable, privilégie encore sur le moment les œuvres nées dans le sillage d'avant-hier : *Mérope*, par exemple, ou *Les Martyrs*, aux dépens de *Zadig* ou de la *Vie de Rancé*.

*

Le *Voyage de Gratz à La Haye*, de Montesquieu, est un sec memento anecdotique et technique, tout enchiffré de distances, d'effectifs, de statistiques, de budgets, et qui pourrait être le carnet de voyage d'un Anglo-Saxon *matter of fact*, tel qu'en verra passer la seconde moitié du siècle : Arthur Young ou Benjamin Franklin. L'intendance ne suit plus, elle marche en première ligne, et le législateur quintessencié semble ici sans beaucoup d'agrément, au cahot des relais de poste, mettre à jour les comptes de l'Europe sur un carnet de cuisinière.

Dans cet Occident de la première moitié du siècle, déjà baigné par les lueurs de l'*Aufklärung*, point de passeports certes, point ou guère de chicanes de police, du moins pour les gens de qualité, et point de conscription. Mais, à lire ces carnets de voyage, qui se réduisent le plus souvent pour les pays traversés à un plat état des lieux, on se remet en mémoire ce qu'on avait tendance à oublier au bénéfice de la trop vantée *douceur de vivre* du siècle : ce sont les villes tout entières qui sont alors des casernes, corsetées de bastions, régalées de tambours, hérissées d'artillerie, et qui chaque soir à la nuit tombante se verrouillent à double tour. La cité demeurait campée comme une légion romaine ; le fossé, le pont-levis et la courtine restaient le fond de décor obsédant de la vie, plus symboliques que fonctionnels certes, mais toujours présents, comme l'épée au côté du gentilhomme, et l'Europe où le châtelain de La Brède festoie et se promène, dénombrant avec ladrerie ses magasins et ses poudrières, ses bataillons et ses demi-lunes, à le lire, c'est bien moins l'Europe de Voltaire que l'Europe du Roi-Sergent.

*

Il y a plus que de l'ennui, plus que de la tristesse, exilée et morfondue, dans ces bavardages somnolents de la province russe chez Tourguéniev ou Tchekhov ; il y a un pressentiment du néant, doublé d'une absence d'écho étrange : on dirait des bouches sur lesquelles s'écrase peu à peu un oreiller. Rien, absolument rien de tel qui transparaisse dans aucune page de notre littérature du dix-huitième siècle, où le plaisir reste jusqu'à l'ultime minute sans arrière-goût et sans déboire, où la société nantie, quoiqu'on en dise, à aucun instant ne semble avoir senti venir la fin. L'absence complète de référence historique utilisable en serait-elle la cause ? Il est difficile, en 1978, d'imaginer qu'il y a deux siècles l'idée de révolution sociale non seulement n'éveillait aucun souvenir lointain ou proche, mais même, tout au long des trois mille années où plongeaient les racines de la culture, aucune, absolument aucune image intelligible : rien d'autre que le vers de Juvénal : *Quis tulerit Gracchos de seditione querentes*, et le fantôme insignifiant d'une réforme agraire mort-née.

« Si le mot d'*amour* vient à être prononcé entre eux, je suis perdu », dit quelque part le comte Mosca dans *La Chartreuse*. Il en est allé un peu de même alors pour le mot *révolution*. La France nantie, qui ne l'avait jamais entendu, ou qui l'avait complètement oublié, y gagna de dormir jusqu'au dernier moment sur ses deux oreilles. Le retard du vocable sur l'événement se trouva être à la veille de 1789 aussi remarquable que, dans les années de cet après-guerre, son antécédence omni-présente.

*

Un grand écrivain ne se laisse jamais tout à fait occulter, même quand il somnole, même quand il s'endort pour de bon. Il y a dans *Par-delà le Bien et le Mal*, ouvrage de Nietzsche sans grand éclat, sans grand mordant, au surplus parfois plus clairement prénazi qu'il n'est permis de l'être, tout à coup deux pages sereines, détendues, et comme décloses par une sympathie souriante, pages où il cerne d'un trait sans repentir et sans bavure la bizarre saison de l'âme qui s'ouvre pour l'Europe avec Rousseau et se clôt avec Beethoven (saison dont Novalis, sur le plan poétique, Saint-Just, sur le plan politique, figurent pour moi à peu près le solstice, et à laquelle l'œuvre de Gœthe tout entière, aussi complexe qu'elle soit, doit la succulence ensoleillée de sa maturation). Saison déjà pathétiquement tardive, été de la Saint-Martin plutôt, qui fleurit au rebours du calendrier au moment même où l'Histoire aborde son tournant le plus impitoyable — coucher de soleil vécu comme une aurore, et dont Fourier tout à la fin figurera un peu le *rayon vert*.

L'Histoire a connu sans doute plus d'une fois de ces grossesses nerveuses de l'âge d'or, de ces visions de grèves célestes couvertes de «blanches nations en joie». La seule qui nous soit un peu familière dans le passé est celle du siècle d'Auguste, celle des futuritions virgiliennes : «Jam redit et Virgo, redeunt Saturnia regna.» C'est proprement, en même temps qu'une vision de retour des temps, une vision de retour d'âge, un fantasme de nantis, de titulaires de pensions à vie : monde arrêté, frontières figées, lois immuables, jouissance sans trouble du *modicum et bonum*. Plus raillée qu'elle, elle est tout autrement fondée en vérité dans son moment historique que l'utopie rousseauiste. Le monde romain, dans la tête de quelques-uns de ses intellectuels fatigués du remue-ménage des guerres civiles, a imaginé qu'il allait enfin s'asseoir, mais vraiment s'asseoir, vraiment prendre sa retraite après tant de travaux guerriers, et pendant un siècle ou deux il l'a réellement prise, le retour régulier de ses mensualités placé sous la garde de celui des constellations. Accord intime d'une société à bout de course et d'une fatigue personnelle de vivre encore souriante, qui pressent la sclérose finale d'un monde, y place ses complaisances et lui confie son repos : les vers dorés de Virgile ne sont que le drapé millénariste et fastueux d'une caducité encore verte qui prophétise à l'aise, parce que le vieillissement des âmes est, pour un moment exceptionnel et durable, à l'unisson de la fatigue d'une civilisation qui garde de beaux restes. Les pensionnés d'Auguste et de Mécène ont deviné, presque jeunes encore, qu'ils appartenaient à la seule civilisation qui allait avoir la chance de mourir centenaire : c'est ce qui fait le ton unique de leur poésie, souriante, mais éclairée déjà à moitié par le soleil des morts, comme ces après-midi d'été où le fantôme d'une lune blanche ne quitte pas la voûte du ciel et où on passe insensiblement d'une lumière à l'autre. Il n'y a plus d'avenir : plus rien que la récurrence chinoise du cycle des saisons et des années ; tous les événements sont désormais au passé ; plus rien devant soi que la monotonie d'un vide blanc, rythmé seulement par les consulats-prétextes et les travaux de la terre ; plus rien que le progressif assoupissement : comment toute la pente du cœur ne serait-elle pas allée au *retour éternel*, dont le monde déchargé de l'éventuel devenait la transparente figure ? Cela a été, et — l'espace d'un vaste point d'orgue, d'une pause du Temps étrange — cela a été une vérité. Le christianisme a prospéré sur cette vacance d'un temps démeublé que l'histoire abandonnait sur la grève : toute la scène d'un drame encore possible était reportée dans le *for intérieur*.

Le songe de Rousseau, celui qu'il inocule à la France — et bientôt à l'Europe — le rêve d'un Homme sorti vertueux du sein baptismal de la Nature, est tout autre chose. Alors que le cercle de Virgile puise dans sa fatigue de l'événement le pressentiment, qui se vérifiera, d'un monde éjecté de l'Histoire au point d'en devenir presque abstrait, les Rousseau et les Schiller, les Novalis et les Saint-Just rêvent, eux, d'un Homme abstrait, d'une liberté baignée de vertu, autocrate et solitaire, et qui s'évade exemplairement des servitudes de la temporalité... au moment même où toute la place va se faire pour elles. L'Homme sorti immaculé des mains de la nature se voit ainsi ériger par eux, on ne peut plus intempestivement, sa statue votive au point de départ même de ce qui va devenir presque immédiatement l'Histoire-dieu et l'Histoire-cauchemar. Le silence de Saint-Just au 9 thermidor est peut-être le constat de cette discordance criarde : il est celui d'un croyant dévotieux et intemporel de la Vertu innée qui découvre brutalement (« La République est perdue, les brigands triomphent ! ») ce que le torrent de l'Histoire en folie fait de l'homme, de tous les hommes. Le couperet de la guillotine s'affûtait déjà dans la vision idyllique du Bon Sauvage apparue si singulièrement à l'orée même d'un Temps des Troubles : que faire d'un Homme enfin accompli devenu aussitôt le jouet disloqué et le pantin de cette mêlée épineuse ? sinon, de dépit, le raccourcir.

*

Énigmatique, et irritant pour l'esprit, le cas de ces écrivains que la librairie, à la longue, a imposés à la littérature : Simenon ou Jules Verne tout comme Dashiell Hammett ou Tolkien.

Il met à nu tout l'arbitraire changeant des règles qui président à l'intronisation dans les *belles-lettres*. Celui-ci en semblait écarté à première vue par une ambition bornée à distraire, celui-là par la classe d'âge de son public, cet autre par la totale absence, dans son talent, de pente et de nécessité. Mais il n'y a point en art de règles de qualification violées, si nombreuses soient-elles, qu'une percée isolée dans l'excellence, fût-ce dans une direction non encore répertoriée, ne rachète toutes. Nous ne savons pas ce que le temps à venir incorporera à la littérature contemporaine d'éléments qui nous semblent aujourd'hui en marge et parfaitement incongrus. Le faisceau capricieux de lanterne sourde qui tire de l'ombre le *beau monde* de l'écriture bouge avec le temps. Rappelons-nous que pendant les siècles où l'éloquence de la chaire et l'Apologétique s'engouffraient à flots et comme de droit dans la littérature, Sade s'en trouvait proscrit, tout comme, ou à peu près, la *Religieuse Portugaise*.

*

Quand on vient du cœur d'une forêt et qu'on arrive à la

lisière, on voit les derniers arbres se silhouetter isolés sur le ciel vide, déjà baignés d'une lumière tout autre, déjà incorporés au jour blanc de la plaine nue. Dès qu'il s'éloigne, le regard du voyageur qui se retourne les réincorpore indistinctement dans la masse. Ainsi plus d'une fois, dans l'histoire de l'art ou de la littérature, le recul des années a-t-il à lui seul raison de la fausse nouveauté : Leconte de Lisle réintègre la sylve hugolienne, et Lamartine le pseudo-classicisme sentimental, les périphrases à la Delille du dix-huitième siècle expirant. La seule chance de se trouver né à une époque-charnière, près du seuil qui sépare deux périodes de sensibilité et de technique violemment contrastées, suffit quelquefois à gratifier pour un temps un artiste de ces effets de *contre-jour* trop avantageux.

*

Nulle immunité en littérature — même pour raison de gloire universelle — n'est jamais acquise pour toujours (ce que souhaite peut-être signifier l'expression : se reposer sur ses lauriers). En 1942, les directives « culturelles » du gouvernement du vertueux Maréchal proscrivaient *Phèdre* et *Tartuffe* pour immoralité.

Il y a eu deux cas en France où une minorité d'assise étroite, que l'évolution sociale condamnait sans espoir — fondamentalement réactionnaire, mais intellectuellement influente — a été propulsée au pouvoir pour un *retour amont* par une catastrophe nationale : en 1814 et en 1940.

La première avait un modèle de référence, la seconde n'en avait pas : cette réaction abstraite rétrogradait vers

une Salente ectoplasmique qui n'avait jamais eu de lieu,
tout comme son penseur, Maurras, lui soufflait la recette
d'un catholicisme agnostique et d'une monarchie sans roi.
Ses points d'ancrage étaient des points de suspension, ses
antécédents, académiques et littéraires, son régime s'appelait l'État Français.

*

Un changement de climat a désensibilisé en quelques
années notre époque à certains aspects de la vie et de l'art,
l'a sensibilisée au contraire à certains autres. La passion
amoureuse, par exemple, dont la peinture régnait depuis
quelques siècles dans la littérature, et qui tenait une telle
place naguère encore dans la rêverie adolescente, a rega-
gné la position marginale qu'elle occupait selon Denis de
Rougemont avant *Tristan*. Si on en tolère encore la représentation, c'est seulement, la plupart du temps, grâce à
l'excuse d'une pratique sexuelle déviante. La production
romanesque d'un écrivain comme Mauriac peut être
considérée à ce point de vue comme signalétique : tous les
« problèmes » qui hantent ses livres — et non seulement
celui du « péché de la chair » — sont presque sans exception ceux que l'époque suivante a gommés ou ignorés systématiquement. Où trouver aujourd'hui, non seulement
une jeunesse chrétienne encore sensibilisée aux affres
charnelles du *Fleuve de Feu*, mais même un cocon familial
qui pourrait aider à comprendre le *Mystère Frontenac* ?
Il est trop facile de rattacher un tel changement à vue à
la simple décadence de quelques valeurs bourgeoises et

chrétiennes. Soixante ans après la révolution d'Octobre, il
est clair que Soljénitsyne aujourd'hui (et bien d'autres
Russes sans doute avec lui) lit de nouveau Dostoïevski
exactement comme on le lisait avant Lénine (et comme
Maïakovski, placé dans la zone d'éclipse, ne pouvait plus
le faire). Plutôt qu'à un progrès démystifiant des lumières,
j'ai tendance à croire que le *cache* opaque projeté par toute
société sur une partie de ses activités, de ses obsessions et
de ses fantasmes, s'est déplacé une fois de plus sans se dila-
ter ni se contracter beaucoup. Déplacé en quel sens ? Celui
que dicte une sensibilisation neuve au sentiment du *péché
originel*, ressuscitant sous un travesti social inédit. Il y a
dans le refus né en 1968, et même avant, d'un art et d'une
vie fondamentalement viciés et « aliénés » quelque chose
de l'âpreté des premiers chrétiens contre l'art et contre le
« monde ». « Tant que l'eau du nouveau baptême n'aura
pas passé sur eux... »

*

L'histoire de la Grèce antique, qui a pesé si fort sur notre
littérature, correspond à peu près, telle qu'elle surgit dans
l'esprit du collégien qui termine ses classes, à ce que serait
l'histoire de l'Angleterre, arrêtée après la guerre des Deux
Roses, c'est-à-dire au moment où elle commence véritablement. Dès que cessent les confus massacres entre féoda-
lités urbaines lilliputiennes, tout ce qui dépasse ne compte
plus. La conquête du monde civilisé, les *dominions* géants
des Épigones, et toute cette profonde Amérique hellénisée
du Far East, sont comme une espèce d'épilogue, à la vérité

déjà hors texte. Pour une fois, il y avait dans le temps un sensible décalage entre la culmination de l'art d'une civilisation et la culmination de son influence et de sa puissance. Et c'est l'art qui, sacralisé, a imposé ses repères et sa chronologie.

*

En dehors des différences individuelles, y a-t-il — par ses thèmes dominants, son style, ses obsessions matérielles — une manière spécifique de rêver propre à chaque époque ? Le style onirique (s'il existe) particulier à une époque se modifie-t-il au même rythme que le style de ses réalisations concrètes et calculées ?

Notre époque est la première où cette question puisse être posée, en raison de ses tentatives multipliées pour enregistrer et fixer ses rêves. La dernière aussi à rester incapable de la résoudre, faute d'éléments de comparaison légués par les époques disparues (où le rêve ne passait dans l'écriture qu'à l'état d'ornement stéréotypé ou de subterfuge prophétique).

Breton a parfaitement vu, et dit, dans le *Premier Manifeste*, que le merveilleux propre à chaque époque procédait d'une sorte de «révélation générale». Il est singulier, étant donné la pente de son esprit, qu'il n'ait pas cherché à lier cette «révélation générale» à une émergence onirique collective, et par conséquent à quelque vaste enquête sur les rêves, comme il eût été pour lui à cette époque si naturel.

*

C'est du vivant de Voltaire que le gendelettrisme a connu ses formes les plus assassines, tout comme le syco-phantisme avait trouvé les siennes au temps de Tibère et de Néron. Les trois quarts de ce qui tient une plume en France, au milieu du XVIIIe siècle, n'aspirent plus, on dirait, qu'aux seuls emplois de nervis de lettres, de spadas-sins ou de seconds couteaux. On entrevoit à chaque ins-tant autour de l'ermite de Ferney des vies de plumitifs qui, d'un bout à l'autre, entre le chantage et le plagiat, la men-dicité, l'adulation, la vénalité, l'espionnage, le faux témoi-gnage, les coups d'encensoir et les coups de trique, coulent avec la limpidité du caniveau de la rue du Bac. Et, force est bien de le reconnaître, d'un bout à l'autre, c'est le faux ermite lui-même qui donne le *la*.

Il est clair, d'ailleurs, que la première royauté conférée par la littérature, celle de Voltaire, ne s'est imposée si vite que parce qu'elle mêlait inextricablement en elle l'oint de l'Esprit au bouffon de cour. Au fond, l'universel compa-gnonnage de Voltaire avec les têtes couronnées, dont il fut tellement dupe, signifiait moins la sublimation de la roture par le génie que plutôt une confirmation, peu coûteuse, du droit divin de la naissance par le commerce quotidien et congédiable du Saint Esprit.

*

« C'est vrai que l'intelligence française est incomparable. Il n'en existe pas de plus puissante, de plus aiguë, de plus profonde. Dût-on m'accuser d'effronterie, j'irai jusqu'au bout de ma pensée : c'est la seule aujourd'hui qu'il y ait au monde. Nous seuls avons su conserver une tradition intellectuelle, nous seuls avons su nous préserver à peu près de l'abêtissement pragmatiste ; nous seuls avons continué à croire au principe d'identité ; il n'y a que nous dans le monde, je le répète froidement, qui sachions encore penser. Il n'y aura, en matière philosophique, littéraire et artistique, que ce que nous dirons qui comptera. »

Ces lignes étranges sont de Jacques Rivière (*Le Parti de l'Intelligence*) et datées de 1921. On entrevoit encore aujourd'hui à travers elles qu'il y a eu chez nous, après 1918, un transport bref monté du sabre au cerveau, une ivresse de la *Kultur* gauloise non tout à fait incomparable à la cuvée, après 1871, des vapeurs pangermanistes et wagnériennes dans l'Allemagne de Bismarck et de Guillaume II. On pourrait en retrouver d'autres traces dans Maurras, Massis, dans le Barrès de l'après-guerre. Ce *coup de soleil* n'a guère duré plus de deux ou trois ans : non seulement — chacun au fond le savait — la « victoire » était creuse, la vitalité atteinte, et la pente descendante, mais dès le début l'affaire battait de l'aile : deux fois aliénée dans ses sources profondes, avec Marx, puis avec Lénine, à un pareil triomphalisme il était interdit à la gauche française de concourir. Après le combisme — dont la luxuriance mentale, malgré les efforts d'Alain, n'était pas pour éblouir — la gauche en France n'a plus reçu d'affluent intellectuel national, et cela a pesé lourd : contre elle, et contre nous.

*

Mon siècle, dans le passé, c'est le dix-neuvième, commencé avec Chateaubriand, et prolongé jusqu'à Proust, qui vient l'achever un peu au-delà de ses frontières historiques, tout comme Wagner est venu lui-même achever le romantisme *off limits*. Je n'aime pas le dix-huitième siècle, sinon peut-être pour un ou deux livres de Rousseau : les livres, non l'homme (les *Rêveries*, la *Nouvelle Héloïse*, certaines parties des *Confessions*). Quelques pages aussi de Sade, qui par ailleurs m'ennuie extrêmement : j'aime bien la *Philosophie dans le boudoir* et la Révolution commentée pendant les pauses de la fouterie (« Français, encore un effort si vous voulez être républicains »). Ce qu'il y a de meilleur pour mon goût dans l'esprit de l'époque est concentré là, plus nerveusement encore que dans *Les Liaisons*. Il y avait peut-être dans ce siècle, comme on l'assure, un art de vivre : nous n'en avons plus l'emploi ; il y avait aussi des lumières sur la chose publique : nous en avons eu trop l'emploi. Le dix-neuvième siècle est de nature pythique et prophétique : il atteint à des profondeurs divinatoires dont le dix-huitième siècle n'a eu aucune idée, car il éclairait tout et ne devinait rien ; son air de flûte humanitaire était celui du preneur de rats de Hameln, mais il ne le savait pas.

TABLE

29,95 FC